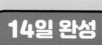 점선을 따라 잘라서 사용하세요!

14일 완성
학습 계획표

- 정해진 일정과 학습 분량에 맞춰 공부해 보세요!
- 교과 학습은 물론 기초학력 진단평가까지 체계적으로 대비할 수 있습니다.
  오늘 나의 학습은 만족스러웠는지 매일 각각의 표정에 체크해 보세요.

1일차	1 월 28 일
국어 1학기 · 핵심 정리 V	
· 확인 문제 V	
확인	

11일차	2 월 12 일
국어 V 수학 V 사회 V	
과학 □ 영어 □	
확인	

 출발

핵심 정리 + 확인 문제

1일차 월 일
국어 1학기 · 핵심 정리 □
· 확인 문제 □
확인

2일차 월 일
국어 2학기 · 핵심 정리 □
· 확인 문제 □
확인

3일차 월 일
수학 1학기 · 핵심 정리 □
· 확인 문제 □
확인

7일차 월 일
과학 1학기 · 핵심 정리 □
· 확인 문제 □
확인

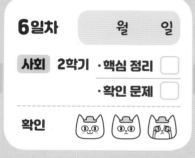

6일차 월 일
사회 2학기 · 핵심 정리 □
· 확인 문제 □
확인

5일차 월 일
사회 1학기 · 핵심 정리 □
· 확인 문제 □
확인

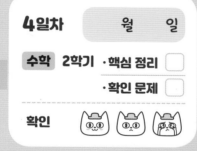

4일차 월 일
수학 2학기 · 핵심 정리 □
· 확인 문제 □
확인

8일차 월 일
과학 2학기 · 핵심 정리 □
· 확인 문제 □
확인

9일차 월 일
영어 1학기 · 핵심 정리 □
· 확인 문제 □
확인

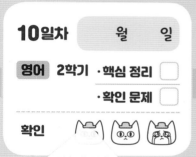

10일차 월 일
영어 2학기 · 핵심 정리 □
· 확인 문제 □
확인

모의 평가

11일차 월 일
국어 □ 수학 □ 사회 □
과학 □ 영어 □
확인

12일차 월 일
국어 □ 수학 □ 사회 □
과학 □ 영어 □
확인

월 일
국어 □ 수학 □ 사회 □
과학 □ 영어 □
확인

실전 문제

14일차 월 일
국어 □ 수학 □ 사회 □
과학 □ 영어 □
확인

 도착!

해.보.자.구-!

기초학력
진단평가
+
5학년 총정리

시험 대비 공부법

1년 동안 배운 교과 내용을 제대로 알고 바르게 이해해야
다음 학년이 되어서도 공부를 잘할 수 있겠죠?
그래서 학년 말에는 총정리 학습이 꼭 필요하답니다.
새 학년이 되면 선생님들께서는 학생들의 학력 수준을 평가하고
그 결과를 반영하여 교과 학습을 지도하게 됩니다.
따라서 학년 말 총정리 학습은 기초학력 진단평가에도
대비할 수 있어 일석이조의 효과가 있습니다.

아자!
아자!

교과서 핵심 내용을 눈여겨보세요!

지난 1년 동안 배운 교과 내용을 훑어보면서 이미 알고 있는 내용은 다시
한번 확인하고, 잘 모르거나 자신 없는 내용은 완벽하게 이해하고 넘어가
야 합니다.

과목에 맞는 공부 방법을 알아 두세요!

국어와 영어는 교과서 지문을 꼼꼼히 읽는 게 중요합니다. 수학은 무작정
공식을 외우기보다는 연습 문제를 차근차근 풀면서 문제 응용력을 키우는
게 효과적인 공부 방법입니다. 사회, 과학은 도표나 사진 등을 주의 깊게
보고 분석하는 능력을 기르는 게 중요합니다.

실제 시험을 치르듯이 미리 연습해 보세요!

정해진 시간 안에 문제를 다 풀고 컴퓨터용 사인펜으로 OMR 답안지까지
모두 작성해야 합니다. 실제 시험을 치르듯이 미리 연습하지 않으면 시험
시간에 허둥대다가 실수하기 쉽습니다. 따라서 문제 풀이 시간과 OMR 답
안지 작성 방법을 미리미리 알아 두어야 합니다.

차례

핵심 정리 ＋ 확인 문제

과목마다 1학기, 2학기로 나누어서
핵심 정리와 확인 문제를 수록하였습니다.
핵심 정리로 개념을 이해하고, 확인 문제로 실력을 점검하세요.

1 대화와 공감

(1) 대화의 특성
① 상대를 직접 보면서 말을 주고받습니다.
② 잘 듣지 않으면 다시 물어봐야 합니다.
③ 표정, 말투, 몸짓을 보고 상대의 기분을 짐작할 수 있습니다.
   └→말의 빠르기, 높낮이, 세기 등

(2) 상대를 배려하며 조언하기
   └→도움이 되는 말이나 몰랐던 것을 깨우쳐 주는 말
① 상대에게 고민을 말하도록 강요하지 않습니다.
② 상대가 고민을 편안하게 말할 수 있도록 잘 듣습니다.
③ 상대에게 도움이 되는 내용을 말합니다.

2 작품을 감상해요

(1) 경험을 떠올리며 시 읽기
① 시 내용을 파악하고 시의 표현을 살펴봅니다.
② 시에서 말하는 이가 무슨 생각을 하는지 알아봅니다.
③ 시에서 말하는 이가 겪은 일이 무엇인지 파악합니다.
④ 시에서 말하는 이가 상상하는 것을 짐작해 봅니다.

(2) 경험을 떠올리며 이야기 읽기
① 내가 겪은 일이나 아는 것을 활용해 이야기를 읽습니다.
② 작품 속 주인공이 겪은 일과 현실 속에서 내가 겪은 일을 비교하며 이야기를 읽습니다. →주인공과 자신의 경험을 견주어 보면 인물의 마음을 더 잘 이해할 수 있음.

3 글을 요약해요

(1) 여러 가지 설명 방법

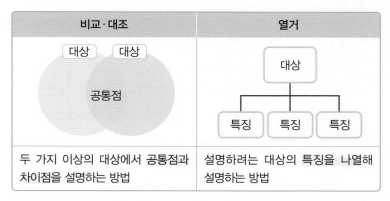

비교·대조	열거
대상 / 대상 / 공통점	대상 — 특징 / 특징 / 특징
두 가지 이상의 대상에서 공통점과 차이점을 설명하는 방법	설명하려는 대상의 특징을 나열해 설명하는 방법

(2) 구조를 생각하며 글 요약하기
① 각 문단의 중심 문장을 찾습니다.
② 중요하지 않은 내용은 지우고, 세부 내용은 대표적인 말로 바꾸어 중심 내용을 정리합니다.
③ 글의 구조에 알맞게 틀을 그려 내용을 정리합니다.

(3) 설명하는 글을 쓸 때 주의할 점
① 확실하지 않은 정보를 제공하면 안 됩니다.
② 추측하는 말이나 주장하는 말을 쓰지 않습니다.
③ 읽는 사람이 이해할 수 있는 말을 사용해야 합니다.
④ 읽는 사람에게 잘 알려지지 않은 정보를 주어야 합니다.

4 글쓰기의 과정

(1) 문장을 구성하는 성분

주어	• 문장에서 동작이나 상태의 주체가 되는 말 • 문장에서 '무엇이', '누가'에 해당하는 부분
서술어	• 문장에서 주어의 움직임, 상태, 성질 등을 풀이하는 말 • 문장에서 '무엇이다', '어찌하다', '어떠하다'에 해당하는 부분
목적어	• 문장에서 동작의 대상이 되는 말 • 문장에서 '무엇을'에 해당하는 부분

(2) 호응 관계가 알맞은 문장 쓰기
① 시간을 나타내는 말과 어울리는 서술어를 씁니다.
   과거←┘
   예 어제 친구와 박물관에 갔다.
② 높임의 대상을 나타내는 말과 어울리는 서술어를 씁니다.
   예 아버지께서 청소를 하신다.
③ 동작을 당하는 주어와 어울리는 서술어를 씁니다.
   예 물고기가 낚싯줄에 걸렸다.

5 글쓴이의 주장

(1) 동형어와 다의어 →상황에 따라 여러 가지로 해석되는 낱말임.

동형어	• 형태는 같지만 뜻이 서로 다른 낱말 • 뜻이 서로 관련이 없음. • 국어사전에 서로 다른 낱말로 제시됨.	예 신체 부위인 다리와 두 곳을 잇는 다리
다의어	• 여러 가지 뜻을 가진 낱말 • 뜻이 서로 관련이 있음. • 국어사전에 한 낱말로 제시됨.	예 사람 다리와 책상 다리

(2) 글을 읽고 글쓴이의 주장 파악하기
① 각 문단의 중심 내용을 확인합니다.
② 글쓴이의 의견과 근거를 살펴봅니다.
③ 글쓴이가 여러 번 강조해 사용한 낱말을 확인합니다.
④ 글의 제목을 살펴봅니다.

(3) 근거의 적절성을 파악하는 방법
① 주장과 관련이 있는 근거인지 살펴봅니다.
② 주장을 더욱 설득력 있게 하는 근거인지 알아봅니다.
③ 근거에 알맞은 낱말을 썼는지 알아봅니다.

[01~02] 다음 글을 읽고 물음에 답하시오.

어떻게 해야 칭찬이 힘을 발휘할 수 있을까요?

먼저, 분명하고 자세하게 칭찬해야 해요. 누군가를 칭찬할 때 두루뭉술하게 칭찬하지 말고 칭찬하는 내용이 무엇인지를 자세하게 말하는 것이 좋아요. "우아, 멋지다!", "정말 대단해!"와 같이 칭찬하기보다는 "다른 사람을 생각해서 양보하는 모습이 정말 멋지구나!"와 같이 분명하고 자세하게 칭찬해야 해요. 그래야 상대가 무엇을 잘했는지 알고 칭찬을 받으려고 더 노력하게 된답니다.

둘째, 결과보다 과정을 칭찬해야 해요. 누군가를 칭찬할 때 일의 결과가 아닌 과정을 칭찬하는 것이 좋아요. "100점이네. 정말 좋겠다."와 같이 칭찬하기보다 "그렇게 열심히 하니 좋은 결과가 나오는구나!"와 같이 칭찬하면 좋은 결과가 나오지 않더라도 상대가 노력의 의미를 깨닫는답니다.

관련 단원 | 1. 대화와 공감

01 가장 힘을 발휘할 수 있는 칭찬하는 말에 ○표 하시오.

(1) 정말 멋지다! ( )
(2) 이번에도 1등을 했네. 좋겠다. ( )
(3) 잃어버린 물건을 찾아 주다니 친절하구나. ( )

관련 단원 | 1. 대화와 공감

02 일의 결과보다 과정을 칭찬해야 하는 까닭은 무엇입니까? ( )

① 상대가 칭찬을 받으려고 더 노력하게 된다.
② 상대의 기분을 무조건 좋아지게 만들 수 있다.
③ 두루뭉술하게 칭찬할 때보다 기분이 더 좋아진다.
④ 과정보다 결과가 중요한 것이라는 것을 알게 된다.
⑤ 좋은 결과가 나오지 않더라도 노력의 의미를 깨닫는다.

중요
03 **관련 단원 | 1. 대화와 공감**
㉠ 에 들어갈 알맞은 말은 무엇입니까? ( )

정아: (오늘은 유라가 그림을 늦게 그리네. 도와준다고 할까? 평소에 나보다 더 잘하는데 기분 나빠 할까?)
유라: (좀 도와 달라고 할까? 지난번 미술 시간에 정아에게 스스로 완성해 보라고 했는데…….)
정아: 유라야, 내가 색칠하는 것 좀 도와줄까?
유라: 고마워. 밑그림을 그리는 데 시간이 많이 걸렸나 봐.
정아: 그렇구나. ㉠

① 대충 칠하더라도 빨리 끝내는 게 어떨까?
② 이제는 내가 너보다 더 잘 그리게 된 것 같아.
③ 색칠하는 데 시간이 부족할 텐데 내가 도와줄게.
④ 선생님께 혼나기 싫으니까 내가 같이 색칠해 줄게.
⑤ 너도 이제는 그림을 스스로 완성해 보는 것은 어때?

관련 단원 | 2. 작품을 감상해요

04 경험을 떠올리며 글을 읽으면 좋은 점으로 알맞지 않은 것은 무엇입니까? ( )

① 내용을 더 쉽게 이해할 수 있다.
② 내용을 더 생생하게 느낄 수 있다.
③ 인물의 마음을 더 잘 이해할 수 있다.
④ 글을 다 읽지 않아도 내용을 파악할 수 있다.
⑤ 책이나 영상에서 본 것을 떠올리면 더욱 실감 나게 읽을 수 있다.

[05~06] 다음 글을 읽고 물음에 답하시오.

가 1919년 3월 10일, 일본은 학교를 강제로 닫았다. 그래서 기숙사에 있던 학생들은 뿔뿔이 흩어졌고 유관순도 고향으로 돌아왔다.

고향으로 돌아온 유관순은 독립 만세를 부를 준비를 했다. 유관순은 사촌 언니와 함께 동지들을 모으고, 독립 만세를 부를 계획을 치밀하게 세웠다. 날마다 이 마을 저 마을을 찾아다니며 독립 만세를 부르는 일에 함께 참여할 것을 부탁했다. 하루 종일 돌아다니다가 집에 돌아오면 몸은 말할 수 없이 피곤했다. 그렇지만 잠시 찬물에 발을 담그고, 곧바로 가족과 함께 밤새워 태극기를 만들었다.

나 그러나 결국 유관순은 일본 헌병들에게 붙잡혀 끌려갔다. 그리고 일본 헌병대에서 온갖 고문을 당한 뒤에 재판을 받았다. 유관순은 재판을 받을 때 조금도 굽히지 않고 당당했다. 유관순은 3년 형을 받고 감옥에 갇혔지만 우리나라가 독립을 해야 한다는 유관순의 신념은 누구도 꺾을 수 없었다.

관련 단원 | 2. 작품을 감상해요

05 유관순이 한 일이 아닌 것은 무엇입니까? ( )

① 밤새 태극기를 만들었다.
② 독립 만세를 부를 준비를 했다.
③ 사촌 언니와 함께 동지들을 모았다.
④ 여러 마을을 다니며 학교를 세울 준비를 했다.
⑤ 독립 만세를 부르는 일에 함께 참여할 것을 부탁했다.

중요
06 **관련 단원 | 2. 작품을 감상해요**
이 글을 읽을 때 떠올릴 경험으로 가장 알맞은 것은 무엇입니까? ( )

① 사촌 언니와 함께 소풍을 간 일
② 개교기념일에 학교에 가지 않은 일
③ 가족들과 함께 일본으로 여행을 다녀온 일
④ 축구를 관람할 때 태극기를 들고 응원한 일
⑤ 현장 체험학습으로 서대문형무소역사관에 간 일

07 관련 단원 | 3. 글을 요약해요
다음 글을 알맞게 이해한 것에 ○표 하시오.

> ### 국립중앙박물관 이용 안내
>
> ▶ 국립중앙박물관은 1월 1일, 설날(당일), 추석(당일)에는 쉽니다.
> ▶ 6세 이하 어린이는 보호자와 함께해야 합니다.
>
> ■ 관람 시간
> · 월 · 화 · 목 · 금요일　10 : 00 ~ 18 : 00
> · 수 · 토요일　10 : 00 ~ 21 : 00
> · 일요일 · 공휴일　10 : 00 ~ 19 : 00
> ■ 관람료: 무료

(1) 박물관 휴관일은 1년에 두 번뿐이다. (　　)
(2) 13살 어린이는 보호자가 없으면 박물관에 갈 수 없다. (　　)
(3) 6시에 퇴근하시는 부모님과 관람하려면 평일에는 수요일만 갈 수 있다. (　　)

08 관련 단원 | 3. 글을 요약해요
글의 내용을 틀에 정리할 때, ⊙에 들어갈 내용은 무엇입니까? (　　)

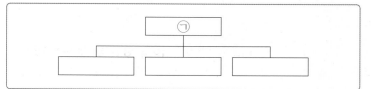

> ### ⊙ 어류의 여러 기관
> 　어류는 아가미가 있는 척추동물입니다. 어류는 물속 환경에 적응할 수 있도록 다양한 기관이 발달했습니다.
> 　② 어류 피부는 대부분 비늘로 덮여 있습니다. 비늘은 어류 몸을 보호합니다. 비늘은 짠 바닷물이 몸속으로 들어오지 못하게 막아 줍니다. ③ 또 저마다 비늘 무늬가 달라 몸을 쉽게 숨길 수 있게 합니다.
> 　④ 어류는 아가미로 물속에 녹아 있는 산소를 흡수합니다. 입으로 물을 삼키고 아가미로 다시 내뱉는 과정에서 산소를 얻습니다.
> 　⑤ 어류는 몸통에 옆줄이 있습니다. 어류는 옆줄로 물 흐름이나 떨림 같은 환경 변화를 알아냅니다.

09 관련 단원 | 4. 글쓰기의 과정
주어와 서술어가 호응하는 문장은 어느 것입니까? (　　)
① 하늘에 구름과 별이 반짝입니다.
② 숲속에서 다람쥐와 새가 지저귑니다.
③ 잡곡밥은 맛과 색깔이 아름답습니다.
④ 나는 동생보다 키와 몸무게가 더 무겁습니다.
⑤ 비가 세차게 내리고, 바람이 세차게 불었습니다.

10 관련 단원 | 4. 글쓰기의 과정
다음은 어떤 문장 성분에 대한 설명인지 쓰시오.

> 주어의 움직임, 상태, 성질 등을 풀이하는 말이다.

(　　　　　　　　　　)

[11~12] 다음 글을 읽고 물음에 답하시오.

> 　어린이 보행 중 교통사고를 줄이는 방법은 무엇일까? 운전자에게 어린이 보행 안전 교육을 철저히 해야 한다. 전체 교통사고 가운데에서 보행 중에 발생한 사고의 나이대별 분포를 살펴보면, 초등학생이 다른 나이대보다 상대적으로 높게 나타나는 것을 알 수 있다. 이는 초등학생들이 바깥 활동이 잦은데다 위험 상황을 판단하고 그에 대처하는 능력이 부족하기 때문이다. 그러므로 운전자에게 어린이 보행자를 보호할 수 있는 안전 교육을 실시해 어린이 보행 중 교통사고가 ⊙일어나지 않도록 해야 한다.
> 　어린이를 고려한 보행 안전시설도 더 필요하다. 학교 앞길에는 과속 차량을 단속하는 장치를 마련해야 한다. 그리고 학교 근처의 어린이 보호 구역을 현재 반지름 300미터보다 더 넓게 하여 어린이들이 안전하게 다닐 수 있게 해야 한다.

11 관련 단원 | 5. 글쓴이의주장
글쓴이가 말한 어린이 보행 중 교통사고를 줄이는 방법은 무엇입니까? (　　)
① 초등학생의 바깥 활동 시간을 줄인다.
② 학교 안에서는 차량 속도를 더 낮추도록 한다.
③ 운전자에게 어린이 보행 안전 교육을 철저히 한다.
④ 초등학생들에게 위험 상황에 대처하는 방법을 가르친다.
⑤ 학교 근처의 어린이 보호 구역을 현재보다 더 좁게 한다.

12 관련 단원 | 5. 글쓴이의 주장
⊙의 뜻으로 알맞은 것은 무엇입니까? (　　)
① 소리가 나다.　　② 잠에서 깨어나다.
③ 병을 앓다가 낫다.　④ 어떤 일이 생기다.
⑤ 몸과 마음을 모아 나서다.

13 관련 단원 | 5. 글쓴이의 주장
주장을 뒷받침하는 근거를 두 가지 고르시오. (　　,　　)

주장	교실이나 복도에서 큰 소리로 떠들지 말자.
근거	① 교실의 쓰레기를 줄일 수 있다. ② 넘어지거나 부딪혀 다칠 수 있다. ③ 안전하고 질서 있는 생활을 할 수 있다. ④ 조용하고 평화로운 분위기를 만들 수 있다. ⑤ 소음 때문에 친구들에게 피해를 줄 수 있다.

6 토의하여 해결해요

(1) 토의 절차와 방법
└→어떤 문제를 여러 사람이 협력해 해결하는 방법

토의 주제 정하기	토의하고 싶은 주제를 자유롭게 이야기하고, 토의 주제로 알맞은 지 판단하여 주제를 결정함.
의견 마련하기	토의 주제에 맞게 자기 의견과 그 의견이 좋은 까닭을 씀.
의견 모으기	의견의 장단점을 찾고, 의견이 알맞은지 판단할 기준을 세워 의견이 알맞은지 판단함.
의견 결정하기	토의 주제에 맞으면서 알맞은 주장과 근거를 들고 실천할 수 있는 의견을 결정함.

(2) 토의할 때 지켜야 할 점
① 다른 사람의 의견을 존중하며 말합니다.
② 의견의 장단점을 생각하며 듣습니다.
③ 토의 주제에서 벗어난 의견은 말하지 않습니다.

7 기행문을 써요

(1) 기행문을 쓰면 좋은 점
① 여행하면서 보고 들은 것을 나중에 알 수 있습니다.
② 여행했을 때의 기분을 잘 간직할 수 있습니다.
③ 여행했던 경험을 다시 느낄 수 있습니다.

(2) 기행문의 특성
└→일기, 편지, 생활문 등 여러 형식으로 쓸 수 있음.

여정	• 여행의 과정이나 일정 • 주로 시간과 장소를 나타내는 표현이 쓰임.
견문	• 여행하며 보거나 들은 것 • 어떤 장소를 방문해 본 것과 들은 것을 나타냄.
감상	• 여행하며 든 생각이나 느낌 • 여행하면서 든 생각이나 느낌을 표현함.

8 아는 것과 새롭게 안 것

(1) 단일어와 복합어
└→낱말의 짜임을 알면 낱말의 뜻을 짐작할 수 있고 새로운 낱말을 만들 수 있음.

단일어	낱말을 나누면 본디의 뜻이 없어져 더는 나눌 수 없는 낱말	예 사과
복합어	뜻이 있는 두 낱말을 합한 낱말	예 사과나무
	뜻을 더해 주는 말과 뜻이 있는 낱말을 합한 낱말	예 햇사과

(2) 겪은 일을 떠올리며 글을 읽으면 좋은 점
① 글 내용을 더 쉽게 이해할 수 있습니다.
② 글 내용을 더 깊이 있게 이해할 수 있습니다.
③ 글 내용에 더 흥미를 지니게 됩니다.
④ 자신이 아는 내용과 비교하며 글을 읽을 수 있습니다.

9 여러 가지 방법으로 읽어요

(1) 글의 종류에 따라 글을 읽는 방법
① 설명하는 글
　• 설명하려는 대상이 무엇인지 생각합니다.
　• 대상을 보고 이미 아는 것과 새롭게 안 것을 떠올립니다.
② 주장하는 글
　• 글쓴이의 주장을 파악하고 근거를 찾습니다.
　• 주장을 뒷받침하는 알맞은 근거인지 생각합니다.
　• 자신의 생각과 비교해 같은 점을 찾고 비판하는 태도로 읽습니다.

(2) 읽는 목적에 따라 글을 읽는 방법
① 알고 싶은 내용을 찾을 때 →훑어 읽기
　• 제목을 가장 먼저 읽고 필요한 내용이 있는지 생각합니다.
　• 글 전체를 다 읽지 않고 중요한 낱말을 읽거나 사진을 살펴보며 필요한 내용이 있는지 찾아봅니다.
② 자세한 내용을 알고 싶을 때 →자세히 읽기
　• 필요한 내용을 찾으며 자세히 읽습니다.
　• 중요한 내용이나 그것을 뒷받침하는 내용에 밑줄을 그으며 읽습니다.
　• 아는 내용과 새롭게 안 내용을 비교하며 자세히 읽습니다.

10 주인공이 되어

(1) 경험을 이야기로 표현하는 방법
① 이야기로 쓰고 싶은 경험을 떠올려 봅니다.
② 이야기의 주제와, 그 주제나 내용에 맞는 제목을 정합니다.
③ 어떤 인물이 필요한지 생각해 보고, 이름과 특징 등을 정합니다.
└→글쓴이가 나타내고자 하는 생각
④ 이야기의 흐름대로 사건과 배경을 간단히 정리합니다.

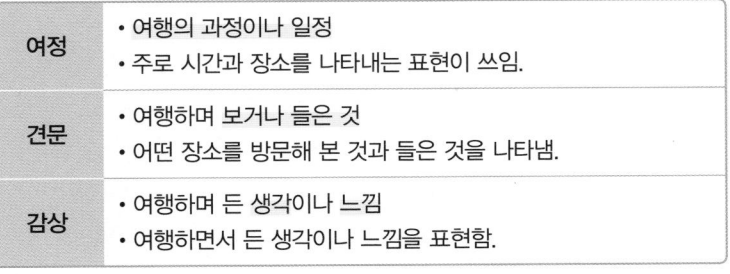

이야기를 시작하고 배경과 인물을 설명하는 단계	→	사건이 일어나기 시작하는 단계
등장인물의 갈등이 꼭대기에 이르는 단계	→	사건을 해결하고 마무리하는 단계

⑤ 정리한 내용을 바탕으로 이야기를 씁니다.

관련 단원 | 6. 토의하여 해결해요

01 토의를 하여 문제를 해결하면 좋은 점은 무엇입니까?
( )

① 혼자서도 문제를 해결할 수 있다.
② 결정된 내용을 잘 받아들일 수 있다.
③ 찬성과 반대 의견을 모두 들을 수 있다.
④ 문제 해결에 직접 참여하지 않아도 된다.
⑤ 문제 상황과 관련 없는 의견도 제시할 수 있다.

[02~03] 다음 대화를 읽고 물음에 답하시오.

> 은재: 개교기념일을 뜻깊게 보내는 방법을 발표해 주세요.
> 현규: 그냥 학교 안 오면 좋겠다.
> 아리: 학교 이름으로 삼행시 짓기는 어때요?
> 현규: 야! 무슨 삼행시야. 재미없어.
> 시윤: 먼저 우리 학교 역사를 알아보면 좋겠습니다. 역사를 알아야……
> 현규: 에이, 따분하게 무슨 역사야.
> 은재: 바른 태도로 토의에 참여해 주세요.

관련 단원 | 6. 토의하여 해결해요

02 이 대화에서 아이들이 토의한 주제는 무엇인지 쓰시오.

• ( )을 뜻깊게 보내는 방법

중요
관련 단원 | 6. 토의하여 해결해요

03 현규의 태도에 나타난 문제점을 모두 고르시오.
(, ,)

① 자신의 의견을 반말로 이야기했다.
② 친한 친구의 의견에만 맞장구를 쳤다.
③ 다른 사람의 의견을 끝까지 듣지 않았다.
④ 자신의 의견을 제시하는 까닭을 설명하지 않았다.
⑤ 자신의 주장은 내세우지 않고 친구의 의견만 따라했다.

관련 단원 | 7. 기행문을 써요

04 여행하면서 보고 듣고 느낀 점을 글로 쓰면 좋은 점으로 알맞지 않은 것에 ×표 하시오.

(1) 여행했던 경험을 다시 느낄 수 있다. ( )
(2) 여행했을 때의 기분을 잘 간직할 수 있다. ( )
(3) 여행하면서 보고 들은 것을 나중에 알 수 있다.
( )
(4) 여행하지 않은 곳의 정보도 다른 사람에게 전해 줄 수 있다. ( )

[05~06] 다음 글을 읽고 물음에 답하시오.

> **가** ㉠우리 답사의 첫 유적지는 한라산 산천단이었다. 한라산 산신께 제사드리는 산천단에 가서 답사의 안전을 빌고 가는 것이 순서에도 맞고 또 제주도에 온 예의라는 마음도 든다.
> **나** ㉡제주의 동북쪽 구좌읍 세화리 송당리 일대는 크고 작은 무수한 오름이 저마다의 맵시를 자랑하며 드넓은 들판과 황무지에 오뚝하여 오름의 섬 제주에서도 오름이 가장 많고 아름다운 '오름의 왕국'이라고 했다. 그중에서도 ㉢다랑쉬오름은 '오름의 여왕'이라고 불린다.
> 다랑쉬라는 이름의 유래에는 여러 설이 있으나 다랑쉬오름 남쪽에 있던 마을에서 보면 북사면을 차지하고 앉아 된바람을 막아 주는 오름의 분화구가 마치 달처럼 둥글어 보인다 하여 붙여졌다는 설이 가장 정겹다.
> 오름 아래 자락에는 삼나무와 편백나무 조림지가 있어 제법 무성하다 싶지만 숲길을 벗어나면 이내 천연의 풀밭이 나오면서 시야가 갑자기 탁 트이고 사방이 멀리 조망된다. ㉣경사면을 따라 불어오는 그 유명한 제주의 바람이 흐르는 땀을 씻어 주어 한여름이라도 더운 줄 모른다. ㉤발길을 옮길 때마다, 한 굽이를 돌 때마다 시야는 점점 넓어지면서 가슴까지 시원하게 열린다.

관련 단원 | 7. 기행문을 써요

05 다랑쉬오름에 대한 설명으로 알맞지 않은 것은 무엇입니까?
( )

① 제주의 동북쪽에 있다.
② '오름의 여왕'이라고 불린다.
③ 주변에 크고 작은 오름이 있다.
④ 오름 아래 자락이 바다와 맞닿아 있다.
⑤ 다랑쉬라는 이름의 유래에 여러 설이 있다.

관련 단원 | 7. 기행문을 써요

06 ㉠~㉤ 중에서 여정이 드러난 문장은 무엇입니까? ( )

① ㉠ ② ㉡ ③ ㉢
④ ㉣ ⑤ ㉤

중요
관련 단원 | 8. 아는 것과 새롭게 안 것

07 다음 낱말과 짜임이 같은 낱말은 어느 것입니까? ( )

> 방울토마토 = 방울 + 토마토

① 사과 ② 햇밤 ③ 복숭아
④ 산딸기 ⑤ 애호박

[08~09] 다음 글을 읽고 물음에 답하시오.

> 명주실은 잘 끊어지지 않고 탄력이 있어서 가야금, 거문고, 아쟁, 해금 같은 악기의 줄로 쓰입니다. 가야금은 오동나무로 만든 울림통에 명주실을 열두 줄로 꼬아 얹어 만들어요. 웅장하고 깊은 소리를 내는 거문고의 줄도 명주실로 만들지요. 해금은 낮은음에서 높은음까지 다양한 소리를 내고, 아쟁은 가야금과 비슷하지만 가야금보다 몸통이 크고 줄이 굵습니다.
>
> 예부터 우리 조상들이 좋아했던 대나무는 굽힐 줄 모르는 곧은 마음을 상징했어요. 대나무를 즐겨 그리는 선비가 많았고, 장인들은 대나무로 여러 가지 물건을 만들었지요. 대나무로 만든 악기도 아주 많아요. 대나무는 속이 비어 있어서 보통 나무와는 다른 소리를 내는 악기를 만들 수 있어요. 그윽하고 평온한 소리가 울려 나오는 대금, 달빛이 빛나는 봄밤에 어울리는 악기인 피리를 만듭니다.

관련 단원 | 8. 아는 것과 새롭게 안 것

08 오동나무 울림통에 명주실을 꼬아 얹어 만드는 악기는 무엇인지 쓰시오.

(　　　　　)

관련 단원 | 8. 아는 것과 새롭게 안 것

09 이 글을 읽으며 떠올릴 수 있는 경험으로 거리가 먼 것에 × 표 하시오.

(1) 텔레비전에서 피아노를 만드는 장인의 모습을 보았다.
(　　)

(2) 전통 악기 박물관에서 대금을 보았을 때 나도 대금을 불어 소리를 내 보고 싶었다.
(　　)

(3) 옛날에는 농사일을 할 때 노래를 부르며 전통악기를 연주했다는 이야기를 들은 적이 있다.
(　　)

[10~11] 다음 글을 읽고 물음에 답하시오.

> 미래 사회에 필요한 사람은 어떤 사람일까요?
>
> 첫째, 정해진 답을 찾기보다 새로운 방식으로 문제를 해결하는 사람입니다. 정해진 문제는 사람보다 인공 지능이 더 잘 해결할 수도 있습니다. 그러나 새로운 방식을 생각하는 것은 인공 지능보다 사람이 더 잘할 수 있습니다.
>
> 둘째, 새로운 변화에 대응하는 사람입니다. 미래 연구자들은 다가올 미래에는 여러 가지 사회·환경 문제처럼 예전에 없던 새로운 변화를 맞을 것이라고 합니다. 그러므로 미래 사회에서는 막힌 생각보다 변화에 부드럽게 대처하려는 생각을 해야 합니다.
>
> 셋째, 서로 돕고 존중하는 사람입니다. 인공 지능과 새로운 기술이 삶을 빠르게 바꿀 수 있습니다. 이럴 때 함께 마음을 모아 서로 돕고 존중해야 사회를 따뜻하게 만들 수 있습니다.

관련 단원 | 9. 여러 가지 방법으로 읽어요

10 이 글에서 말한 미래 사회에 필요한 사람을 모두 고르시오.
(　 , 　 , 　)

① 정해진 답을 찾는 사람
② 서로 돕고 존중하는 사람
③ 새로운 변화에 대응하는 사람
④ 문제 해결 방법을 빨리 찾는 사람
⑤ 새로운 방식으로 문제를 해결하는 사람

관련 단원 | 9. 여러 가지 방법으로 읽어요

11 이 글을 읽는 방법이 <u>아닌</u> 것은 무엇입니까? (　　)

① 글쓴이의 주장을 파악한다.
② 주장을 뒷받침하는 근거를 찾는다.
③ 대상의 무엇을 자세히 설명하는지 생각한다.
④ 주장을 뒷받침하는 알맞은 근거인지 생각한다.
⑤ 자신의 생각과 비교해 비판하는 태도로 읽는다.

[12~13] 다음 글을 읽고 물음에 답하시오.

> **가** 나는 불안한 마음으로 뻑뻑한 눈을 비비며 기다렸다. 어느새 수업 시작 시간이 다 되어 갔다. 시간이 갈수록 짜증이 밀려왔다.
>
> '치사한 놈, 내가 자존심 다 접고 먼저 사과했는데…… . 만나기만 해 봐라!'
>
> 나는 주먹을 꽉 움켜쥐고 부르르 떨었다. 바로 그때 교실 뒷문으로 익숙한 얼굴 하나가 불쑥 나타났다. 제하였다.
>
> **나** 제하는 앞장서서 가더니 화장실 옆 계단 구석에서 멈췄다. / "너, 전학 안 가기로 한 거야?"
>
> 내 말에 녀석은 잠깐 뜸을 들이다가 천천히 고개를 끄덕였다. "잘 생각했다. 당연히 그래야지. 반장 도우미가 반장 허락도 없이 전학 간다는 게 말이 되냐?"
>
> 나는 농담처럼 말하면서 느물느물 웃었다.
>
> **다** 우리가 다정하게 교실로 들어오는 걸 보고 대광이가 고개를 갸우뚱했다. 등을 꼿꼿이 펴고 자리로 걸어가는 제하는 황제처럼 당당해 보였다. 가만 보니 꽤 괜찮은 녀석 같다.

관련 단원 | 10. 주인공이 되어

12 이야기의 내용으로 보아, '나'와 갈등이 있었던 인물은 누구일지 쓰시오.
(　　　　　)

관련 단원 | 10. 주인공이 되어

13 이 이야기에서 주인공의 경험을 나타낸 방법이 <u>아닌</u> 것은 무엇입니까? (　　)

① 사건을 억지로 꾸며서 쓰지 않았다.
② 일기와 다르게 읽는 사람을 생각하면서 썼다.
③ 글을 쓴 시간과 장소가 자세히 드러나게 썼다.
④ 겪은 일을 그대로 풀어서 자신의 생각과 함께 썼다.
⑤ 긴 기간에 걸친 사건을 어떻게 해결했는지 나타냈다.

1 마음을 나누며 대화해요

(1) 공감하며 대화하는 방법

경청하기	말하는 사람에게 주의를 기울여 집중해서 잘 들음.
처지를 바꾸어 생각하기	말하는 사람의 입장과 처지가 되어 생각해 봄.
공감하며 말하기	상대의 처지를 생각하면서 말함.

→온라인에서 자유롭게 글이나 사진 등을 올리거나 나누는 것
(2) 누리 소통망에서 예절을 지키며 대화하는 방법
① 말하고 싶은 내용을 정확하게 전달합니다.
② 이상한 말이나 줄임 말을 쓰지 않습니다.
③ 상대가 대화하고 싶은지 확인하고 말을 걸어야 합니다.
④ 혼자서 너무 많이 말하지 않도록 합니다.

2 지식이나 경험을 활용해요

(1) 지식이나 경험을 활용해 글 읽기 →내용을 더 쉽게 이해할 수 있음.
① 책을 읽을 때 궁금한 점은 다른 책이나 자료를 찾아 가며 읽습니다.
② 자신이 아는 내용과 책 내용을 비교하며 읽습니다.
③ 글을 읽기 전에 여러 가지 질문을 떠올려 본 뒤 떠올렸던 질문을 생각하며 글을 읽습니다.

(2) 체험과 감상이 드러나는 글을 쓰는 방법
① 체험할 때 글쓴이가 본 것, 들은 것, 한 것 등을 자세히 풀어 씁니다.
② 체험한 일에 대한 감상은 당시의 생각이나 느낌이 잘 드러나도록 씁니다.
③ 글, 그림, 사진과 같은 조사 자료를 활용할 때에는 출처를 반드시 기록합니다.

(3) 지식이나 경험을 활용해 글을 고칠 때 생각할 점

내용	• 체험한 일을 자세히 풀어 썼는가? • 글 내용이 정확한가? • 어떤 일인지 이해하기 쉬운가?
조직	• 글 내용에 따라 문단을 구분했는가? • 처음, 가운데, 끝으로 나누었는가? • 사실과 의견을 구분해 썼는가?
표현	• 체험한 일을 생생하게 표현했는가? • 정확한 표현을 사용했는가? • 알기 쉬운 표현을 사용했는가?

3 의견을 조정하며 토의해요

(1) 토의 과정에서 의견을 조정하는 방법
→의견을 조정하지 않으면 갈등이 생기고 문제를 합리적으로 해결할 수 없음.

문제 파악하기	• 해결하려는 문제를 정확히 파악함. • 여러 사람의 다양한 의견을 들어 봄.
의견 실천에 필요한 조건 따지기	• 자료를 찾아 의견을 뒷받침함. • 문제를 해결하기에 적합한 의견인지 생각함.
결과 예측하기	• 의견대로 실천했을 때 결과를 생각함. • 의견을 실천했을 때 일어날 문제점을 예측함.
반응 살펴보기	• 어떤 의견을 더 따르고 싶어 하는지 살펴봄. • 의견에 대한 토의 참여자의 생각을 들음.

(2) 의견을 뒷받침하는 자료

보기 자료	읽기 자료
• 정보를 눈으로 직접 확인할 수 있어 의견과 근거를 이해하기 쉬움. • 사진, 그림, 도표 등이 있음.	• 발표 내용 이외에도 더욱 풍부한 정보를 얻을 수 있음. • 책, 보고서, 설문 조사 등이 있음.

(3) 자료를 알기 쉽게 표현하는 방법
① 가장 중요한 정보는 간단하게 요약합니다.
② 설명하려는 대상을 사진이나 그림으로 나타냅니다.
③ 자료를 이해하기 쉽게 도표, 차례, 단계 등으로 나타냅니다.
④ 자료를 적절하게 배치하고, 글씨나 자료의 크기를 결정합니다.

4 겪은 일을 써요

(1) 문장 성분의 호응 관계
① 문장 성분의 호응이 이루어지도록 문장을 씁니다.

주어와 서술어	키와 몸무게가 늘었다. → 키가 자라고 몸무게가 늘었다.
높임의 대상을 나타내는 말과 서술어	어머니께서 왔다. → 어머니께서 오셨다.
시간을 나타내는 말과 서술어	어제저녁 나는 산책을 나간다. → 어제저녁 나는 산책을 나갔다.

② 호응하는 서술어가 따로 있는 낱말을 주의해서 씁니다.
→결코, 전혀, 별로

(2) 겪은 일이 드러나게 글 쓰기

계획하기	쓰는 목적, 글의 종류, 읽는 사람, 주제 등을 정함.
내용 생성하기	글로 쓰고 싶은 일이나 생각을 정리하고, 어떤 글감으로 쓸지 정함.
내용 조직하기	처음-가운데-끝으로 나누어 일어난 일을 정리하거나 생각 또는 느낌의 변화를 씀.
표현하기	글 내용에 어울리는 제목을 정하고, 글머리를 어떻게 시작할지 생각함. →글을 시작하는 첫 부분
고쳐쓰기	문장 성분의 호응을 살펴보고, 문장이 간결하고 이해하기 쉬운지 확인함.

[01~02] 다음 글을 읽고 물음에 답하시오.

흐뭇한 얼굴로 부엌을 둘러보시던 엄마께서 놀란 표정으로 물으셨다. / "현욱아, 혹시 프라이팬도 닦았니?"

"예. 제가 철 수세미로 문질러 깨끗이 닦았어요."

"뭐라고? 철 수세미로 문질렀다는 말이니?"

"예. 수세미로는 잘 닦이지 않아서 철 수세미를 썼어요."

엄마는 한숨을 한 번 쉬시고는 다시 웃음을 띠고 말씀하셨다.

"㉠우리 아들이 집안일을 도와주려는 마음으로 설거지를 열심히 했구나. 그렇지만 금속으로 프라이팬 바닥을 긁으면 바닥이 벗겨져서 못 쓰게 된단다."

엄마의 말씀을 듣고 나니 부모님의 일을 도와드렸다는 생각에 뿌듯했던 나는 금세 부끄러워졌다.

"죄송해요, 엄마. 집안일을 도와드리려다가 오히려 프라이팬만 망가뜨렸어요." / 엄마는 웃으며 나를 꼭 안아 주셨다.

"미안해하지 않아도 돼. 집안일을 도와주려고 한 현욱이 마음이 엄마는 정말 고마워."

관련 단원 | 1. 마음을 나누며 대화해요

01 현욱이가 철 수세미를 쓴 까닭은 무엇입니까? ( )

① 설거지를 빨리 끝내고 싶었기 때문이다.

② 프라이팬이 잘 닦이지 않았기 때문이다.

③ 설거지를 처음해서 아무것이나 골랐기 때문이다.

④ 프라이팬이 오래된 것이라 새로 사야 했기 때문이다.

⑤ 엄마께서 철 수세미를 사용하라고 알려 주셨기 때문이다.

⫸중요⫷

관련 단원 | 1. 마음을 나누며 대화해요

02 ㉠과 관련 있는 공감하며 말하는 방법은 무엇입니까?

( )

① 전하고 싶은 생각을 정확히 말한다.

② 말하는 상대의 처지가 되어 생각한다.

③ 자신의 잘못은 없는지 생각하며 말한다.

④ 말하는 사람에게 주의를 기울여 집중해서 듣는다.

⑤ 자신의 말에 상대가 어떻게 반응하는지 살펴본다.

관련 단원 | 1. 마음을 나누며 대화해요

03 예절을 지키며 누리 소통망으로 대화하면 좋은 점으로 알맞지 **않은** 것은 무엇입니까? ( )

① 급한 연락을 쉽게 할 수 있다.

② 간편하게 편지를 보낼 수 있다.

③ 실제로 만나야만 대화할 수 있다.

④ 언제나 빨리 연락해 대화할 수 있다.

⑤ 많은 사람에게 소식을 전할 수 있다.

[04~06] 다음 글을 읽고 물음에 답하시오.

가 우리 조상들이 살던 시대에도 냉장고가 있었을까? 결론적으로 말하자면 냉장고는 아니지만 냉장고 역할을 하는 석빙고가 있었다.

현대인의 생활필수품인 냉장고는 냉기나 얼음을 인공적으로 만드는 기계 장치이지만, 빙고는 겨울에 보관해 두었던 얼음을 봄·여름·가을까지 녹지 않게 효과적으로 보관하는 냉동 창고이다. 우리나라에서 얼음을 보관하기 시작했다는 기록은 『삼국사기』에 나타난다. 또한 신라 시대 때에는 얼음 창고에 관한 일을 맡아보던 '빙고전'이라는 기관이 있었다고 한다.

나 한겨울의 얼음을 보관했다가 쓰는 기술을 장빙이라고 했다. 우리나라는 여름과 겨울의 기온 차가 커서 옛날부터 장빙 기술이 크게 발달했다. 장빙 기술을 활용한 석빙고는 현재 일곱 개가 남아 있는데, 남한에는 경주, 안동, 영산, 창녕, 청도, 현풍에 각각 한 개가, 북한 해주에 한 개가 남아 있다. 그중 가장 완벽한 것이 바로 경주의 석빙고이다.

관련 단원 | 2. 지식이나 경험을 활용해요

04 우리 조상들이 살던 시대에 냉장고 역할을 했던 것은 무엇인지 세 글자로 쓰시오.

( )

관련 단원 | 2. 지식이나 경험을 활용해요

05 다음 낱말의 뜻으로 보아, '빙'의 뜻은 무엇이겠습니까?

( )

> • 빙고전: 얼음 창고에 관한 일을 맡아보던 기관.
> • 장빙: 한겨울의 얼음을 보관했다가 쓰는 기술.

① 기록 ② 보관 ③ 얼음

④ 음식 ⑤ 창고

⫸중요⫷

관련 단원 | 2. 지식이나 경험을 활용해요

06 다음은 이 글을 읽으면서 떠올린 생각입니다. 보기 의 내용 중에서 무엇에 해당하는지 찾아 기호를 쓰시오.

> **보기**
> ㉠ 알고 싶은 것 ㉡ 짐작한 것 ㉢ 새롭게 안 것

(1) 신라 시대부터 얼음을 보관했다니 신기하다. ( )

(2) '진상'은 윗사람에게 물건을 바친다는 뜻인 것 같다. ( )

(3) 경주 석빙고에 간 적이 있는데 이런 창고가 어떻게 냉장고의 역할을 하는지 궁금했다. ( )

[07~09] 다음 대화를 읽고 물음에 답하시오.

> 민석: 갈수록 심해지는 미세 먼지에 어떻게 대처해야 할까요?
>
> 준호: 마스크를 쓰고 생활합니다. ㉠마스크가 몸에 해로운 미세 먼지를 막아 주기 때문입니다.
>
> 아라: 학교 곳곳에 공기 청정기를 설치합니다. ㉡공기 청정기가 공기를 깨끗하게 해 줄 것입니다.
>
> 준호: 공기 청정기가 없는 곳은 어떻게 하나요? 그럼 공기 청정기가 설치된 곳에서만 지내야 하나요?
>
> 아라: 마스크를 쓰는 것은 안 불편한 줄 아십니까? 마스크를 쓰면 답답하고 숨을 쉬기 어렵습니다.
>
> 혜진: 하루 종일 공기 청정기를 켜 놓으면 전기 소모가 많을 수 있습니다.
>
> 시우: 미세 먼지를 걸러야 하는데 그깟 전기가 중요합니까? 정말 뭘 모르시는군요.
>
> 아라: ㉢공기 청정기를 설치하면 쓰고 난 마스크를 버리지 않아도 되니 환경을 보호할 수 있습니다.
>
> 준호: ㉣마스크를 쓰면 추운 겨울에도 얼굴을 따뜻하게 할 수 있습니다.
>
> 민석: 좀처럼 의견이 좁혀지지 않는군요. 박이슬 님의 의견은 어떻습니까?
>
> 이슬: 예? 아, 뭐 저는 뭘 해도 상관없습니다.

관련 단원 | 3. 의견을 조정하며 토의해요

07 이 대화를 알맞게 이해한 것은 무엇입니까? (　)

① 갈등 없이 대화가 원활하게 진행되었다.
② 상대 의견의 장점을 받아들이며 의견을 조정했다.
③ 대화 주제는 미세 먼지 문제에 대처하는 방안이다.
④ 아무도 의견을 말하지 않아서 문제를 해결하지 못했다.
⑤ 아이들은 찬성편과 반대편으로 나뉘어 서로를 설득하였다.

관련 단원 | 3. 의견을 조정하며 토의해요

08 ㉠~㉣ 중에서 토의 주제와 관련 없는 근거 두 가지를 찾아 기호를 쓰시오.

(　)

||종요||
관련 단원 | 3. 의견을 조정하며 토의해요

09 이슬이의 태도가 잘못된 까닭을 두 가지 고르시오.

(　 , 　)

① 문제를 해결하는 데 무관심하다.
② 상대의 의견을 비판하기만 하였다.
③ 상대에게 예의를 지키지 않고 말하였다.
④ 토의 과정에 적극적으로 참여하지 않았다.
⑤ 상대를 배려하지 않고 무시하듯이 말하였다.

[10~12] 다음 문장을 읽고 물음에 답하시오.

가	할아버지는 얼른 밥을 다 먹고 또 일하러 나가셨다.
나	어제저녁 우리 가족은 함께 동네 공원으로 산책을 나간다.
다	우리가 환경을 보호해야 하는 까닭은 환경 파괴의 피해가 결국 우리에게 돌아오는 것이라고 생각한다.
라	선생님께서 하신 말씀은 전혀 들어 본 내용이었다.

||종요||
관련 단원 | 4. 겪은 일을 써요

10 문장 가와 나에 대한 설명으로 알맞은 것은 무엇입니까?

(　)

① 가 : '얼른'과 서술어가 어울리지 않는다.
② 나 : '나간다'를 '나가셨다'로 고쳐 써야 한다.
③ 나 : '어제저녁'과 서술어가 어울리지 않는다.
④ 가 : '할아버지는'을 '할아버지가'로 고쳐 써야 한다.
⑤ 가 : 시간을 나타내는 말과 서술어가 어울리지 않는다.

관련 단원 | 4. 겪은 일을 써요

11 문장 다는 무엇과 무엇의 호응이 바르지 않은 문장인지 두 가지 고르시오. (　 , 　)

① 주어 　　　　　　② 목적어
③ 서술어 　　　　　④ 시간을 나타내는 말
⑤ 높임의 대상을 나타내는 말

관련 단원 | 4. 겪은 일을 써요

12 문장 라에서 '전혀'와 호응하지 않는 것은 무엇입니까?

(　)

① 선생님께서 　② 하신 　　　③ 말씀은
④ 들어 본 　　　⑤ 내용이었다

관련 단원 | 4. 겪은 일을 써요

13 다음 그림에서 알 수 있는, 매체를 활용해 글을 쓸 때 주의할 점은 무엇입니까? (　)

① 예의를 갖추어 글을 쓴다.
② 누가 쓴 글인지 이름을 밝힌다.
③ 저작권을 침해하지 않도록 주의한다.
④ 어려운 낱말을 너무 많이 쓰지 않는다.
⑤ 읽는 사람이 쉽게 읽을 수 있도록 글을 쓴다.

5 여러 가지 매체 자료
→어떤 사실을 널리 전달하는 물체나 수단

(1) 인쇄 매체 자료

종류	읽는 방법
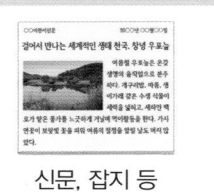 신문, 잡지 등	• 글과 그림, 사진을 사용하여 정보를 전달함. • 글과 그림과 사진이 주는 시각 정보를 잘 살펴봄.

(2) 영상 매체 자료

종류	읽는 방법
 연속극, 영화 등	• 소리, 자막 등의 여러 가지 연출 방법을 사용하여 정보를 전달함. • 화면 구성을 잘 살피고 소리에 담긴 정보도 탐색함.

(3) 인터넷 매체 자료

종류	읽는 방법
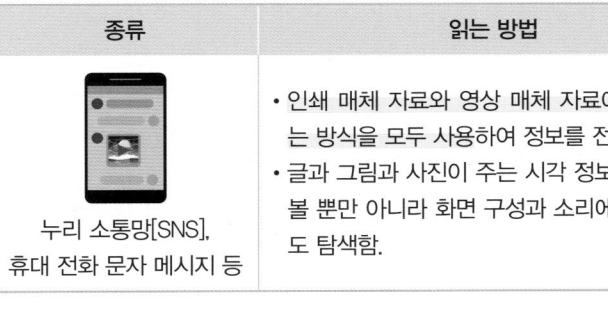 누리 소통망[SNS], 휴대 전화 문자 메시지 등	• 인쇄 매체 자료와 영상 매체 자료에서 사용하는 방식을 모두 사용하여 정보를 전달함. • 글과 그림과 사진이 주는 시각 정보를 잘 살펴볼 뿐만 아니라 화면 구성과 소리에 담긴 정보도 탐색함.

6 타당성을 생각하며 토론해요

(1) 근거 자료의 타당성을 평가하는 방법

면담 자료	• 자료가 주장을 잘 뒷받침하는지 살펴봄. • 해당 분야 전문가를 면담한 것인지 따져 봄.
설문 자료	• 주장을 뒷받침하는 자료인지 확인함. • 자료의 출처가 정확한지, 믿을만한 자료인지 살펴봄. • 조사 대상과 범위가 적절한지 알아봄.

(2) 토론 절차와 방법
→찬성과 반대로 편을 나누어 자기 쪽의 의견을 받아들이도록 상대편을 설득하는 과정

주장 펼치기	근거를 들어 주장을 펼치고, 근거와 관련해 구체적인 자료를 제시함.
반론하기	• 상대편의 주장이 타당하지 않다는 것을 밝히기 위한 질문을 함. • 주장에 대한 근거나 그에 대한 자료가 타당하지 않다는 것을 밝힘.
주장 다지기	상대편에서 제기한 반론이 타당하지 않음을 지적하고, 자기편 주장의 장점을 정리함.

7 중요한 내용을 요약해요

(1) 낱말의 뜻을 짐작하는 방법
① 뜻을 잘 모르는 낱말의 앞뒤의 상황을 살펴봅니다.
② 해당 낱말의 뜻과 비슷하거나 반대인 낱말을 대신 넣어 봅니다.
③ 낱말을 사용한 예를 떠올려 봅니다.

(2) 글의 구조에 따라 요약하기
→글을 읽고 중요한 정보를 간추리는 것
① 글의 구조를 파악하며 읽습니다.
② 문단의 중심 내용을 간추립니다.
③ 글의 구조에 알맞은 틀을 그려 내용을 정리합니다.
④ 정리한 내용은 중요한 내용이 잘 드러나도록 간결한 문장으로 씁니다.

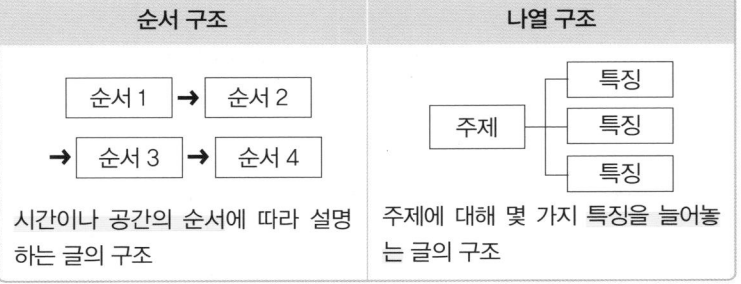

순서 구조	나열 구조
시간이나 공간의 순서에 따라 설명하는 글의 구조	주제에 대해 몇 가지 특징을 늘어놓는 글의 구조

8 우리말 지킴이

(1) 우리말을 잘못 사용한 예
→우리말을 잘못 사용하면 뜻이 통하지 않고 아름다운 우리말이 사라질 수도 있음.

비속어 사용	예 ×× 좋네.
신조어 사용	예 시가 핵꿀잼이네.
지나친 외국어 사용	예 시가 정말 리얼한데?

(2) 다양한 조사 방법

조사 방법	장점	단점
관찰	현장에서 조사 대상을 직접 파악할 수 있음.	시간이 많이 걸림.
설문지	여러 사람을 한꺼번에 조사할 수 있음.	답한 내용 외에는 자세한 내용을 알기 어려움.
면담	자세한 정보를 수집할 수 있음.	시간이 오래 걸리고 원하는 인물과 면담을 하지 못할 수도 있음.
책이나 글	정확하고 다양한 정보를 얻을 수 있음.	내가 찾고 싶은 정보를 쉽게 찾지 못할 수도 있음.

(3) 조사한 내용을 발표할 때 주의할 점
① 발표 내용만 보며 읽듯이 발표하지 않습니다.
② 너무 빠른 속도로 말하거나 목소리를 작게 말하지 않습니다.
③ 발표 내용에 알맞은 표정과 몸짓을 합니다.
④ 자료를 모두가 볼 수 있도록 제시합니다.
→자료를 제시할 때에는 저작자나 출처를 밝힘.

‖중요‖

관련 단원 | 5. 여러 가지 매체 자료

01 보기 에서 인터넷 매체 자료를 모두 골라 기호를 쓰시오.

> 보기
>
> ㉠ 신문　　　　　　㉡ 영화
> ㉢ 잡지　　　　　　㉣ 연속극
> ㉤ 누리 소통망[SNS]　㉥ 휴대 전화 문자 메시지

(　　　　　　　)

[02~03] 다음 글을 읽고 물음에 답하시오.

> 서영이가 핑공 카페에 아빠가 은좀베 마을에서 의료 봉사를 하는 모습과 엄마가 디자인한 옷을 입고 모델들이 패션쇼를 하는 사진을 올리자, 이번에는 서영이를 응원하는 댓글과 흑설 공주를 비난하는 댓글이 수없이 올라와 있었다.
>
> ---
>
> 허수아비: 아무리 얼굴과 이름을 숨기고 자기 생각을 마음대로 실을 수 있는 인터넷 세상이지만, 최소한의 예의는 지켜야 한다. 그런데도 거짓 정보를 올린 흑설 공주는 당장 사과해라!
> 어린 왕자: 흑설 공주가 대체 누구인가? 이런 사람은 카페에 들어올 자격이 없다.
> 매운 고추: 민서영, 잠시라도 널 의심해서 미안하다. 네 용기에 박수를 보낸다.
> 하이디: 글은 자기의 얼굴과 마찬가지이다. 거짓 글로 민서영에게 상처를 준 흑설 공주는 카페에 글을 쓸 자격이 없다.

관련 단원 | 5. 여러 가지 매체 자료

02 서영이가 핑공 카페에 글을 올린 일이 원인이 되어 일어난 결과는 무엇입니까?　　　(　　　)

① 핑공 카페가 문을 닫았다.
② 아무도 관심을 가지지 않았다.
③ 서영이가 따돌림을 당하기 시작했다.
④ 다른 사람에 대한 거짓 글이 올라왔다.
⑤ 카페 가입자들이 흑설 공주를 비난했다.

관련 단원 | 5. 여러 가지 매체 자료

03 댓글의 내용으로 보아, 흑설 공주가 한 잘못은 무엇이겠습니까?　　　(　　　)

① 반말로 글을 썼다.
② 거짓 정보를 올렸다.
③ 저작권을 지키지 않았다.
④ 글을 쓸 때 맞춤법을 틀렸다.
⑤ 자신이 누구인지 밝히지 않았다.

[04~06] 다음 글을 읽고 물음에 답하시오.

> 최근 한 매체에서 '연예인'이 초등학생들의 장래 희망 직업 1위를 차지했다는 결과를 발표했다. 초등학생들 사이에서 번진 아이돌 열풍 때문이다. 몇 년 전에는 꿈이 '요리사'인 초등학생이 많았는데, 그 당시에는 요리를 주제로 한 텔레비전 프로그램이 유행했기 때문이다. 게임 산업의 발전에 따라 '프로게이머'를 희망 직업으로 뽑은 학생이 대다수였을 때도 있었다. 직업은 생활 수단이자 자신의 능력을 발휘하고 꿈을 실현할 수 있는 기회이기도 하다. 그런데 자신이 희망하는 직업을 유행에 따라 결정하는 일이 과연 옳은 것일까?

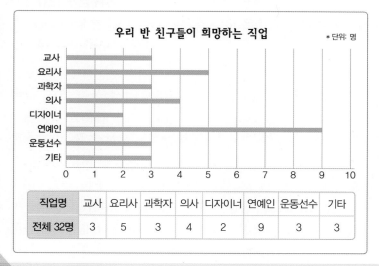

우리 반 친구들이 희망하는 직업　*단위: 명

직업명	교사	요리사	과학자	의사	디자이너	연예인	운동선수	기타
전체 32명	3	5	3	4	2	9	3	3

관련 단원 | 6. 타당성을 생각하며 토론해요

04 이 글에 나타난 문제 상황은 무엇입니까?　(　　　)

① 꿈이 없는 초등학생이 많아졌다.
② 게임 산업이 지나치게 활성화되어 있다.
③ 희망하는 직업을 유행에 따라 결정한다.
④ 직업이 없는 사람의 수가 늘어나고 있다.
⑤ 아이돌이 되려는 초등학생이 지나치게 많다.

관련 단원 | 6. 타당성을 생각하며 토론해요

05 이 글에 제시된 자료는 어떤 점이 부족합니까?　(　　　)

① 조사 범위가 좁다.　　② 한눈에 보기 어렵다.
③ 자료의 양이 너무 많다.　④ 조사 대상을 알 수 없다.
⑤ 글의 주제와 관련이 없다.

‖중요‖

관련 단원 | 6. 타당성을 생각하며 토론해요

06 이 글에 근거 자료를 추가로 제시하려고 할 때, 더 믿을 만한 근거 자료는 무엇인지 기호를 쓰시오.

> ㉠ 직업 평론가를 면담한 자료
> ㉡ 텔레비전에 나온 유명 요리사를 면담한 자료
> ㉢ 자신의 꿈이 '연예인'으로 바뀌었다고 하는 학생을 면담한 자료

(　　　　　　　)

[07~09] 다음 글을 읽고 물음에 답하시오.

나는 종이 가운데 으뜸인 한국 종이, 한지야! 옛날 중국에서 최고로 친 고려지도, 일본에서 최고로 친 조선종이도 모두 나야. 그런데 내가 어떻게 만들어지는지 아니?

제일 먼저 닥나무를 베어다 푹푹 찐 뒤, 나무껍질을 훌러덩 훌러덩 벗겨서 물에 불려. 그러고는 다시 거칠거칠한 겉껍질을 닥칼로 긁어내고 보들보들 하얀 속껍질만 모아.

이렇게 모은 속껍질은 삶아서 더 보드랍게, 더 하얗게 만들어야 해. 먼저 닥솥에 물을 붓고 속껍질을 담가. 그리고 콩대를 태워 만든 잿물을 붓고 보글보글 부글부글 삶아. 푹 삶은 다음에는 건져 내서 찰찰찰 흐르는 맑은 물에 깨끗이 씻어.

이제 보드랍고 하얗게 바랜 속껍질을 나무판 위에 올려놓고 닥방망이로 찧어 가닥가닥 곱게 풀어야 해. 쿵쿵 쾅쾅! 솜처럼 풀어진 속껍질은 다시 물에 넣고 잘 풀어지라고 휘휘 저어. 그런 다음 닥풀을 넣고 다시 잘 엉겨 붙으라고 휘휘 저어 주지.

아, 한지를 물들이려면 지금 준비해야 해. 잇꽃으로 물들이면 붉은 한지 되고 치자로 물들이면 노랑, 쪽물은 파랑, 먹으로 물들이면 검은 한지 되지.

이번에는 엉겨 붙은 속껍질을 물에서 떠내야 해. 촘촘한 대나무 발을 외줄에 걸어서 앞뒤로 찰방, 좌우로 찰방찰방 건져 올리면 물은 주룩주룩 빠지고 발 위에는 하얀 막만 남아.

관련 단원 | 7. 중요한 내용을 요약해요

07 이 글에 나타난 '나'는 무엇인지 쓰시오.

(   )

관련 단원 | 7. 중요한 내용을 요약해요

08 한지를 붉은색으로 물들이는 재료는 무엇입니까? (   )

① 먹   ② 닥풀   ③ 잇꽃
④ 쪽물   ⑤ 치자

중요

관련 단원 | 7. 중요한 내용을 요약해요

09 글 내용을 틀에 요약한 내용이 알맞지 <u>않은</u> 것은 무엇입니까? (   )

① 닥나무를 푹 찌고, 겉껍질을 긁어내어 속껍질만 모은다.

→ ② 속껍질을 더 보드랍고 하얗게 만든다.

→ ③ 속껍질을 나무판 위에 올려놓고 찧어서 풀어지게 만든다.

→ ④ 풀어진 속껍질을 물에 넣어 젓고, 거기에 잿물을 넣어 다시 젓는다.

→ ⑤ 엉겨 붙은 속껍질을 물에서 떠낸다.

중요

관련 단원 | 8. 우리말 지킴이

10 그림 속 간판이 문제가 되는 까닭은 무엇입니까? (   )

① 간판에 우리말이 하나도 없다.
② 사물을 높이는 표현이 들어 있다.
③ 뜻이 잘 통하지 않는 한자어를 사용했다.
④ 글자를 소리 나는 대로 써서 표기법에 맞지 않는다.
⑤ 우리말이 있는데도 영어를 그대로 간판에 사용했다.

[11~12] 다음 대화를 읽고 물음에 답하시오.

여진: 우리 모둠은 '우리말이 있는데도 영어를 사용하는 예'를 조사하기로 했어. 영어를 무분별하게 사용하는 예로 무엇이 있을까?

수빈: 영어를 새긴 옷이 너무 많아.

상우: 방송에서 영어를 가장 많이 사용하는 것 같아.

여진: 이 가운데에서 어떤 것을 조사해 볼까?

민규: 옷에 새긴 영어는 조사 대상으로 알맞지 않아. 만약 옷이 수입된 것이라면 옷에 영어가 있는 것은 당연할지도 몰라.

수빈: 그럼 방송을 조사해 보면 어떨까? 방송은 아이들에게 영향을 많이 주잖아.

상우: 조사한 결과를 방송사에 알려 주고 영어 사용을 자제해 달라고 요청할 수도 있어.

여진: 그럼 방송에서 영어를 얼마나 사용하는지 조사해 보자.

관련 단원 | 8. 우리말 지킴이

11 여진이네 모둠이 조사 대상을 정한 방법으로 알맞은 것을 두 가지 고르시오. (,   )

① 주제에 맞는 조사 대상을 생각했다.
② 조사 기간이 가장 짧은 것을 선택했다.
③ 적은 인원으로 조사할 수 있는 것을 골랐다.
④ 조사 대상 범위가 가장 넓은 것을 떠올렸다.
⑤ 아이들에게 영향을 많이 주는 것으로 범위를 좁혔다.

관련 단원 | 8. 우리말 지킴이

12 여진이네 모둠이 면담으로 조사를 하려고 할 때, 이 조사 방법의 장점에 ○표 하시오.

(1) 시간이 오래 걸리지 않는다.   (   )
(2) 자세한 정보를 수집할 수 있다.   (   )
(3) 여러 사람을 한꺼번에 조사할 수 있다.   (   )

1 자연수의 혼합 계산

(1) 덧셈과 뺄셈이 섞여 있는 식의 계산 순서
- 앞에서부터 차례대로 계산합니다.
- ( )가 있으면 ( ) 안을 먼저 계산합니다.

예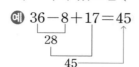
$$36-8+17=45 \qquad 36-(8+17)=11$$

(2) 곱셈과 나눗셈이 섞여 있는 식의 계산 순서
- 앞에서부터 차례대로 계산합니다.
- ( )가 있으면 ( ) 안을 먼저 계산합니다.

예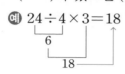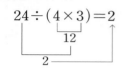
$$24 \div 4 \times 3 = 18 \qquad 24 \div (4 \times 3) = 2$$

(3) 덧셈, 뺄셈, 곱셈이 섞여 있는 식의 계산 순서
- 곱셈을 먼저 계산합니다.
- ( )가 있으면 ( ) 안을 먼저 계산합니다.

예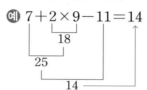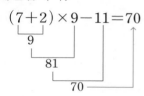
$$7+2 \times 9 - 11 = 14 \qquad (7+2) \times 9 - 11 = 70$$

(4) 덧셈, 뺄셈, 나눗셈이 섞여 있는 식의 계산 순서
- 나눗셈을 먼저 계산합니다.
- ( )가 있으면 ( ) 안을 먼저 계산합니다.

예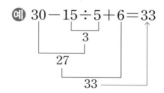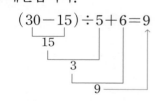
$$30 - 15 \div 5 + 6 = 33 \qquad (30-15) \div 5 + 6 = 9$$

(5) 덧셈, 뺄셈, 곱셈, 나눗셈이 섞여 있는 식의 계산 순서
- 곱셈과 나눗셈을 먼저 계산합니다.
- ( )가 있으면 ( ) 안을 먼저 계산합니다.

예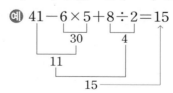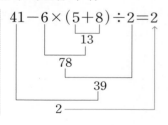
$$41 - 6 \times 5 + 8 \div 2 = 15 \qquad 41 - 6 \times (5+8) \div 2 = 2$$

2 약수와 배수

(1) 약수: 어떤 수를 나누어떨어지게 하는 수
예 $6 \div 1 = 6$, $6 \div 2 = 3$, $6 \div 3 = 2$, $6 \div 6 = 1$
⇨ 1, 2, 3, 6은 6의 약수입니다.

(2) 배수: 어떤 수를 1배, 2배, 3배, ...한 수
예 $4 \times 1 = 4$, $4 \times 2 = 8$, $4 \times 3 = 12$, $4 \times 4 = 16$, ...
⇨ 4, 8, 12, 16, ...은 4의 배수입니다.

(3) 약수와 배수의 관계
예 $12 = 1 \times 12$, $12 = 2 \times 6$, $12 = 3 \times 4$
⇨ ┌ 1, 2, 3, 4, 6, 12는 12의 약수입니다.
　 └ 12는 1, 2, 3, 4, 6, 12의 배수입니다.

(4) 공약수와 최대공약수
- 공약수: 두 수의 공통된 약수
- 최대공약수: 공약수 중에서 가장 큰 수
예 12의 약수: 1, 2, 3, 4, 6, 12
　 18의 약수: 1, 2, 3, 6, 9, 18
⇨ ┌ 12와 18의 공약수: 1, 2, 3, 6
　 └ 12와 18의 최대공약수: 6
- 두 수의 공약수는 두 수의 최대공약수의 약수와 같습니다.
예 12와 18의 최대공약수: 6
⇨ 12와 18의 공약수: 1, 2, 3, 6
　　　　　　　　　↳ 6의 약수

(5) 공배수와 최소공배수
- 공배수: 두 수의 공통된 배수
- 최소공배수: 공배수 중에서 가장 작은 수
예 2의 배수: 2, 4, 6, 8, 10, 12, 14, 16, 18, ...
　 3의 배수: 3, 6, 9, 12, 15, 18, ...
⇨ ┌ 2와 3의 공배수: 6, 12, 18, ...
　 └ 2와 3의 최소공배수: 6
- 두 수의 공배수는 두 수의 최소공배수의 배수와 같습니다.
예 2와 3의 최소공배수: 6
⇨ 2와 3의 공배수: 6, 12, 18, ...
　　　　　　　　↳ 6의 배수

3 규칙과 대응

(1) 두 양 사이의 관계
예 세발자전거의 수와 바퀴의 수 사이의 관계

세발자전거의 수(대)	1	2	3	4	...
바퀴의 수(개)	3	6	9	12	...

- 바퀴의 수는 세발자전거의 수의 3배입니다.
- 세발자전거의 수는 바퀴의 수를 3으로 나눈 값과 같습니다.

(2) 대응 관계를 식으로 나타내기
예 2022년에 성욱이의 나이가 13살일 때 성욱이의 나이와 연도 사이의 대응 관계를 식으로 나타내기

성욱이의 나이(살)	13	14	15	16	...
연도(년)	2022	2023	2024	2025	...

연도가 1년 지날 때마다 성욱이의 나이가 1살씩 많아지므로 성욱이의 나이와 연도의 차는 일정합니다.
⇨ (성욱이의 나이)+2009=(연도) 또는
　 (연도)-2009=(성욱이의 나이)

수학 1학기
1. 자연수의 혼합 계산 ~ 3. 규칙과 대응

확인문제

관련 단원 | 1. 자연수의 혼합 계산
01 가장 먼저 계산해야 하는 부분을 찾아 기호를 쓰시오.

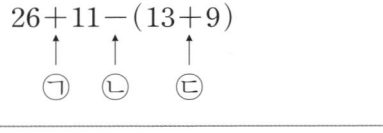

$$26+11-(13+9)$$
$$\uparrow \qquad \uparrow \qquad \uparrow$$
$$㉠ \qquad ㉡ \qquad ㉢$$

(   )

관련 단원 | 1. 자연수의 혼합 계산
02 □ 안에 알맞은 수를 써넣으시오.

$$30-15+49÷7=\boxed{}$$

관련 단원 | 1. 자연수의 혼합 계산
03 계산해 보시오.

$$56÷7+(15-12)×4$$

관련 단원 | 1. 자연수의 혼합 계산
04 두 식의 계산 결과의 차를 구해 보시오.

$$63÷9+2×5 \qquad 30-8×3÷4$$

(   )

║중요║
관련 단원 | 1. 자연수의 혼합 계산
05 식이 성립하도록 (   )로 묶어 보시오.

$$2+7×16÷4-2=34$$

관련 단원 | 1. 자연수의 혼합 계산
06 자두가 한 봉지에 12개씩 4봉지 있습니다. 이 자두를 남김없이 6명이 똑같이 나누어 먹었습니다. 한 명이 먹은 자두는 몇 개인지 하나의 식으로 나타내어 구해 보시오.

[식] _____

[답] _____

관련 단원 | 1. 자연수의 혼합 계산
07 공책 5권은 7500원, 연필 한 자루는 600원입니다. 윤희는 5000원으로 공책 한 권과 연필 한 자루를 샀습니다. 윤희가 받은 거스름돈은 얼마인지 하나의 식으로 나타내어 구해 보시오.

[식] _____

[답] _____

관련 단원 | 2. 약수와 배수
08 16의 약수가 <u>아닌</u> 것은 어느 것입니까? (   )

① 1   ② 2   ③ 3
④ 4   ⑤ 8

║중요║
관련 단원 | 2. 약수와 배수
09 21의 배수 중에서 가장 작은 수를 구해 보시오.

(   )

관련 단원 | 2. 약수와 배수
10 $6×7=42$의 곱셈식을 보고 옳은 것을 두 가지 고르시오. (,   )

① 42는 6의 약수이다.
② 7은 42의 배수이다.
③ 6과 7은 42의 약수이다.
④ 42는 6과 7의 배수이다.
⑤ 42의 약수는 6과 7만 있다.

‖중요‖
11 관련 단원 | 2. 약수와 배수
두 수가 약수와 배수의 관계인 것을 가지고 있는 학생의 이름을 쓰시오.

26, 3
민정

6, 14
국남

50, 10
도희

(　　　　　　　　)

12 관련 단원 | 2. 약수와 배수
28과 32의 공약수를 모두 쓰시오.

(　　　　　　　　)

13 관련 단원 | 2. 약수와 배수
두 수의 최대공약수가 가장 큰 것을 찾아 기호를 쓰시오.

㉠ (16, 12)　㉡ (24, 42)　㉢ (14, 20)

(　　　　　　　　)

14 관련 단원 | 2. 약수와 배수
어떤 두 수의 최소공배수는 16입니다. 이 두 수의 공배수 중에서 50보다 작은 수를 모두 쓰시오.

(　　　　　　　　)

15 관련 단원 | 2. 약수와 배수
동건이가 달리기는 4일마다, 수영은 6일마다 한다고 합니다. 오늘 달리기와 수영을 모두 했다면 바로 다음 번에 달리기와 수영을 동시에 하는 날은 며칠 뒤인지 구해 보시오.

(　　　　　　　　)

[16~17] 흰 바둑돌과 검은 바둑돌로 규칙적인 배열을 만들고 있습니다. 물음에 답하시오.

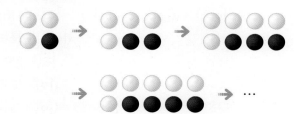

16 관련 단원 | 3. 규칙과 대응
흰 바둑돌의 수와 검은 바둑돌의 수가 어떻게 변하는지 표를 완성하시오.

흰 바둑돌의 수(개)	3	4			⋯
검은 바둑돌의 수(개)	1				⋯

17 관련 단원 | 3. 규칙과 대응
흰 바둑돌이 12개일 때 검은 바둑돌은 몇 개가 필요한지 구해 보시오.

(　　　　　　　　)

18 관련 단원 | 3. 규칙과 대응
오각형의 수와 변의 수 사이의 대응 관계를 쓰시오.

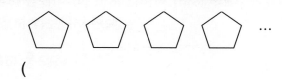

(　　　　　　　　)

‖중요‖
19 관련 단원 | 3. 규칙과 대응
탁자 한 개에 6명씩 앉아 있습니다. 탁자의 수를 ○, 사람의 수를 ◇라고 할 때 탁자의 수와 사람의 수 사이의 대응 관계를 기호를 사용하여 식으로 나타내시오.

(　　　　　　　　)

20 관련 단원 | 3. 규칙과 대응
승수의 나이는 12살이고, 아버지의 나이는 41살입니다. 승수가 30살이 되면 아버지는 몇 살이 되는지 구해 보시오.

(　　　　　　　　)

4 약분과 통분

(1) 크기가 같은 분수

• 곱셈을 이용하여 크기가 같은 분수 만들기

분모와 분자에 각각 0이 아닌 같은 수를 곱하면 크기가 같은 분수가 됩니다.

예 $\dfrac{2}{3} = \dfrac{2\times 2}{3\times 2} = \dfrac{2\times 3}{3\times 3} = \dfrac{2\times 4}{3\times 4} = \cdots$

• 나눗셈을 이용하여 크기가 같은 분수 만들기

분모와 분자를 각각 0이 아닌 같은 수로 나누면 크기가 같은 분수가 됩니다.

예 $\dfrac{6}{24} = \dfrac{6\div 2}{24\div 2} = \dfrac{6\div 3}{24\div 3} = \dfrac{6\div 6}{24\div 6}$

(2) 분수를 간단하게 나타내기

• 약분: 분모와 분자를 공약수로 나누어 간단한 분수로 만드는 것

예 $\dfrac{4}{8} = \dfrac{4\div 2}{8\div 2} = \dfrac{2}{4}$, $\dfrac{4}{8} = \dfrac{4\div 4}{8\div 4} = \dfrac{1}{2}$

• 기약분수: 분모와 분자의 공약수가 1뿐인 분수

예 $\dfrac{6}{12} = \dfrac{6\div 6}{12\div 6} = \dfrac{1}{2}$ → 분모와 분자의 최대공약수로 나누기

(3) 분모가 같은 분수로 나타내기

• 통분: 분수의 분모를 같게 하는 것

• 공통분모: 통분한 분모

예 $\dfrac{1}{6}$과 $\dfrac{7}{10}$을 통분하기

$\left(\dfrac{1}{6}, \dfrac{7}{10}\right) \Rightarrow \left(\dfrac{1\times 5}{6\times 5}, \dfrac{7\times 3}{10\times 3}\right) \Rightarrow \left(\dfrac{5}{30}, \dfrac{21}{30}\right)$

→ 공통분모: 30

(4) 분수의 크기 비교

예 $\left(\dfrac{3}{7}, \dfrac{2}{5}\right) \overset{통분}{\Rightarrow} \left(\dfrac{15}{35}, \dfrac{14}{35}\right) \overset{크기 비교}{\Rightarrow} \dfrac{3}{7} > \dfrac{2}{5}$

(5) 분수와 소수의 크기 비교

[방법 1] 분수를 소수로 나타내어 소수끼리의 크기 비교

예 $\left(\dfrac{4}{5}, 0.6\right) \Rightarrow (0.8, 0.6) \Rightarrow \dfrac{4}{5} > 0.6$

[방법 2] 소수를 분수로 나타내어 분수끼리의 크기 비교

예 $\left(\dfrac{4}{5}, 0.6\right) \Rightarrow \left(\dfrac{8}{10}, \dfrac{6}{10}\right) \Rightarrow \dfrac{4}{5} > 0.6$

5 분수의 덧셈과 뺄셈

(1) 진분수의 덧셈

• 두 분수를 통분한 후 통분한 분모는 그대로 두고 분자끼리 더합니다.

• 계산 결과가 가분수이면 대분수로 나타냅니다.

예 $\dfrac{3}{4} + \dfrac{2}{7} = \dfrac{3\times 7}{4\times 7} + \dfrac{2\times 4}{7\times 4} = \dfrac{21}{28} + \dfrac{8}{28} = \dfrac{29}{28} = 1\dfrac{1}{28}$

통분하기　　분자끼리 더하기　　대분수로 나타내기

(2) 대분수의 덧셈

[방법 1] 자연수는 자연수끼리, 분수는 분수끼리 계산하기

예 $1\dfrac{8}{9} + 3\dfrac{1}{6} = (1+3) + \left(\dfrac{16}{18} + \dfrac{3}{18}\right) = 4\dfrac{19}{18} = 5\dfrac{1}{18}$

[방법 2] 대분수를 가분수로 나타내어 계산하기

예 $1\dfrac{8}{9} + 3\dfrac{1}{6} = \dfrac{17}{9} + \dfrac{19}{6} = \dfrac{34}{18} + \dfrac{57}{18} = \dfrac{91}{18} = 5\dfrac{1}{18}$

가분수로 고치기　통분하여 더하기　대분수로 나타내기

(3) 진분수의 뺄셈

• 두 분수를 통분한 후 통분한 분모는 그대로 두고 분자끼리 뺍니다.

예 $\dfrac{5}{6} - \dfrac{2}{9} = \dfrac{5\times 3}{6\times 3} - \dfrac{2\times 2}{9\times 2} = \dfrac{15}{18} - \dfrac{4}{18} = \dfrac{11}{18}$

통분하기　　　　분자끼리 빼기

(4) 대분수의 뺄셈

• [방법 1] 자연수는 자연수끼리, 분수는 분수끼리 계산하기

예 $2\dfrac{3}{5} - 1\dfrac{3}{10} = (2-1) + \left(\dfrac{6}{10} - \dfrac{3}{10}\right) = 1\dfrac{3}{10}$

• [방법 2] 대분수를 가분수로 나타내어 계산하기

예 $2\dfrac{3}{5} - 1\dfrac{3}{10} = \dfrac{13}{5} - \dfrac{13}{10} = \dfrac{26}{10} - \dfrac{13}{10} = \dfrac{13}{10} = 1\dfrac{3}{10}$

가분수로 고치기　통분하여 빼기　대분수로 나타내기

6 다각형의 둘레와 넓이

(1) 정다각형과 사각형의 둘레

• (정다각형의 둘레)=(한 변의 길이)×(변의 수)

• (직사각형의 둘레)=((가로)+(세로))×2

예
(직사각형의 둘레)
=(9+5)×2=28(cm)
(9 cm, 5 cm)

• (평행사변형의 둘레)
=((한 변의 길이)+(다른 한 변의 길이))×2

• (마름모의 둘레)=(한 변의 길이)×4

(2) $1\,cm^2$, $1\,m^2$, $1\,km^2$

• $1\,cm^2$: 한 변의 길이가 1 cm인 정사각형의 넓이

• $1\,m^2$: 한 변의 길이가 1 m인 정사각형의 넓이

• $1\,km^2$: 한 변의 길이가 1 km인 정사각형의 넓이

(3) 직사각형, 정사각형, 평행사변형의 넓이

• (직사각형의 넓이)=(가로)×(세로)

• (정사각형의 넓이)=(한 변의 길이)×(한 변의 길이)

• (평행사변형의 넓이)=(밑변의 길이)×(높이)

예
(평행사변형의 넓이)
=7×6=42(cm²)
(6 cm, 7 cm)

(4) 삼각형, 마름모, 사다리꼴의 넓이

• (삼각형의 넓이)=(밑변의 길이)×(높이)÷2

• (마름모의 넓이)
=(한 대각선의 길이)×(다른 대각선의 길이)÷2

• (사다리꼴의 넓이)
=((윗변의 길이)+(아랫변의 길이))×(높이)÷2

예
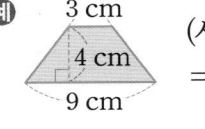
(사다리꼴의 넓이)
=(3+9)×4÷2=24(cm²)
(3 cm, 4 cm, 9 cm)

수학 1학기

4. 약분과 통분 ～ 6. 다각형의 둘레와 넓이

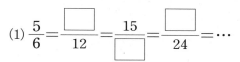

01 관련 단원 | 4. 약분과 통분

□ 안에 알맞은 수를 써넣으시오.

(1) $\dfrac{5}{6} = \dfrac{\square}{12} = \dfrac{15}{\square} = \dfrac{\square}{24} = \cdots$

(2) $\dfrac{6}{30} = \dfrac{\square}{15} = \dfrac{2}{\square} = \dfrac{\square}{5}$

02 관련 단원 | 4. 약분과 통분

$\dfrac{24}{36}$ 를 약분하려고 합니다. 분모와 분자를 나눌 수 <u>없는</u> 수는 어느 것입니까? ( )

① 2   ② 3   ③ 4

④ 6   ⑤ 8

03 관련 단원 | 4. 약분과 통분

기약분수를 모두 찾아 ○표 하시오.

$$\dfrac{3}{8} \quad \dfrac{5}{10} \quad \dfrac{13}{26} \quad \dfrac{8}{37} \quad \dfrac{10}{45}$$

04 《중요》 관련 단원 | 4. 약분과 통분

$\dfrac{3}{4}$ 과 $\dfrac{5}{6}$ 사이의 수 중에서 분모가 24인 분수를 쓰시오.

( )

05 관련 단원 | 4. 약분과 통분

$\dfrac{3}{5}$, $\dfrac{5}{8}$, 0.4의 크기를 비교하여 큰 것부터 차례대로 쓰시오.

( )

06 관련 단원 | 4. 약분과 통분

하루에 물을 종철이는 $1\dfrac{4}{5}$ L, 승희는 $1\dfrac{5}{6}$ L를 마셨습니다. 종철이와 승희 중에서 물을 더 적게 마신 사람은 누구인지 구해 보시오.

( )

07 관련 단원 | 4. 약분과 통분

수 카드 3장 중에서 2장을 뽑아 진분수를 만들려고 합니다. 만들 수 있는 진분수 중에서 가장 큰 수를 소수로 나타내어 보시오.

( )

08 《중요》 관련 단원 | 5. 분수의 덧셈과 뺄셈

계산해 보시오.

(1) $\dfrac{3}{7} + \dfrac{1}{2}$ (2) $\dfrac{7}{9} - \dfrac{4}{15}$

09 관련 단원 | 5. 분수의 덧셈과 뺄셈

계산 결과를 비교하여 ○ 안에 >, =, <를 알맞게 써넣으시오.

$$2\dfrac{3}{4} + 2\dfrac{2}{5} \quad \bigcirc \quad 3\dfrac{5}{8} + 1\dfrac{1}{6}$$

10 관련 단원 | 5. 분수의 덧셈과 뺄셈

□ 안에 알맞은 분수를 써넣으시오.

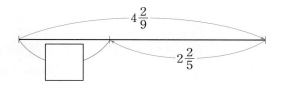

11 관련 단원 | 5. 분수의 덧셈과 뺄셈

지수는 뜨거운 물을 식히기 위해 찬물을 $\frac{1}{5}$컵 넣었는데 물이 생각보다 뜨거워서 찬물을 $\frac{3}{7}$컵 더 넣었습니다. 지수가 넣은 찬물은 모두 몇 컵인지 구해 보시오.

(　　　　　)

12 관련 단원 | 5. 분수의 덧셈과 뺄셈

□ 안에 들어갈 수 있는 자연수 중에서 가장 큰 수를 구해 보시오.

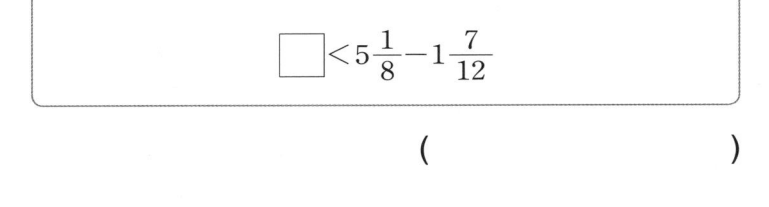

$$\square < 5\frac{1}{8} - 1\frac{7}{12}$$

(　　　　　)

13 관련 단원 | 6. 다각형의 둘레와 넓이

정육각형의 둘레는 몇 **cm**인지 구해 보시오.

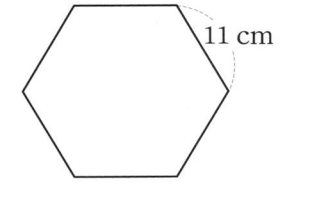
11 cm

(　　　　　)

14 관련 단원 | 6. 다각형의 둘레와 넓이

평행사변형과 마름모 중에서 둘레가 더 짧은 것을 구해 보시오.

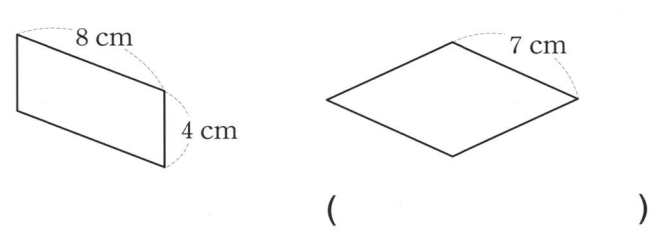
8 cm　　　7 cm
4 cm

(　　　　　)

15 관련 단원 | 6. 다각형의 둘레와 넓이

가로가 **15 cm**, 세로가 **21 cm**인 직사각형 모양의 동화책이 있습니다. 이 동화책의 넓이는 몇 **cm²**인지 구해 보시오.

(　　　　　)

16 관련 단원 | 6. 다각형의 둘레와 넓이

□ 안에 알맞은 수나 단위를 써넣으시오.

(1) $53\ \text{m}^2 = \boxed{}\ \text{cm}^2$

(2) $60000000\ \text{m}^2 = 60\ \boxed{}$

17 관련 단원 | 6. 다각형의 둘레와 넓이

넓이가 **78 cm²**인 평행사변형입니다. □ 안에 알맞은 수를 써넣으시오.

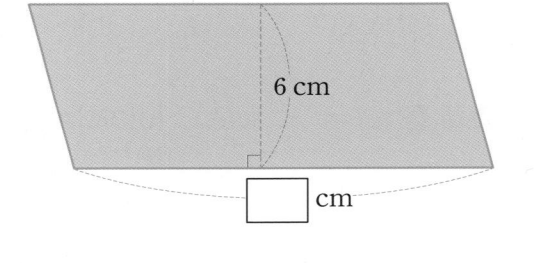
6 cm
□ cm

18 관련 단원 | 6. 다각형의 둘레와 넓이

삼각형의 넓이가 <u>다른</u> 하나를 찾아 기호를 쓰시오.

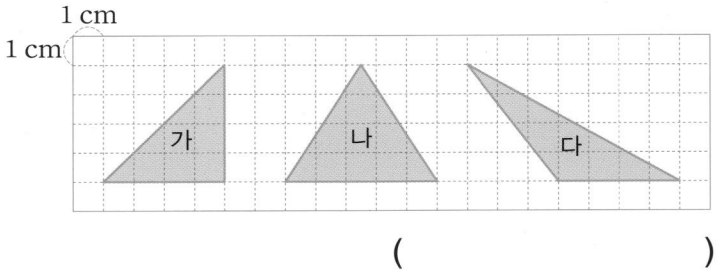
1 cm
1 cm
가　나　다

(　　　　　)

19 관련 단원 | 6. 다각형의 둘레와 넓이

한 대각선의 길이가 **32 m**, 다른 대각선의 길이가 **800 cm**인 마름모 모양의 땅이 있습니다. 이 땅의 넓이는 몇 **m²**인지 구해 보시오.

(　　　　　)

20 관련 단원 | 6. 다각형의 둘레와 넓이

정사각형과 사다리꼴 중에서 어느 것의 넓이가 몇 **cm²** 더 넓은지 구해 보시오.

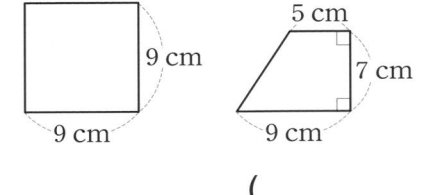
9 cm　　5 cm　7 cm
9 cm　　9 cm

(　　　　　)

1 수의 범위와 어림하기

(1) 이상과 이하

• 15, 16, 16.5, 17, 18.9 등과 같이 15와 같거나 큰 수를 15 이상인 수라고 합니다.
→ 15가 포함됨

→ 15를 기준(●)으로 오른쪽으로 선 긋기

• 21, 20, 19.8, 18, 16.2 등과 같이 21과 같거나 작은 수를 21 이하인 수라고 합니다.
→ 21이 포함됨

→ 21을 기준(●)으로 왼쪽으로 선 긋기

(2) 초과와 미만

• 15.1, 16, 16.5, 17 등과 같이 15보다 큰 수를 15 초과인 수라고 합니다.
→ 15가 포함되지 않음

→ 15를 기준(○)으로 오른쪽으로 선 긋기

• 20.9, 19.8, 18 등과 같이 21보다 작은 수를 21 미만인 수라고 합니다.
→ 21이 포함되지 않음

→ 21을 기준(○)으로 왼쪽으로 선 긋기

(3) 올림, 버림, 반올림

• 올림: 구하려는 자리의 아래 수를 올려서 나타내는 방법
• 버림: 구하려는 자리의 아래 수를 버려서 나타내는 방법
• 반올림: 구하려는 자리 바로 아래 자리의 숫자가 0, 1, 2, 3, 4이면 버리고, 5, 6, 7, 8, 9이면 올리는 방법

예 올림, 버림, 반올림하여 십의 자리까지 나타내기

수	올림	버림	반올림
216	220	210	220
321	330	320	320

2 분수의 곱셈

(1) (분수)×(자연수)

• (진분수)×(자연수)는 진분수의 분자와 자연수를 곱하여 계산합니다.

예 $\dfrac{7}{12} \times \overset{2}{8} = \dfrac{7 \times 2}{3} = \dfrac{14}{3} = 4\dfrac{2}{3}$
→ 약분하여 계산하기

• (대분수)×(자연수)는 대분수의 자연수 부분과 진분수 부분에 각각 자연수를 곱하여 계산하거나 대분수를 가분수로 바꾸어 계산합니다.

예 $1\dfrac{1}{3} \times 2 = (1 \times 2) + \left(\dfrac{1}{3} \times 2\right) = 2 + \dfrac{2}{3} = 2\dfrac{2}{3}$
→ 자연수 부분과 진분수 부분에 각각 자연수를 곱하여 계산하기

(2) (자연수)×(분수)

• (자연수)×(진분수)는 자연수와 진분수의 분자를 곱하여 계산합니다.

예 $6 \times \dfrac{2}{3} = \dfrac{6 \times 2}{3} = \dfrac{\overset{4}{12}}{\underset{1}{3}} = 4$ → 분수의 곱셈을 다 한 후 약분하기

• (자연수)×(대분수)는 자연수를 대분수의 자연수 부분과 진분수 부분에 각각 곱하여 계산하거나 대분수를 가분수로 바꾸어 계산합니다.

예 $3 \times 1\dfrac{4}{9} = \overset{1}{3} \times \dfrac{13}{\underset{3}{9}} = \dfrac{1 \times 13}{3} = \dfrac{13}{3} = 4\dfrac{1}{3}$
→ 대분수를 가분수로 바꾸어 계산하기

(3) 진분수의 곱셈

• 분자는 분자끼리 분모는 분모끼리 곱합니다.

예 $\dfrac{4}{7} \times \dfrac{2}{5} = \dfrac{4 \times 2}{7 \times 5} = \dfrac{8}{35}$

(4) 대분수의 곱셈

• 대분수를 가분수로 바꾸어 계산하거나 대분수를 자연수 부분과 진분수 부분으로 나누어 계산합니다.

예 $3\dfrac{4}{7} \times 1\dfrac{3}{10} = \dfrac{25}{7} \times \dfrac{13}{\underset{2}{10}} = \dfrac{65}{14} = 4\dfrac{9}{14}$
→ 대분수를 가분수로 바꾸어 계산하기

3 합동과 대칭

(1) 합동: 모양과 크기가 같아서 포개었을 때 완전히 겹치는 두 도형

• 서로 합동인 두 도형을 포개었을 때 완전히 겹치는 점을 대응점, 겹치는 변을 대응변, 겹치는 각을 대응각이라고 합니다.

(2) 선대칭도형: 한 직선을 따라 접었을 때 완전히 겹치는 도형

① 대응변의 길이가 같습니다.
② 대응각의 크기가 같습니다.
③ 대응점을 이은 선분이 대칭축과 수직으로 만납니다.
④ 대응점에서 대칭축까지의 거리는 같습니다.

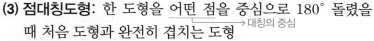

(3) 점대칭도형: 한 도형을 어떤 점을 중심으로 180° 돌렸을 때 처음 도형과 완전히 겹치는 도형

① 대응변의 길이가 같습니다.
② 대응각의 크기가 같습니다.
③ 대응점에서 대칭의 중심까지의 거리는 같습니다.

수학 2학기
1. 수의 범위와 어림하기 ～ 3. 합동과 대칭

확인문제

01 관련 단원 | 1. 수의 범위와 어림하기

수직선에 나타낸 수의 범위를 알아보려고 합니다. □ 안에 알맞은 수를 써넣으시오.

```
 14  15  16  17  18  19  20  21  22  23
```

□ 이하인 수

02 관련 단원 | 1. 수의 범위와 어림하기

7 이상인 수에 ○표, 7 미만인 수에 △표 하시오.

9	6	7	11	4	8	5

03 관련 단원 | 1. 수의 범위와 어림하기

다음 수 중에서 43 초과인 수는 모두 몇 개인지 구해 보시오.

43	43.1	42.9	41.6	44.8

( )

04 관련 단원 | 1. 수의 범위와 어림하기

올림하여 백의 자리까지 나타낸 수가 4300이 아닌 것은 어느 것입니까? ( )

① 4287   ② 4200   ③ 4300
④ 4201   ⑤ 4299

05 관련 단원 | 1. 수의 범위와 어림하기

고구마 258 kg이 있습니다. 한 상자에 10 kg씩 담아 판다면 상자에 담아 팔 수 있는 고구마는 최대 몇 kg인지 구해 보시오.

( )

06 ‖중요‖ 관련 단원 | 1. 수의 범위와 어림하기

반올림하여 백의 자리까지 나타낸 수가 서로 같은 두 수를 찾아 쓰시오.

539	587	472	423

(,)

07 관련 단원 | 1. 수의 범위와 어림하기

어떤 수를 반올림하여 십의 자리까지 나타내었더니 30이 되었습니다. 어떤 수가 될 수 있는 수의 범위를 수직선에 나타내어 보시오.

```
 24 25 26 27 28 29 30 31 32 33 34 35 36
```

08 관련 단원 | 2. 분수의 곱셈

계산해 보시오.

(1) $\dfrac{5}{6} \times 5$

(2) $15 \times \dfrac{2}{5}$

09 관련 단원 | 2. 분수의 곱셈

계산 결과를 비교하여 ○ 안에 >, =, <를 알맞게 써넣으시오.

$$\dfrac{5}{9} \bigcirc \dfrac{5}{9} \times \dfrac{2}{3}$$

10 ‖중요‖ 관련 단원 | 2. 분수의 곱셈

잘못 계산한 곳을 찾아 바르게 고쳐 계산해 보시오.

$$\overset{5}{10} \times 3\frac{1}{\underset{3}{6}} = 5 \times 3\frac{1}{3} = 5 \times \frac{10}{3} = \frac{50}{3} = 16\frac{2}{3}$$

11 계산 결과가 더 큰 것을 찾아 기호를 쓰시오.

관련 단원 | 2. 분수의 곱셈

$$\bigcirc\ \frac{5}{8}\times\frac{1}{2}\times\frac{6}{7} \qquad \bigcirc\ \frac{3}{4}\times\frac{4}{7}\times\frac{3}{8}$$

(　　　　　　　)

12 한 명에게 치즈케이크 한 개의 $\frac{3}{10}$씩을 똑같이 나누어 주려고 합니다. 20명에게 똑같이 나누어 주려면 치즈케이크는 모두 몇 개가 필요한지 구해 보시오.

관련 단원 | 2. 분수의 곱셈

(　　　　　　　)

13 계산해 보시오.

관련 단원 | 2. 분수의 곱셈

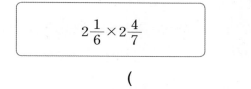

$$2\frac{1}{6}\times2\frac{4}{7}$$

(　　　　　　　)

[14~15] 두 사각형은 서로 합동입니다. 물음에 답하시오.

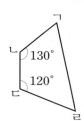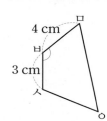

‖중요‖
14 변 ㄱㄴ은 몇 cm인지 구해 보시오.

관련 단원 | 3. 합동과 대칭

(　　　　　　　)

15 각 ㅁㅂㅅ은 몇 도인지 구해 보시오.

관련 단원 | 3. 합동과 대칭

(　　　　　　　)

16 선대칭도형을 찾아 대칭축을 그려 보시오.

관련 단원 | 3. 합동과 대칭

17 직선 ㄱㄴ을 대칭축으로 하는 선대칭도형입니다. □ 안에 알맞은 수를 써넣으시오.

관련 단원 | 3. 합동과 대칭

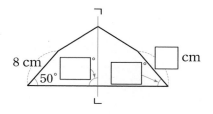

18 점 ㅇ을 대칭의 중심으로 하는 점대칭도형입니다. 선분 ㄷㅇ은 몇 cm인지 구해 보시오.

관련 단원 | 3. 합동과 대칭

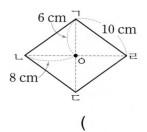

(　　　　　　　)

19 점대칭도형이 되도록 그림을 완성하시오.

관련 단원 | 3. 합동과 대칭

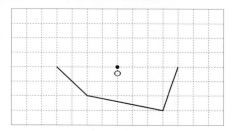

‖중요‖
20 직선 ㄱㄴ을 대칭축으로 하는 선대칭도형입니다. 이 도형의 둘레는 몇 cm인지 구해 보시오.

관련 단원 | 3. 합동과 대칭

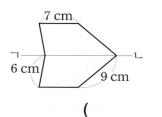

(　　　　　　　)

4 소수의 곱셈

(1) (소수)×(자연수)

[방법 1] 덧셈식으로 계산하기

예 $0.9 \times 3 = 0.9 + 0.9 + 0.9 = 2.7$

[방법 2] 분수의 곱셈으로 계산하기

예 $0.9 \times 3 = \dfrac{9}{10} \times 3 = \dfrac{9 \times 3}{10} = \dfrac{27}{10} = 2.7$

(2) (자연수)×(소수)

[방법 1] 분수의 곱셈으로 계산하기

예 $4 \times 1.8 = 4 \times \dfrac{18}{10} = \dfrac{4 \times 18}{10} = \dfrac{72}{10} = 7.2$

[방법 2] 자연수의 곱셈으로 계산하기

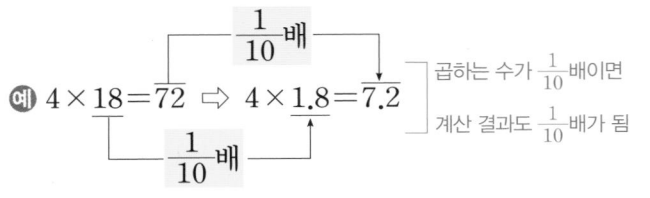

예 $4 \times 18 = 72 \Rightarrow 4 \times 1.8 = 7.2$

곱하는 수가 $\dfrac{1}{10}$ 배이면 계산 결과도 $\dfrac{1}{10}$ 배가 됨

(3) (소수)×(소수)

[방법 1] 분수의 곱셈으로 계산하기

예 $1.5 \times 0.7 = \dfrac{15}{10} \times \dfrac{7}{10} = \dfrac{105}{100} = 1.05$

[방법 2] 자연수의 곱셈으로 계산하기

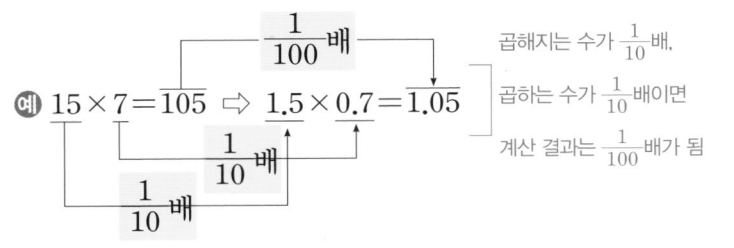

예 $15 \times 7 = 105 \Rightarrow 1.5 \times 0.7 = 1.05$

곱해지는 수가 $\dfrac{1}{10}$ 배, 곱하는 수가 $\dfrac{1}{10}$ 배이면 계산 결과는 $\dfrac{1}{100}$ 배가 됨

(4) 곱의 소수점의 위치

• 소수에 10, 100, 1000, …을 곱하면 곱하는 수의 0의 수만큼 곱의 소수점이 오른쪽으로 옮겨지고, 자연수에 0.1, 0.01, 0.001, …을 곱하면 곱하는 소수의 소수점 아래 수만큼 소수점이 왼쪽으로 옮겨집니다.

예 $0.28 \times 1 = 0.28$

$0.28 \times 10 = 2.8$
　　0이 1개　오른쪽 1칸

$0.28 \times 100 = 28$
　　0이 2개　오른쪽 2칸

$0.28 \times 1000 = 280$
　　0이 3개　오른쪽 3칸

$28 \times 1 = 28$

$28 \times 0.1 = 2.8$
　　소수 한 자리　왼쪽 1칸

$28 \times 0.01 = 0.28$
　　소수 두 자리　왼쪽 2칸

$28 \times 0.001 = 0.028$
　　소수 세 자리　왼쪽 3칸

• 소수끼리의 곱셈에서는 두 수의 소수점 아래 자리 수를 더한 것만큼 곱의 소수점이 왼쪽으로 옮겨집니다.

예 $3 \times 4 = 12$

　　소수 한 자리
$0.3 \times 0.4 = 0.12$
　소수 한 자리　왼쪽 2칸

　　소수 두 자리
$0.3 \times 0.04 = 0.012$
　소수 한 자리　왼쪽 3칸

　　소수 두 자리
$0.03 \times 0.04 = 0.0012$
　소수 두 자리　왼쪽 4칸

5 직육면체

(1) 직육면체와 정육면체

• 직육면체: 직사각형 6개로 둘러싸인 도형
• 면: 선분으로 둘러싸인 부분
• 모서리: 면과 면이 만나는 선분
• 꼭짓점: 모서리와 모서리가 만나는 점
• 정육면체: 정사각형 6개로 둘러싸인 도형
　⇨ 정육면체는 직육면체라고 할 수 있습니다.

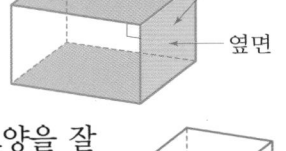

꼭짓점
면
모서리

(2) 직육면체의 밑면과 옆면

• 밑면: 직육면체에서 계속 늘여도 만나지 않는 두 면
• 옆면: 직육면체에서 밑면과 수직인 면

밑면
수직
옆면

(3) 직육면체의 겨냥도: 직육면체의 모양을 잘 알 수 있도록 나타낸 그림

• 보이는 모서리는 실선으로, 보이지 않는 모서리는 점선으로 그립니다.

(4) 직육면체의 전개도: 직육면체의 모서리를 잘라서 펼친 그림

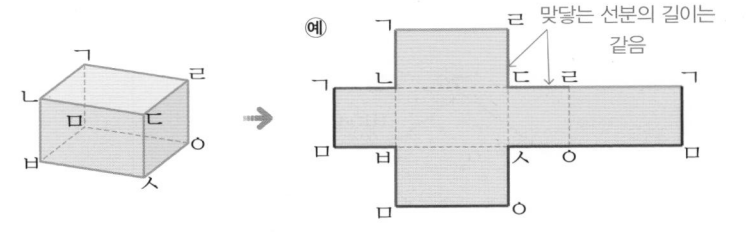

예
ㄹ 맞닿는 선분의 길이는 같음

6 평균과 가능성

(1) 평균: 자료의 값을 모두 더한 수를 자료의 수로 나눈 수로 자료의 값을 대표하는 값

예

정하네 반 모둠별 학생 수

모둠	가	나	다	라
학생 수(명)	4	5	6	5

(정하네 반 모둠별 학생 수의 평균)

$= \dfrac{4+5+6+5}{4} = \dfrac{20}{4} = 5$(명)

(2) 일이 일어날 가능성

• 가능성: 어떠한 상황에서 특정한 일이 일어나길 기대할 수 있는 정도
• 가능성의 정도는 불가능하다, ~아닐 것 같다, 반반이다, ~일 것 같다, 확실하다 등으로 표현할 수 있습니다.
• 일이 일어날 가능성을 0, $\dfrac{1}{2}$, 1과 같은 수로 표현할 수 있습니다.

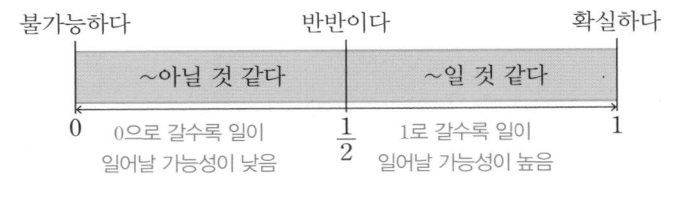

불가능하다　　　　　　반반이다　　　　　　확실하다

| ~아닐 것 같다 | ~일 것 같다 |

0　　　　　　　　　$\dfrac{1}{2}$　　　　　　　　　1

0으로 갈수록 일이 일어날 가능성이 낮음　　1로 갈수록 일이 일어날 가능성이 높음

관련 단원 | 4. 소수의 곱셈

01 와 같이 계산해 보시오.

보기
$$0.5 \times 5 = \frac{5}{10} \times 5 = \frac{5 \times 5}{10} = \frac{25}{10} = 2.5$$

0.7×3 _____

관련 단원 | 4. 소수의 곱셈

02 □ 안에 알맞은 수를 써넣으시오.

27 ──×0.3──→ □

관련 단원 | 4. 소수의 곱셈

03 다음 중에서 가장 큰 수와 가장 작은 수의 곱을 구해 보시오.

4.9   7   18

( )

관련 단원 | 4. 소수의 곱셈

04 계산 결과를 비교하여 ○ 안에 >, =, <를 알맞게 써넣으시오.

3.5×1.2 ○ 0.9×4.4

관련 단원 | 4. 소수의 곱셈

05 소리는 공기 중에서 1초 동안 0.34 km를 간다고 합니다. 천둥이 치고 나서 4.5초 후에 천둥 소리를 들었다면, 천둥 소리를 들은 곳은 천둥이 친 곳에서 몇 km 떨어져 있는지 구해 보시오.

( )

관련 단원 | 4. 소수의 곱셈

06 다음 계산에서 소수점을 찍어야 할 곳을 찾아 기호를 쓰시오.

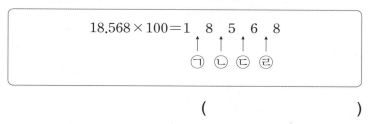

$18.568 \times 100 = 1 \ 8 \ 5 \ 6 \ 8$
ㄱ ㄴ ㄷ ㄹ

( )

∥중요∥
관련 단원 | 4. 소수의 곱셈

07 $48 \times 6 = 288$을 이용하여 □ 안에 알맞은 수를 써넣으시오.

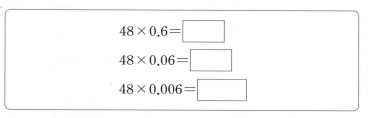

$48 \times 0.6 = $□
$48 \times 0.06 = $□
$48 \times 0.006 = $□

관련 단원 | 5. 직육면체

08 직육면체를 모두 찾아 기호를 쓰시오.

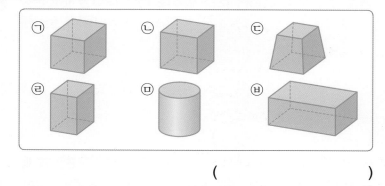

ㄱ ㄴ ㄷ
ㄹ ㅁ ㅂ

( )

관련 단원 | 5. 직육면체

09 정육면체에서 면, 모서리, 꼭짓점의 수는 각각 몇 개인지 구해 보시오.

면 ( )
모서리 ( )
꼭짓점 ( )

∥중요∥
관련 단원 | 5. 직육면체

10 오른쪽 직육면체에서 색칠한 면과 평행한 면을 찾아 색칠하시오.

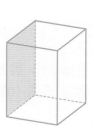

11 관련 단원 | 5. 직육면체

면 ㄱㄴㄷㄹ이 밑면일 때, 옆면을 모두 찾아 쓰시오.

(　　　　　　　　　　　　)

12 관련 단원 | 5. 직육면체

그림에서 빠진 부분을 그려 넣어 직육면체의 겨냥도를 완성하시오.

(1)　　　　　　　　(2)

13 관련 단원 | 5. 직육면체

전개도를 접어 직육면체를 만들었을 때 □ 안에 알맞은 것을 써넣으시오.

전개도를 접었을 때 점 ㅁ과 만나는 점은 점 □이고,
선분 ㄱㄴ과 겹치는 선분은 선분 □입니다.

14 관련 단원 | 5. 직육면체

주사위에서 서로 평행한 두 면의 눈의 수의 합이 7입니다. 오른쪽 전개도의 빈 곳에 주사위의 눈을 알맞게 그려 넣으시오.

15 《중요》 관련 단원 | 6. 평균과 가능성

다음 수들의 평균을 구해 보시오.

| 15 | 30 | 25 | 17 | 23 | 10 |

(　　　　　　　　　　　　)

[16~17] 진욱이네 학교 5학년 학생 중에서 동생이 있는 학생 수를 반별로 나타낸 것입니다. 반별 동생이 있는 학생 수의 평균이 8명일 때 물음에 답하시오.

반별 동생이 있는 학생 수

반	1	2	3	4	5
학생 수(명)	9	7		10	8

16 관련 단원 | 6. 평균과 가능성

5학년 학생 중 동생이 있는 학생은 모두 몇 명인지 구해 보시오.

(　　　　　　　　　　)

17 관련 단원 | 6. 평균과 가능성

5학년 3반 학생 중에서 동생이 있는 학생은 몇 명인지 구해 보시오.

(　　　　　　　　　　)

18 관련 단원 | 6. 평균과 가능성

성윤이와 윤미의 수학 점수를 각각 나타낸 것입니다. 성윤이와 윤미 중에서 수학 점수의 평균이 더 높은 사람은 누구인지 쓰시오.

성윤이의 수학 점수	윤미의 수학 점수
74점, 77점, 76점, 81점	72점, 70점, 86점

(　　　　　　　　　　)

19 관련 단원 | 6. 평균과 가능성

흰 바둑돌만 들어 있는 통이 있습니다. 이 통에서 바둑돌을 1개 꺼낼 때 꺼낸 바둑돌이 검은색일 가능성으로 알맞은 말에 ○표 하시오.

불가능하다 , 반반이다 , 확실하다

20 《중요》 관련 단원 | 6. 평균과 가능성

100원짜리 동전을 한 개 던졌을 때 앞면이 나올 가능성을 수로 표현하면 얼마인지 쓰시오.

(　　　　　　　　　　)

1 국토와 우리 생활

(1) 우리 국토의 위치와 영역

① 우리 국토의 위치 → 대륙과 해양으로 나아가기에 유리하여 세계 여러 나라와 교류하고 있음.

- 우리 국토는 아시아 대륙의 동쪽에 위치한 반도입니다.
- 우리 국토는 북위 33°~43°, 동경 124°~132° 사이에 위치해 있습니다.
- 우리나라 주변에는 러시아, 몽골, 일본, 중국 등의 나라가 있습니다. → 한 나라의 영역은 그 나라의 주권이 미치는 범위를 말함.

② 우리나라의 영역 → 우리나라 영토의 동쪽 끝은 경상북도 울릉군 독도, 서쪽 끝은 평안북도 용천군 마안도, 남쪽 끝은 제주특별자치도 서귀포시 마라도, 북쪽 끝은 함경북도 온성군 유원진임.

영토	한반도와 한반도에 속한 여러 섬 ←
영해	우리나라 바다의 영역으로, 영해를 설정하는 기준선으로부터 12해리(약 22 km)까지임.
영공	우리나라 영토와 영해 위에 있는 하늘의 범위

③ 자연환경에 따른 우리 국토 구분

- 큰 산맥과 하천을 중심으로 구분하기

북부 지방	지금의 북한 지역을 말함.
중부 지방	휴전선 남쪽으로 소백산맥과 금강 하류까지임.
남부 지방	중부 지방의 남쪽 지역을 의미함.

- 우리나라의 전통적인 지역 구분

관북·관서·관동 지방	철령관을 기준으로 서쪽 지방을 '관서', 북쪽 지방을 '관북', 동쪽 지방을 '관동'이라고 함.
해서 지방	경기해의 서쪽에 있어서 '해서'라고 함.
경기 지방	'경기'는 왕이 사는 도읍의 주변 지역을 뜻함.
호서·호남 지방	의림지의 서쪽에 위치하고 금강(옛 이름 호강)의 서쪽에 있어서 '호서', 남쪽에 있어서 '호남'이라고 함.
영남 지방	조령 고개의 남쪽에 있어서 '영남'이라고 함.

④ 우리나라 행정 구역의 위치

- 북한 지역을 제외하면 특별시 1곳과 특별자치시 1곳, 광역시 6곳, 도 6곳, 특별자치도 3곳으로 이루어져 있습니다.
- 특별시, 특별자치시, 광역시에는 시청이 있고, 도와 특별자치도에는 도청이 있습니다.

(2) 우리 국토의 자연환경

① 우리나라의 지형

- 땅의 생김새를 지형이라고 합니다.
- 우리나라에는 산지, 하천, 평야, 해안, 섬 등 다양한 지형이 있습니다. → 빗물과 지하수가 낮은 곳으로 흘러가면서 만드는 크고 작은 물줄기

② 우리나라 산지, 하천, 평야, 해안의 특징

- 우리나라는 국토의 약 70%가 산지입니다.
- 동쪽이 높고 서쪽이 낮은 지형입니다. → 큰 하천은 대부분 동쪽에서 서쪽으로 흘러갑니다.
- 동해안은 모래사장이 펼쳐진 곳이 많고, 서해안은 갯벌이 발달했으며, 남해안은 양식업이 발달했습니다.

③ 우리나라의 기후

- 우리나라는 중위도에 위치해 사계절이 나타나며 계절별로 기온의 차이가 큽니다.
- 여름에는 남동쪽에서 덥고 습한 바람이 불어오고, 겨울에는 북서쪽에서 차갑고 건조한 바람이 불어옵니다.

④ 우리나라 기온과 강수량의 특징

기온	• 남쪽 지방과 북쪽 지방의 기온 차이가 큼. • 동쪽과 서쪽 지역 간에도 기온 차이가 남. • 해안 지역이 내륙 지역보다 겨울에 따뜻함.
강수량	• 우리나라의 연평균 강수량은 1,300 mm 정도로 세계 평균인 880 mm 보다 많은 편임. • 연평균 강수량이 1,300 mm 이상인 지역은 제주도와 남해안 지역 등이며, 낙동강 중상류 지역은 상대적으로 비가 적게 옴. • 연평균 강수량의 절반 이상이 여름에 집중됨.

⑤ 우리나라의 자연재해

의미	지진 등의 피할 수 없는 자연 현상으로 일어나는 피해를 말함.
종류	봄에는 황사, 가뭄 등, 여름에는 폭염, 홍수, 태풍 등이, 겨울에는 폭설, 한파 등이 발생함.
대처 방법	행정 안전부와 기상청은 자연재해가 예상될 때 기상 특보를 발령함.

(3) 우리 국토의 인문 환경 → 한 나라 또는 일정한 지역에 사는 사람의 수를 말함.

① 우리나라 인구 구성의 변화: 새로 태어나는 아기의 수는 점점 줄고, 전체 인구에서 노년층이 차지하는 비율은 계속해서 늘고 있습니다. → 저출생·고령 사회의 특징

② 우리나라 인구 분포와 도시 발달의 특징

인구 분포	• 1960년대 이후 촌락에 사는 사람들이 일자리를 찾아 도시로 이동했음. • 우리나라에서 인구가 가장 밀집한 지역은 수도권임.
도시 발달	• 1960년대 서울, 인천, 부산, 대구 등의 인구가 급속히 증가했음. • 1970년대에는 포항, 울산, 마산, 창원 등이 공업 도시로 성장하면서 도시 인구가 크게 증가했음. • 1980년대부터 경기도에 신도시를 건설해 인구와 기능을 분산했음.

③ 우리나라 산업과 교통 발달 모습 → 자연환경과 인문 환경의 차이에 따라 지역별로 다른 산업이 발달했음.

산업 발달	• 1960년대 이후 남동쪽 해안가에 새로운 중화학 공업 단지가 형성되었음. • 오늘날에는 첨단 산업이 빠르게 성장하고 있음.
교통 발달	• 고속 국도와 고속 철도의 개통으로 생활권이 넓어짐. • 항구 수의 증가로 원료 공급이 원활해졌고, 공항 수도 늘어 지역 간 교류가 더욱 활발해졌음.

→ 1970년 경부 고속 국도의 완공으로 전 국토가 1일 생활권으로 연결되었고, 2004년 고속 철도의 개통으로 반나절 생활권이 가능해졌음.

④ 인문 환경의 변화에 따라 달라진 국토의 모습

- 인구가 많은 지역을 중심으로 교통망이 발달했고, 산업이 성장하면서 더욱 많은 도시가 생겨났습니다.
- 도시의 성장으로 더 많은 인구가 일자리를 찾아 도시로 이동하면서 교통과 산업은 더욱 발달했습니다.

사회

1학기
1. 국토와 우리 생활

확인 문제

[01~02] 다음 지도를 보고 물음에 답하시오.

관련 단원 | 1-(1) 우리 국토의 위치와 영역

01 위 지도의 ㉠에 들어갈 대륙의 이름을 쓰시오.

( )

||중요||
02 위 지도를 보고 알 수 있는 사실로 알맞지 **않은** 것은 무엇입니까? ( )

① 우리나라의 동쪽에 일본이 있다.
② 우리나라는 러시아의 서쪽에 있다.
③ 우리나라는 중국과 일본 사이에 있다.
④ 우리나라는 삼면이 바다와 맞닿아 있다.
⑤ 우리나라 주변에는 중국, 일본, 러시아, 몽골 등의 나라가 있다.

관련 단원 | 1-(1) 우리 국토의 위치와 영역

03 우리나라 영토의 범위로 알맞은 것은 무엇입니까?

( )

① 한반도
② 바다와 맞닿아 있는 곳
③ 대륙과 연결되어 있는 곳
④ 우리나라 사람이 살고 있는 곳
⑤ 한반도와 한반도에 속한 여러 섬

관련 단원 | 1-(1) 우리 국토의 위치와 영역

04 우리나라를 북부, 중부, 남부 지방으로 구분할 때의 기준은 무엇입니까? ( )

① 인구수   ② 행정 구역
③ 발달한 산업   ④ 사용하는 말
⑤ 큰 산맥과 하천

관련 단원 | 1-(1) 우리 국토의 위치와 영역

05 관북 지방, 관서 지방, 관동 지방으로 나눌 때의 기준은 무엇입니까? ( )

① 한강   ② 금강
③ 조령   ④ 철령관
⑤ 의림지

관련 단원 | 1-(1) 우리 국토의 위치와 영역

06 우리나라 영토의 끝을 바르게 선으로 연결하시오.

(1) 동쪽 끝 •   • ㉮ 함경북도 온성군 유원진

(2) 서쪽 끝 •   • ㉯ 평안북도 용천군 마안도

(3) 남쪽 끝 •   • ㉰ 경상북도 울릉군 독도

(4) 북쪽 끝 •   • ㉱ 제주특별자치도 서귀포시 마라도

||중요||
관련 단원 | 1-(1) 우리 국토의 위치와 영역

07 북한 지역을 제외한 우리나라 행정 구역에 대한 설명으로 알맞은 것은 무엇입니까? ( )

① 도는 9곳이 있다.
② 광역시는 5곳이 있다.
③ 특별자치도는 2곳이 있다.
④ 특별자치시는 1곳이 있다.
⑤ 특별시, 특별자치시, 특별자치도에는 도청이 있다.

관련 단원 | 1-(2) 우리 국토의 자연환경

08 하천에 대한 설명으로 알맞은 것은 무엇입니까? ( )

① 바다로 둘러싸인 땅이다.
② 바다와 맞닿은 육지 부분이다.
③ 높이 솟은 산들이 모여 이룬 지형이다.
④ 갯벌이 나타나거나 모래사장이 있는 곳도 있다.
⑤ 빗물과 지하수가 낮은 곳으로 흘러가면서 만드는 크고 작은 물줄기이다.

≪중요≫ 09 관련 단원 | 1-(2) 우리 국토의 자연환경

우리나라 지형의 특징으로 알맞지 <u>않은</u> 것은 무엇입니까?
(　　)

① 국토의 약 70%가 산지이다.
② 동쪽이 높고 서쪽이 낮은 지형이다.
③ 비교적 낮은 평야는 서쪽에 발달했다.
④ 높고 험한 산은 대부분 북쪽과 동쪽에 많다.
⑤ 큰 하천은 대부분 서쪽에서 동쪽으로 흘러간다.

10 관련 단원 | 1-(2) 우리 국토의 자연환경

빈칸 ㉠, ㉡에 들어갈 알맞은 말을 쓰시오.

> 우리나라는 계절에 따라 불어오는 바람이 다르다. 여름에 ㉠ 에서 덥고 습한 바람이 불어오고, 겨울에 ㉡ 에서 차갑고 건조한 바람이 불어온다.

㉠: (　　　　　), ㉡: (　　　　　)

11 관련 단원 | 1-(2) 우리 국토의 자연환경

우리나라 기온의 특징으로 알맞지 <u>않은</u> 것은 무엇입니까?
(　　)

① 북쪽으로 갈수록 기온이 낮아져 더 춥다.
② 동쪽과 서쪽 지역 간에도 기온 차이가 난다.
③ 남쪽으로 갈수록 기온이 높아져 더 따뜻하다.
④ 대체로 내륙 지역이 해안 지역보다 겨울에 더 따뜻하다.
⑤ 우리나라는 남북으로 길게 뻗어 있어 남쪽 지방과 북쪽 지방의 기온 차이가 크다.

≪중요≫ 12 관련 단원 | 1-(2) 우리 국토의 자연환경

자연재해에 대한 설명으로 알맞은 것은 무엇입니까?
(　　)

① 한파는 매우 심한 더위를 말한다.
② 지진을 막으려고 댐이나 제방을 쌓는다.
③ 폭염은 늦봄이나 초여름에 주로 발생한다.
④ 폭설이 발생하면 외출할 때 마스크를 써야 한다.
⑤ 태풍은 적도 부근에서 발생해 이동하는 동안 많은 비가 내리고 강한 바람이 불어 큰 피해를 준다.

≪중요≫ 13 관련 단원 | 1-(3) 우리 국토의 인문 환경

1960년대 이후 우리나라 인구 분포에 대한 설명으로 알맞지 <u>않은</u> 것은 무엇입니까?
(　　)

① 인구의 약 70%가 대도시에 집중되어 있다.
② 대도시 지역의 인구 밀도가 급격하게 높아졌다.
③ 산지 지역과 농어촌 지역의 인구 밀도가 낮아졌다.
④ 우리나라에서 인구가 가장 밀집한 지역은 수도권이다.
⑤ 도시에 사는 사람들이 일자리를 찾아 촌락으로 이동했다.

14 관련 단원 | 1-(3) 우리 국토의 인문 환경

우리나라의 산업 발달 모습으로 알맞은 것은 무엇입니까?
(　　)

① 오늘날에는 원료 산지에서 산업이 발달했다.
② 오늘날에는 첨단 산업이 빠르게 성장하고 있다.
③ 대구는 자동차 산업, 광주는 섬유 산업이 발달했다.
④ 1960년대 이후 남동쪽 해안가에 경공업 단지가 형성되었다.
⑤ 1970년대부터 생활에 필요한 물건을 공장에서 대량으로 만들기 시작했다.

15 관련 단원 | 1-(3) 우리 국토의 인문 환경

교통의 발달로 달라진 점으로 알맞지 <u>않은</u> 것을 두 가지 고르시오.
(　　,　　)

① 물자의 이동이 빨라진다.
② 사람의 이동이 편리해진다.
③ 지역 간의 교류가 늘어난다.
④ 지역 간의 이동 시간이 늘어난다.
⑤ 지역 간 거리가 점점 멀게 느껴진다.

≪중요≫ 16 관련 단원 | 1-(3) 우리 국토의 인문 환경

인구, 도시, 산업, 교통의 관계에 대한 설명으로 알맞은 것을 보기 에서 모두 골라 기호를 쓰시오.

> **보기**
> ㉠ 인구 증가로 도시가 성장한다.
> ㉡ 산업의 발전으로 도시에 일자리가 집중된다.
> ㉢ 도시의 성장과 교통의 발달로 인구가 감소한다.
> ㉣ 교통의 발전으로 지역 간에 인구 이동이 줄어든다.
> ㉤ 인구 증가로 산업에 필요한 노동력을 확보할 수 있다.

(　　,　　,　　)

2 인권 존중과 정의로운 사회

(1) 인권을 존중하는 삶
→ 모든 사람은 나와 똑같은 권리가 있으므로 다른 사람의 권리를 존중하는 태도가 중요함.

① 인권의 의미와 특징
- 사람이기 때문에 당연히 누리는 권리를 인권이라고 합니다.
- 인권은 다른 사람이 힘이나 권력으로 함부로 빼앗을 수 없습니다.

② 인권 신장을 위해 노력했던 옛사람들

허균	허균이 쓴 『홍길동전』은 신분으로 차별받는 사람들의 인권을 다루고 있음.
방정환	어른과 동등한 하나의 인격체로 어린이를 존중해야 한다고 했음.
테레사 수녀	가난하고 아픈 사람들을 위해 평생을 바쳤고, 버림받은 아이도 존중해야 한다고 생각했음.
마틴 루서 킹	백인에게 차별받는 흑인의 인권을 신장하고자 노력했음.

③ 인권 신장을 위한 옛날의 여러 제도

격쟁	임금의 행차 때 징이나 꽹과리를 쳐서 임금에게 억울한 일을 호소할 수 있었음.
신문고 제도	백성들은 억울한 일이 있을 때 대궐 밖에 설치된 북을 쳐서 임금에게 알릴 수 있었음.
상언 제도	신분과 관계없이 억울한 일을 문서에 써서 임금에게 호소할 수 있었음.
삼복제	사형과 같은 무거운 형벌을 내릴 때 신분과 관계없이 세 번의 재판을 거치도록 했음. → 억울하게 벌받는 일이 없도록 함.

④ 인권 침해 사례와 인권 보장을 위한 노력
- 인권 침해 사례: 사생활 침해, 편견이나 차별, 사이버 폭력을 포함한 학교 폭력 등이 있습니다.
- 인권 보장을 위한 노력 → 국가, 지방 자치 단체, 시민 등의 사회 구성원들이 인권 보장을 위해 많은 노력을 하고 있음.

인권 개선 활동	시민 단체의 노력으로 낡고 위험한 놀이터가 안전한 놀이터로 바뀌었음.
인권 교육 활동	학교에서는 인권 교육 활동으로 다문화 가족에 대한 편견을 없애고 문화의 다양성을 존중하도록 함.
장애인 공공 편의 시설 설치	국가와 지방 자치 단체에서는 장애인이 안전하고 편리하게 공공시설을 이용할 수 있도록 편의 시설을 설치하여 운영함.
다양한 사회 보장 제도 시행	국가와 지방 자치 단체는 국민이 빈곤, 질병, 생활 불안 등에서 벗어나 안정적으로 살 수 있도록 사회 보장 제도를 만들어 시행함.

(2) 법의 의미와 역할

① 법의 의미와 특징 → 법은 지키지 않았을 때 제재를 받는다는 점에서 사람들이 자율적으로 지키는 도덕 등과 구별됨.
- 국가가 만든 강제성이 있는 규칙을 법이라고 합니다.
- 법을 어겼을 때는 제재를 받습니다.
- 법이 사회의 변화에 맞지 않거나 인권을 침해할 때에는 법을 바꾸거나 다시 만들 수 있습니다.

② 우리 생활 속에서 법 찾아보기

- 법은 일상생활 곳곳에서 적용되고 있습니다. 예 어린이 놀이 시설 안전 관리법, 장애인 차별 금지법, 저작권법 등
- 법은 우리의 권리를 보호해 주면서 사람들이 안심하고 살 수 있도록 도와줍니다.

③ 법의 역할 → 우리 사회는 개인의 권리를 보장하고 안정된 사회 질서를 유지하고자 법을 만들었으며, 문제가 발생했을 때는 법에 따라 해결함.

개인의 권리 보장	• 개인의 생명이나 재산을 보호해 줌. • 개인 간에 발생한 분쟁을 해결해 줌. • 개인 정보를 보호해 줌.
사회 질서 유지	• 교통사고를 예방할 수 있게 해 줌. • 범죄로부터 안전하게 지켜 줌. • 환경 파괴와 오염을 예방해 줌.

④ 법을 준수해야 하는 까닭
- 법을 어기면 다른 사람에게 피해를 주고 다른 사람의 권리를 침해하기 때문입니다.
- 법을 지키지 않으면 사회 질서가 유지될 수 없기 때문입니다.

(3) 헌법과 인권 보장
① 헌법의 의미와 특징
- 헌법은 법 중에서 가장 기본이 되는 법으로 우리나라 최고의 법입니다.
- 헌법을 바탕으로 여러 법을 만들며, 그 법들은 헌법에 어긋나서는 안 됩니다.
- 헌법은 국가를 운영하는 데 가장 중요한 기본적인 내용을 담고 있습니다. → 헌법의 내용을 새로 정하거나 고칠 때는 국민 투표를 해야 함.

② 인권 보장을 위한 헌법의 역할
- 헌법을 기반으로 만들어진 법이 개인의 권리를 침해했다고 판단될 경우, 국민 누구나 그에 대한 재판을 요청할 수 있습니다.
- 헌법 재판에서 법이 국민의 인권을 침해한다고 결정이 나면 그 법은 개정되거나 폐지됩니다.
- 헌법은 개인이 가진 인권을 분명하게 확인하고 이를 보장해 주는 역할을 합니다.

③ 헌법에 나타난 국민의 기본권과 의무

기본권	• 헌법으로 보장되는 국민의 기본적인 권리를 말함. • 헌법이 보장하는 기본권에는 평등권, 자유권, 참정권, 청구권, 사회권 등이 있음. • 기본권은 국가의 안전 보장, 공공의 이익, 사회 질서 유지 등을 위해 필요한 경우 법률에 따라 제한될 수도 있음.
의무	• 헌법은 국민으로서 지켜야 하는 의무도 정해 놓았음. • 교육의 의무, 납세의 의무, 근로의 의무, 국방의 의무, 환경 보전의 의무 등이 있음. • 의무를 성실하게 실천함으로써 나라를 유지하고 발전시킬 수 있음.

④ 바람직한 권리와 의무의 관계
- 헌법에 나타난 권리와 의무는 서로 긴밀하게 연결되어 있습니다.
- 우리가 행복하게 살아가려면 헌법에 나타난 권리를 보장하고 의무를 실천하는 것이 모두 필요합니다.

사회

1학기
2. 인권 존중과 정의로운 사회

확인 문제

중요
관련 단원 | 2-(1) 인권을 존중하는 삶
01 인권에 대한 설명으로 알맞지 <u>않은</u> 것은 무엇입니까?
( )

① 사람이기 때문에 존중되는 권리이다.
② 사람이기 때문에 당연히 누리는 권리이다.
③ 어떤 이유로도 인권을 침해당해서는 안 된다.
④ 다른 사람이 힘이나 권력으로 **빼앗을** 수 있다.
⑤ 태어날 때부터 모든 사람에게 평등하게 보장된다.

관련 단원 | 2-(1) 인권을 존중하는 삶
02 인권 신장을 위해 노력한 사람 중 가난하고 아픈 사람들을 위해 평생을 바친 사람은 누구입니까? ( )

① 허균   ② 방정환
③ 홍길동   ④ 테레사 수녀
⑤ 마틴 루서 킹

중요
관련 단원 | 2-(1) 인권을 존중하는 삶
03 우리 조상들이 사형과 같은 무거운 형벌을 내릴 때 세 번의 재판을 거치도록 한 까닭은 무엇입니까? ( )

① 많은 사람들에게 죄를 알리기 위해서
② 신분이 높은 사람을 보호하기 위해서
③ 죄와 상관없이 무거운 벌을 내리기 위해서
④ 억울하게 벌을 받는 일이 없도록 하기 위해서
⑤ 재판에 들어가는 시간과 비용을 줄이기 위해서

관련 단원 | 2-(1) 인권을 존중하는 삶
04 국가와 지방 자치 단체에서 다음과 같은 시설들을 설치하는 까닭은 무엇입니까? ( )

> • 점자 안내도   • 점자 블록

① 어린이들의 안전한 생활을 위해
② 국민을 빈곤에서 벗어나게 하기 위해
③ 노인들의 생활 불안을 해결하기 위해
④ 다문화 가족에 대한 차별을 없애기 위해
⑤ 시각 장애인의 안전하고 편리한 생활을 위해

관련 단원 | 2-(1) 인권을 존중하는 삶
05 빈칸에 들어갈 알맞은 말을 쓰시오.

> 국가와 지방 자치 단체는 국민이 빈곤, 질병, 생활 불안 등에서 벗어나 안정적으로 살 수 있도록 [   ] 제도를 만들어 시행합니다.

( )

중요
관련 단원 | 2-(2) 법의 의미와 역할
06 법에 대한 설명으로 알맞지 <u>않은</u> 것은 무엇입니까?
( )

① 국가가 만든 강제성이 있는 규칙이다.
② 법을 지키지 않았을 때 제재를 받는다.
③ 사회나 시대의 변화에 따라 달라질 수 있다.
④ 사회의 구성원들이 양심 등에 비추어 스스로 마땅히 지켜야 할 모든 규범을 말한다.
⑤ 법이 사회의 변화에 맞지 않거나 인권을 침해할 때에는 법을 바꾸거나 다시 만들 수 있다.

관련 단원 | 2-(2) 법의 의미와 역할
07 다음 설명이 가리키는 법은 무엇입니까? ( )

> 음악, 영화, 출판물 등 창작물을 만든 사람의 저작권을 보호하는 법이다.

① 저작권법
② 식품 위생법
③ 장애인 차별 금지법
④ 어린이 놀이 시설 안전 관리법
⑤ 어린이 식생활 안전 관리 특별법

관련 단원 | 2-(2) 법의 의미와 역할
08 개인 정보를 보호해 주는 법이 없을 때 발생할 수 있는 일은 무엇입니까? ( )

① 쾌적한 환경에서 살아갈 수 없다.
② 일한 대가를 제대로 지급받을 수 없다.
③ 올바른 식품 정보를 제공받을 수 없다.
④ 환경 파괴와 오염으로부터 보호받을 수 없다.
⑤ 나의 개인 정보가 다른 사람에게 알려져 범죄에 이용될 수 있다.

09 다음과 같이 법을 지키지 않았을 때 일어날 수 있는 일은 무엇입니까? (　　　)

관련 단원 | 2-(2) 법의 의미와 역할

> 요즘 학교 앞 도로에서 학생들이 무단 횡단을 하는 일이 늘고 있다.

① 차량 통행이 늘어나게 된다.
② 학생들 간에 다툼이 자주 발생한다.
③ 학교 주변의 집값이 떨어져 손해를 보게 된다.
④ 도로 주변에 쓰레기가 늘어나 환경이 오염된다.
⑤ 큰 사고가 나서 치료를 받거나 도로 질서를 어지럽히게 된다.

관련 단원 | 2-(2) 법의 의미와 역할

10 법을 지켜야 하는 까닭으로 알맞은 것을 보기 에서 두 가지 골라 기호를 쓰시오.

> 보기
> ㉠ 법을 어기면 다른 사람의 권리를 침해하기 때문
> ㉡ 자신의 행동에 대한 책임을 지지 않아도 되기 때문
> ㉢ 법을 지키지 않으면 사회 질서가 유지될 수 없기 때문

(　　　,　　　)

[11~12] 다음 글을 읽고 물음에 답하시오.

> 대한민국 　　　　
>
> 제1조 ① 대한민국은 민주 공화국이다.
> 　　　② 대한민국의 주권은 국민에게 있고, 모든 권력은 국민으로부터 나온다.

관련 단원 | 2-(3) 헌법과 인권 보장

11 빈칸에 들어갈 알맞은 법을 쓰시오.

(　　　　)

관련 단원 | 2-(3) 헌법과 인권 보장

12 위의 법에 대한 설명으로 알맞지 <u>않은</u> 것은 무엇입니까? (　　　)

① 이 법에 어긋나는 법을 만들 수 없다.
② 국가 기관을 조직하고 운영하는 기본 원칙을 제시하고 있다.
③ 법 중에서 가장 기본이 되는 법으로 우리나라 최고의 법이다.
④ 대한민국 국민이 누려야 할 권리와 지켜야 할 의무를 담고 있다.
⑤ 이 법의 내용을 새로 정하거나 고칠 때는 국가가 결정해서 시행한다.

관련 단원 | 2-(3) 헌법과 인권 보장

13 빈칸에 들어갈 말로 알맞은 것은 무엇입니까? (　　　)

> 헌법을 기반으로 만들어진 법이 개인의 권리를 침해했다고 판단될 경우, 국민 누구나 그에 대한 　　　을/를 요청할 수 있습니다.

① 재판　　　　② 침해
③ 의무　　　　④ 권리
⑤ 처벌

관련 단원 | 2-(3) 헌법과 인권 보장

14 다음 헌법 내용에서 보장하는 기본권은 무엇입니까? (　　　)

> 제31조 제1항 모든 국민은 능력에 따라 균등하게 교육을 받을 권리가 있다.
> 제35조 제1항 모든 국민은 건강하고 쾌적한 환경에서 생활할 권리를 가진다.

① 자유권　　　　② 평등권
③ 사회권　　　　④ 참정권
⑤ 청구권

관련 단원 | 2-(3) 헌법과 인권 보장

15 일상생활에서 환경 보전의 의무를 실천하는 사례로 알맞은 것은 무엇입니까? (　　　)

① 내 생각을 자유롭게 이야기할 수 있다.
② 어머니께서는 출판사에 다니고 계신다.
③ 가족과 함께 하천 주변의 쓰레기를 주웠다.
④ 사촌 형이 고등학교를 졸업하고 군대에 갔다.
⑤ 부모님께서 대통령 선거 날에 투표를 하셨다.

관련 단원 | 2-(3) 헌법과 인권 보장

16 권리와 의무가 충돌할 때 필요한 자세는 무엇입니까? (　　　)

① 권리만을 주장한다.
② 의무를 다하지 않으려고 한다.
③ 의무보다 권리를 중요하게 생각한다.
④ 권리보다 의무를 중요하게 생각한다.
⑤ 권리와 의무를 조화롭게 실천하기 위해 노력한다.

1 옛사람들의 삶과 문화

(1) 나라의 등장과 발전

① 고조선의 건국과 발전 과정

- 우리 역사 속 최초의 국가입니다. →법이 엄격, 농업 사회, 개인 재산 인정, 신분제 사회 등
- 법 조항을 보고 당시의 생활 모습을 알 수 있습니다.
- 우수한 청동기 문화를 바탕으로 세력을 확장했습니다.

② 고구려, 백제, 신라의 성립과 발전 과정
→미송리식 토기, 비파형 동검, 탁자식 고인돌이 고조선을 대표하는 문화유산임.

백제	• 온조가 한강 지역에 세운 나라임. • 삼국 중 가장 먼저 전성기를 맞았음. • 근초고왕은 남쪽으로 영토를 넓히고 고구려를 공격해 북쪽으로 진출했음.
고구려	• 주몽이 졸본에 세운 나라임. • 광개토 대왕은 요동 지역을 차지하고, 백제의 영역이었던 한강 지역으로 세력을 확장했음. • 장수왕은 평양 지역으로 수도를 옮기고 남쪽 지역으로 영역을 더욱 확장했음.
신라	• 박혁거세가 지금의 경주 지역에 세운 나라임. • 진흥왕은 한강 유역을 차지했고, 대가야를 흡수하고 가야 연맹을 소멸시켰음.

→1~6세기경 경상도와 전라도 일부를 차지했던 연맹 국가임.

③ 신라의 통일 과정과 발해의 성립 및 발전 과정

- 신라의 통일 과정: 백제 멸망(660) → 고구려 멸망(668) → 신라 군대가 당 군대 격파(675) → 신라 해군이 당의 해군 격파(676) → 문무왕 때 삼국 통일(676)
- 발해의 성립 및 발전 과정 →당은 발해를 '해동성국'이라고 불렀음.

성립	대조영이 고구려 유민들과 말갈족을 이끌고 동모산 지역에 발해를 세웠음.
발전	• 고구려의 옛 땅을 대부분 되찾았음. • 고구려의 문화를 바탕으로 독자적인 문화를 발전시켜 나갔고, 불교문화가 발달했음.

④ 고구려, 백제, 신라, 가야의 문화유산

고구려	안악 3호분의 벽화, 무용총 접객도, 금동 연가 7년명 여래 입상
백제	무령왕릉, 백제 금동 대향로, 익산 미륵사지 석탑
신라	금관총 금관, 황룡사 9층 목탑, 경주 첨성대, 불국사, 석굴암
가야	철제 갑옷과 투구, 가야금 등

(2) 독창적인 문화를 발전시킨 고려
→신라 말 고려 초에 활동한 지방 세력으로, 군사력과 경제력을 바탕으로 각 지방을 다스림.

① 고려의 건국과 후삼국 통일

- 고려 건국: 송악(개성)의 호족이었던 왕건은 후고구려의 궁예를 몰아내고 고려를 세웠습니다.
- 후삼국 통일: 신라가 스스로 고려에 항복한 이후 고려는 후백제를 물리쳐 후삼국을 통일했습니다.

② 거란의 침입과 극복 과정
→거란이 고려와 송의 우호적인 관계를 끊으려고 침입함.

1차 침입	서희는 소손녕과 담판을 벌여 강동 6주를 차지하게 되었음.
2차 침입	돌아가는 거란을 끈질기게 공격해 많은 피해를 주었음.
3차 침입	강감찬을 비롯한 고려군은 돌아가는 거란군을 귀주에서 크게 물리쳤음(귀주 대첩).

→한때 거란에게 개경을 빼앗기기도 함.

③ 몽골이 침입했을 때 고려가 한 대응

- 고려에 온 몽골의 사신이 돌아가는 길에 죽자, 몽골은 이를 이유로 고려를 침입해 왔습니다.
- 고려군은 귀주성, 처인성, 충주성 등에서 몽골군을 물리쳤습니다. →고려의 왕과 일부 신하는 전쟁을 멈추는 조건으로 강화도에서 개경으로 돌아왔음.
- 삼별초는 근거지를 진도와 탐라(제주)로 옮겨 가며 끝까지 저항했으나 결국 실패했습니다.

④ 고려의 기술과 문화

고려청자	고려는 상감이라는 공예 기법을 도자기에 적용해 상감 청자라는 독창적인 예술품을 만들어 냈음.
팔만 대장경	몽골의 침입을 이겨 내고자 만들었음. → 고려의 우수한 목판 인쇄술과 불교문화를 알 수 있음.
금속 활자	고려 시대에는 금속 활자를 이용한 인쇄술도 발달했음.

(3) 민족 문화를 지켜 나간 조선

① 조선의 건국 과정
→나라 안으로는 권문세족의 횡포, 밖으로는 연이은 외적의 침입

고려 말의 혼란스러운 상황 → 신진 사대부와 손잡은 신흥 무인 세력 → 위화도 회군 → 고려 개혁파와 조선 개국파의 갈등 → 토지 제도 개혁 → 이성계가 왕이 됨.
→이성계가 위화도에서 군대를 되돌려 개경으로 돌아와 권력을 잡음.

② 세종 대에 이루어 낸 발전
→조선은 세종 대에 과학 기술, 문화, 국방 등 여러 분야에서 크게 발전했음.

- 농업 발전: 농사를 잘 지을 수 있는 방법을 모아서 『농사직설』이라는 책을 만들었습니다.
- 과학 기술 발전: 신하들에게 혼천의, 앙부일구, 자격루, 측우기 등을 만들게 했습니다. →이를 바탕으로 『칠정산』이라는 달력도 만듦.
- 훈민정음 창제: 글을 몰라 어려움을 겪는 백성들을 위해 우리글인 훈민정음을 만들었습니다.
- 국방 강화: 왜구를 물리치려고 쓰시마섬(대마도)을 정벌하게 했고, 북쪽으로는 4군 6진을 개척했습니다. →여진족에 맞서 압록강과 두만강까지 확대함.

③ 유교 질서를 바탕으로 한 사회 모습

- 나라의 근본이 백성에게 있다는 유교의 가르침에 따라 왕은 백성을 위한 정치를 하려고 했습니다.
- 조선 시대에는 태어날 때부터 신분이 정해져 있어 크게 양인과 천인으로 나뉘었습니다. →양인은 양반, 중인, 상민으로 구분되었음.
- 조선 전기에는 아들과 딸에게 재산을 고르게 물려줬고, 제사도 돌아가며 지냈습니다.

④ 임진왜란과 병자호란

임진왜란	• 1592년 일본은 조선과 명을 정복하려고 부산으로 쳐들어왔음. • 이순신이 이끄는 조선 수군은 일본 수군과의 전투에서 승리했고, 육지에서는 의병이 활약했음. • 일본군이 조선에서 철수하면서 7년간의 긴 전쟁은 끝이 났음.
병자호란	• 조선이 임금과 신하의 관계를 맺자는 청의 요구를 거절하자 청이 조선을 침입했음. • 인조는 남한산성으로 피신하여 청에 맞섰으나 상황이 점점 불리해져 청 태종에게 항복했음. • 전쟁이 끝나고 조선과 청은 신하와 임금의 관계를 맺었고, 많은 대신과 백성이 청에 인질로 끌려갔음.

사회 2학기
1. 옛사람들의 삶과 문화

확 인 문 제

중요
관련 단원 | 1-(1) 나라의 등장과 발전
01 고조선에 대한 설명으로 알맞지 <u>않은</u> 것은 무엇입니까?
( )

① 건국 이야기가 전해져 온다.
② 우리 역사 속 최초의 국가이다.
③ 우수한 철기 문화를 바탕으로 발전했다.
④ 법 조항을 보고 당시의 생활 모습을 알 수 있다.
⑤ 미송리식 토기, 비파형 동검, 탁자식 고인돌이 고조선을 대표하는 문화유산이다.

관련 단원 | 1-(1) 나라의 등장과 발전
02 삼국과 세운 사람을 알맞게 선으로 이으시오.

(1) 고구려 ·　　　　　· ㉮ 온조

(2) 백제 ·　　　　　· ㉯ 주몽

(3) 신라 ·　　　　　· ㉰ 박혁거세

관련 단원 | 1-(1) 나라의 등장과 발전
03 백제의 근초고왕이 한 일로 알맞은 것을 두 가지 고르시오.
(,)

① 남쪽 지역으로 영토를 넓혔다.
② 서쪽으로는 요동 지역을 차지했다.
③ 고구려를 공격해 북쪽으로 진출했다.
④ 대가야를 흡수하고 가야 연맹을 소멸시켰다.
⑤ 백제의 영토 경계를 알려 주고자 비석을 세웠다.

관련 단원 | 1-(1) 나라의 등장과 발전
04 빈칸 ㉠, ㉡에 들어갈 왕이 알맞게 짝 지어진 것은 무엇입니까?
( )

> 고구려의 ㉠ 은 백제의 영역이었던 한강 지역으로 세력을 확장했고, ㉡ 은 평양 지역으로 수도를 옮기고 남쪽으로 영역을 더욱 확장했다.

구분	㉠	㉡
①	진흥왕	법흥왕
②	법흥왕	고국천왕
③	장수왕	소수림왕
④	장수왕	광개토대왕
⑤	광개토대왕	장수왕

중요
관련 단원 | 1-(1) 나라의 등장과 발전
05 신라의 삼국 통일 과정에 맞게 기호를 늘어놓은 것은 무엇입니까?
( )

> ㉠ 백제 멸망
> ㉡ 고구려 멸망
> ㉢ 신라 군대가 당 군대 격파
> ㉣ 신라 해군이 당의 해군 격파

① ㉠ → ㉡ → ㉢ → ㉣
② ㉠ → ㉡ → ㉣ → ㉢
③ ㉢ → ㉣ → ㉡ → ㉠
④ ㉡ → ㉠ → ㉢ → ㉣
⑤ ㉡ → ㉠ → ㉣ → ㉢

중요
관련 단원 | 1-(1) 나라의 등장과 발전
06 백제의 문화유산으로 알맞게 짝 지어진 것은 무엇입니까?
( )

① 불국사, 석굴암
② 첨성대, 황룡사 9층 목탑
③ 가야금, 철제 갑옷과 투구
④ 무령왕릉, 익산 미륵사지 석탑
⑤ 무용총 접객도, 금동 연가 7년명 여래 입상

관련 단원 | 1-(2) 독창적 문화를 발전시킨 고려
07 다음 설명이 가리키는 사람을 쓰시오.

> • 송악(개성)의 호족으로 궁예의 신하가 되어 후고구려의 건국을 도왔다.
> • 궁예가 신하를 의심하고 죽이며 일부 호족들을 억압하자 궁예를 몰아내고 고려를 세웠다.

( )

중요
관련 단원 | 1-(2) 독창적 문화를 발전시킨 고려
08 거란의 침입에 대한 설명으로 알맞지 <u>않은</u> 것은 무엇입니까?
( )

① 거란의 2차 침입 때 개경을 빼앗기기도 했다.
② 거란의 1차 침입 때 고려는 강동 6주를 차지했다.
③ 거란의 1차 침입을 서희의 외교 담판으로 물리쳤다.
④ 거란의 1차 침입의 원인은 거란이 고려와 송의 관계를 끊기 위해서였다.
⑤ 거란의 3차 침입 때 양규를 비롯한 고려군은 거란군을 귀주에서 크게 물리쳤다.

관련 단원 | 1-(2) 독창적 문화를 발전시킨 고려

09 몽골이 고려에 침입한 까닭으로 알맞은 것은 무엇입니까?
　　　　　　　　　　　　　　　　　　　　　　（　　　）

① 고려가 거란과 교류했기 때문
② 고려가 몽골과 교류하지 않았기 때문
③ 고려가 몽골에 물자를 요구했기 때문
④ 고려가 몽골에 침입해 큰 피해를 주었기 때문
⑤ 고려에 온 몽골의 사신이 돌아가는 길에 죽었기 때문

《중요》
관련 단원 | 1-(2) 독창적 문화를 발전시킨 고려

10 빈칸에 공통으로 들어갈 부대는 무엇입니까?　（　　　）

> 고려의 왕과 일부 신하는 몽골과의 전쟁을 멈추는 조건
> 으로 강화도에서 개경으로 돌아왔다. 그러나 □□□□
> (이)라 불리는 일부 군인들은 이에 반발했다. □□□□
> 은/는 근거지를 진도와 탐라(제주)로 옮겨 가며 고려 조
> 정과 몽골에 끝까지 저항했으나 결국 실패했다.

① 의병　　　　　　　② 별무반
③ 삼별초　　　　　　④ 별기군
⑤ 독립군

관련 단원 | 1-(2) 독창적 문화를 발전시킨 고려

11 고려청자에 대한 설명으로 알맞지 <u>않은</u> 것은 무엇입니까?
　　　　　　　　　　　　　　　　　　　　　　（　　　）

① 고려 시대를 대표하는 예술품이다.
② 만들기가 어렵고 가치가 높은 제품이다.
③ 당시 귀족들의 화려한 문화를 엿볼 수 있다.
④ 상감이라는 공예 기법은 본래 중국에서 들여왔다.
⑤ 주전자, 의자, 찻잔, 베개, 향로 등 다양한 용도로 쓰
　였다.

《중요》
관련 단원 | 1-(3) 민족 문화를 지켜 나간 조선

12 이성계가 반대 세력을 몰아내고 권력을 잡은 계기가 된 사건
은 무엇입니까?　　　　　　　　　　　　　（　　　）

① 위화도 회군
② 권문세족의 횡포
③ 신진 사대부 등장
④ 홍건적과 왜구의 침입
⑤ 신흥 무인 세력의 몰락

관련 단원 | 1-(3) 민족 문화를 지켜 나간 조선

13 세종 대에 이루어 낸 발전으로 알맞지 <u>않은</u> 것은 무엇입니
까?　　　　　　　　　　　　　　　　　　　（　　　）

① 규장각을 확대 개편해 학자들을 키웠다.
② 천문 현상을 연구하고자 혼천의를 만들었다.
③ 조선에 맞는 『칠정산』이라는 달력을 만들었다.
④ 글을 모르는 백성을 위해 훈민정음을 만들었다.
⑤ 농사를 잘 지을 수 있는 방법을 모아서 『농사직설』이라
　는 책을 만들었다.

관련 단원 | 1-(3) 민족 문화를 지켜 나간 조선

14 빈칸에 들어갈 알맞은 말을 쓰시오.

> 세종은 여진족이 끊임없이 국경을 넘어오자 장수들을
> 시켜 □□□□을/를 개척하게 했다. 그 후 백성들을 옮
> 겨 살게 해 차지한 땅을 지키도록 했다.

　　　　　　　　　　　　　　　　（　　　　　　　　）

관련 단원 | 1-(3) 민족 문화를 지켜 나간 조선

15 조선 시대 신분에 따른 생활이 알맞게 연결된 것은 무엇입니
까?　　　　　　　　　　　　　　　　　　　（　　　）

① 천민 - 대부분 농사를 지었다.
② 양반 - 외국 사신을 맞이하며 통역을 담당했다.
③ 중인 - 지역의 선비들과 여러 가지 주제로 토론했다.
④ 중인 - 양반의 집이나 관공서에서 허드렛일을 했다.
⑤ 상민 - 나라에 큰 공사나 일이 있을 때 불려 가기도
　했다.

《중요》
관련 단원 | 1-(3) 민족 문화를 지켜 나간 조선

16 임진왜란이 일어난 과정으로 알맞지 <u>않은</u> 것은 무엇입니까?
　　　　　　　　　　　　　　　　　　　　　　（　　　）

① 선조는 신하들과 함께 끝까지 한양을 지켰다.
② 일본군은 부산진과 동래성을 함락하고 한양으로 빠르
　게 향했다.
③ 조선과 명의 연합군은 평양성에서 일본군을 상대로 승
　리를 거뒀다.
④ 곽재우는 경상도 의령에서 의병을 모아 여러 전투에서
　일본군과 싸워 이겼다.
⑤ 조선 수군은 일본 수군과 싸워 승리해 전라도와 충청
　도의 곡창 지대를 지킬 수 있었다.

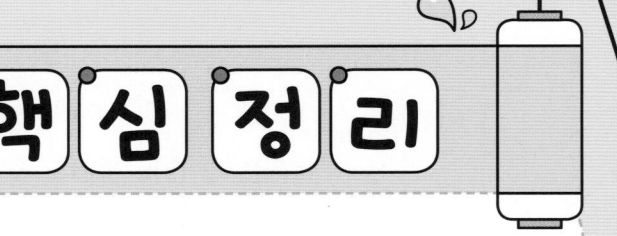

핵심정리

2 사회의 새로운 변화와 오늘날의 우리

(1) 새로운 사회를 향한 움직임

① 영조와 정조의 개혁 정책

→붕당과 상관없이 나랏일을 할 인재를 뽑겠다는 내용이 담겨 있음

영조	• 탕평책을 펼쳐 왕권을 강화했음. • 세금을 줄이고, 많은 책을 편찬했음.
정조	• 탕평책을 이어받아 인재를 고루 뽑아 정치를 안정시키려고 노력했음. • 규장각을 설치하고, 수원 화성을 건설했음.

② 조선 후기에 사회 문제를 해결하려고 했던 노력

• 실학 등장: 기존의 학문이 사회 문제를 해결할 방법을 제시하지 못하자 실학이 등장했습니다.

• 실학자들의 주장 →실학자들은 새로운 문물과 현실 문제에 관심을 두고 다양한 분야를 연구했으며, 대표적인 실학자로는 정약용이 있음.

• 새로운 농사 기술을 보급하고 토지 제도를 바꿔 농민들의 생활을 안정시켜야 함.
• 청의 문물을 받아들여서 상업과 공업을 발달시켜야 함.
• 우리나라 고유의 역사, 지리, 언어, 자연 등을 연구해야 함.

③ 서민 문화에 나타난 사람들의 생활 모습

• 서민 문화가 등장하게 된 까닭: 농업 생산력이 높아지고 상공업이 발달하면서 경제적인 여유가 생긴 사람들이 문화와 예술 활동에도 관심을 기울였기 때문입니다.

• 서민 문화의 종류

한글 소설	한글을 익힌 사람들이 늘어나고 책을 읽어 주는 사람이 생겨나면서 널리 보급되었음.
풍속화	당시 사람들의 생활 모습을 담고 있는 그림임.
탈놀이	탈을 쓰고 하는 연극이나 춤으로, 백성의 생각이나 감정을 솔직하게 표현해서 인기가 많았음.
판소리	긴 이야기를 노래로 들려주는 공연으로, 시간이 지나면서 양반들도 즐기는 문화로 발전했음.

④ 흥선 대원군의 정책과 강화도 조약

흥선 대원군의 정책	• 서원을 일부만 남기고 정리했음. • 임진왜란 때 불에 탄 경복궁을 고쳐 지었음. → 농사철에 백성을 동원하고 강제로 기부금을 걷어 백성들의 불만이 높아졌음. • 병인양요와 신미양요 이후 통상 수교 거부 정책을 강화했음.
강화도 조약	• 강화도에서 일본과 조약을 맺고 개항했음. • 강화도 조약은 외국과 맺은 최초의 근대적 조약이지만 불평등한 조약이었음.

→일본에 의지하고 준비가 부족한 상태에서 개혁을 시도해 많은 사람의 지지를 받지 못했음.

⑤ 갑신정변과 동학 농민 운동

• 갑신정변: 김옥균을 중심으로 한 사람들이 청의 간섭에서 벗어나 새로운 조선을 만들자며 정변을 일으켰으나 청군의 개입으로 3일 만에 실패로 끝났습니다.

• 동학 농민 운동: 전봉준은 고부 군수의 횡포를 막기 위해 뜻을 같이하는 사람들을 모아 군사를 일으켰습니다.

(2) 일제의 침략과 광복을 위한 노력

① 대한 제국 시기에 자주독립과 근대화를 위한 노력

• 을미사변: 일본군은 경복궁에 침입해 명성 황후를 시해하고 시신을 불태우는 만행을 저질렀습니다.

• 아관 파천: 고종은 을미사변 이후 러시아 공사관으로 피해 머물렀습니다. →조선에서 일본의 입지가 축소되고, 러시아의 영향력이 커짐.

• 독립 협회: 독립문을 세우고 만민 공동회를 열었습니다.

• 대한 제국: 고종은 황제로 즉위했으며, 대한 제국을 선포했습니다.

② 을사늑약의 과정과 항일 의병의 노력

을사 늑약	• 고종의 거부에도 일제는 외교권을 빼앗는 을사늑약을 체결했음. • 고종이 을사늑약이 무효임을 알리려고 했으나 실패했음. → 일제는 고종을 강제로 물러나게 하고 대한 제국의 군대도 해산했음.
항일 의병	• 을사늑약이 강제로 체결되자 의병이 일어났음. • 고종이 강제로 물러나고 대한 제국의 군대가 해산되자 의병 운동이 한층 강하게 전개되었음.

③ 한국인들이 고국을 떠난 까닭

• 일제는 조선 총독부라는 통치 기구를 만들었고, 헌병들에게 한국인들을 감시하게 했습니다.

• 조선 총독부는 토지 조사 사업을 시행해 토지 소유자들에게 세금을 더 많이 거둬들였습니다.

• 일제의 탄압과 수탈이 계속되자 만주와 연해주 등 국외로 떠나는 사람들이 계속 늘어났습니다.

④ 3·1 운동과 대한민국 임시 정부

• 3·1 운동: 1919년 3월 1일, 민족 대표들은 독립 선언식을 했고, 학생들과 시민들은 만세 시위를 벌였습니다.

• 대한민국 임시 정부: 1919년 9월, 중국 상하이에서 여러 임시 정부를 통합한 대한민국 임시 정부가 수립되었습니다.

⑤ 나라를 되찾으려는 다양한 노력 →일제는 우리의 민족정신을 훼손하기 위해 역사를 왜곡하고, 신사 참배와 창씨개명을 강요함.

신채호	우리 역사를 소개하는 책을 펴냈음.
조선어 학회	한글을 보급하고 사전을 편찬했음.
한용운, 이육사	민족정신을 작품에 담았음.

(3) 대한민국 정부의 수립과 6·25 전쟁

① 8·15 광복과 한반도 분단 과정

• 8·15 광복: 제2차 세계 대전에서 연합국이 승리하면서 우리나라는 1945년 8월 15일에 광복을 맞이했습니다.

• 한반도 분단: 미국과 소련은 일본군의 무장 해제를 위해 38도선을 경계로 남쪽과 북쪽에 각각 주둔했습니다.

② 대한민국 정부 수립 과정: 5·10 총선거 실시 → 제헌 국회 구성 → 헌법 공포 → 이승만 초대 대통령 선출 → 대한민국 정부 수립 →의미: 대한민국 임시 정부의 전통을 이었으며 독립 정부를 수립함.

→1948년 5월 10일에 국회의원을 뽑는 첫 번째 민주 선거가 실시되었음.

③ 6·25 전쟁

전개 과정	북한의 남침 → 국군·국제 연합군의 반격(인천 상륙 작전) → 중국군의 개입 → 전선 고착·휴전
영향	• 국토는 황폐해졌고 건물, 도로, 철도, 다리 등이 파괴되었음. • 이산가족과 전쟁고아들이 수없이 생겨났음.

사회

2학기
2. 사회의 새로운 변화와 오늘날의 우리

확인문제

관련 단원 | 2–(1) 새로운 사회를 향한 움직임

01 영조가 탕평책을 펼친 까닭으로 알맞은 것은 무엇입니까?
( )

① 신분 제도를 없애기 위해서
② 외적의 침입을 물리치기 위해서
③ 실생활의 문제를 해결하기 위해서
④ 나라 간의 교류를 활발하게 하기 위해서
⑤ 왕권을 강화하고 정치를 안정시키기 위해서

《중요》
관련 단원 | 2–(1) 새로운 사회를 향한 움직임

02 정조가 실시한 개혁 정책으로 알맞은 것을 두 가지 고르시오.
(,)

① 집현전을 설치해 많은 책을 편찬했다.
② 신하를 중심으로 정치를 운영해 나가고자 했다.
③ 자유로운 경제 활동을 금지하는 제도를 만들었다.
④ 수원 화성을 건설하고 상업의 중심지로 삼으려 했다.
⑤ 탕평책을 이어받아 인재를 고루 뽑아 정치를 안정시키려고 노력했다.

《중요》
관련 단원 | 2–(1) 새로운 사회를 향한 움직임

03 조선 후기에 등장한 실학자들의 주장으로 알맞은 것을 보기 에서 모두 골라 묶은 것은 무엇입니까? ( )

보기
㉠ 농민이 잘사는 사회를 만들어야 한다.
㉡ 중국 중심의 학문 연구를 계속해야 한다.
㉢ 토지 제도를 바꿔 농민들의 생활을 안정시켜야 한다.
㉣ 청의 문물을 받아들여서 상업과 공업을 발달시켜야 한다.

① ㉠, ㉡
② ㉠, ㉢
③ ㉢, ㉣
④ ㉠, ㉡, ㉣
⑤ ㉠, ㉢, ㉣

관련 단원 | 2–(1) 새로운 사회를 향한 움직임

04 다음 설명이 가리키는 서민 문화는 무엇입니까? ( )

• 긴 이야기를 노래로 들려주는 공연이다.
• 즉흥적으로 내용을 빼거나 더할 수 있으며, 관객도 함께 참여할 수 있기 때문에 백성에게 큰 호응을 얻었다.

① 민화
② 풍속화
③ 탈놀이
④ 판소리
⑤ 한글 소설

관련 단원 | 2–(1) 새로운 사회를 향한 움직임

05 흥선 대원군이 펼친 정책으로 알맞지 않은 것은 무엇입니까? ( )

① 세도 정치의 잘못된 점을 고쳤다.
② 서원을 일부만 남기고 모두 정리했다.
③ 국왕 중심으로 정치를 운영하려고 했다.
④ 임진왜란 때 불에 탔던 경복궁을 고쳐 지었다.
⑤ 조선이 더욱 발전하려면 다른 나라와 교류해야 한다고 주장했다.

《중요》
관련 단원 | 2–(1) 새로운 사회를 향한 움직임

06 밑줄 친 '이 조약'은 공통으로 무슨 조약인지 쓰시오.

• <u>이 조약</u>은 외국과 맺은 최초의 근대적 조약이지만 불평등한 조약이었다.
• <u>이 조약</u> 이후 조선은 서양의 다른 나라들과도 조약을 맺어 교류를 시작했다.

( )

《중요》
관련 단원 | 2–(1) 새로운 사회를 향한 움직임

07 빈칸 ㉠, ㉡에 들어갈 나라가 알맞게 짝 지어진 것은 무엇입니까?
( )

㉠ 의 도움을 받은 갑신정변 참가자들이 정변을 일으켜 정권을 잡자 ㉡ 이/가 개입했다. 이에 따라 갑신정변은 3일 만에 끝나 버리고 말았다.

구분	㉠	㉡
①	청	일본
②	청	러시아
③	일본	청
④	일본	러시아
⑤	러시아	프랑스

관련 단원 | 2–(2) 일제의 침략과 광복을 위한 노력

08 아관 파천이 미친 영향으로 알맞은 것은 무엇입니까?
( )

① 청일 전쟁이 일어나게 되었다.
② 전국 각지에서 의병이 일어났다.
③ 조선이 일본의 정치에 간섭하게 되었다.
④ 일본이 경복궁에 침입해 명성 황후를 시해하였다.
⑤ 조선에서 일본의 입지는 축소되었고, 러시아의 영향력이 커지게 되었다.

09 관련 단원 | 2-(2) 일제의 침략과 광복을 위한 노력

대한 제국 시기에 조선이 자주국임을 알리고 백성들을 단결시키기 위해 노력한 일로 알맞지 <u>않은</u> 것은 무엇입니까?

( )

① 독립 협회를 설립했다.
② 만민 공동회를 열었다.
③ 서재필은 『독립신문』을 창간했다.
④ 일본의 도움을 받아 개혁을 이루려고 했다.
⑤ 영은문이 있던 자리 부근에 독립문을 세웠다.

10 관련 단원 | 2-(2) 일제의 침략과 광복을 위한 노력

다음의 일을 빌미로 일제가 한 일을 두 가지 고르시오.

(,)

> 고종은 을사늑약이 무효임을 국제 사회에 알리고자 노력했으나 성과를 거두지 못했다.

① 독립 협회를 해산했다.
② 고종을 강제로 물러나게 했다.
③ 대한 제국의 군대를 해산했다.
④ 한글을 사용하지 못하게 했다.
⑤ 조선 총독부라는 통치 기구를 만들었다.

11 관련 단원 | 2-(2) 일제의 침략과 광복을 위한 노력

의병 운동에 대한 설명으로 알맞지 <u>않은</u> 것은 무엇입니까?

( )

① 양반 관료 출신의 의병장만 있었다.
② 대한 제국의 군대가 해산되자 강하게 전개되었다.
③ 을미사변과 단발령에 대한 반발로 처음 일어났다.
④ 을사늑약이 체결되자 전국 각지에서 다시 일어났다.
⑤ 신돌석이 이끌었던 의병 부대는 강원도, 경상도, 충청도를 중심으로 일본군을 무찔렀다.

12 관련 단원 | 2-(2) 일제의 침략과 광복을 위한 노력

3·1 운동에 대한 설명으로 알맞지 <u>않은</u> 것은 무엇입니까?

( )

① 국외에서도 만세 시위가 일어났다.
② 민족 대표들은 독립 선언식을 했다.
③ 일제는 만세 시위를 폭력 없이 대응했다.
④ 3·1 운동 이후 대한민국 임시 정부가 수립되어 독립운동을 계속 펼쳤다.
⑤ 학생들과 시민들은 탑골 공원에 모여 태극기를 흔들면서 만세 시위를 벌였다.

13 관련 단원 | 2-(3) 대한민국 정부의 수립과 6·25 전쟁

일본의 항복 이후 38도선을 경계로 미국과 소련이 주둔하게 된 것은 무엇 때문입니까? ( )

① 일본군의 무장 해제를 위해
② 우리나라의 분단을 막기 위해
③ 우리나라의 신탁 통치를 막기 위해
④ 한반도에 임시 정부를 수립하기 위해
⑤ 미국과 소련의 갈등을 해결하기 위해

14 관련 단원 | 2-(3) 대한민국 정부의 수립과 6·25 전쟁

1948년 5월 10일에 실시된 5·10 총선거에 대한 설명으로 알맞지 <u>않은</u> 것은 무엇입니까? ( )

① 첫 번째 민주 선거였다.
② 남한에서만 실시되었다.
③ 대통령을 뽑는 선거였다.
④ 이 선거에서 선출된 사람들이 헌법을 만들었다.
⑤ 이 선거에서 선출된 사람들로 제헌 국회가 구성되었다.

[15~16] 다음 글을 읽고 물음에 답하시오.

> ㉠ 정전 협정을 체결했다.
> ㉡ 중국군이 전쟁에 개입했다.
> ㉢ 국군과 국제 연합군이 인천 상륙 작전을 실시했다.
> ㉣ 북한이 남한을 무력으로 통일하고자 38도선 전 지역에서 총공격을 시작했다.

15 관련 단원 | 2-(3) 대한민국 정부의 수립과 6·25 전쟁

6·25 전쟁의 전개 과정에 맞게 기호를 늘어놓은 것은 무엇입니까? ( )

① ㉣ → ㉠ → ㉡ → ㉢
② ㉣ → ㉠ → ㉢ → ㉡
③ ㉣ → ㉡ → ㉠ → ㉢
④ ㉣ → ㉢ → ㉡ → ㉠
⑤ ㉣ → ㉢ → ㉠ → ㉡

16 관련 단원 | 2-(3) 대한민국 정부의 수립과 6·25 전쟁

국군과 국제 연합군이 서울을 되찾고 압록강까지 진격할 수 있었던 계기를 골라 기호를 쓰시오.

( )

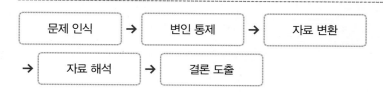
1 과학자는 어떻게 탐구할까요?

문제 인식 → 변인 통제 → 자료 변환

→ 자료 해석 → 결론 도출

2 온도와 열

(1) 온도
① 온도: 물질의 차갑거나 따뜻한 정도를 숫자로 나타낸 것으로, 온도의 단위는 ℃(섭씨도)이며, 온도계로 측정합니다.
② 온도 측정의 필요성: 물질의 차갑거나 따뜻한 정도를 정확히 알 수 있습니다.

(2) 물질의 온도 측정하기
① 온도계의 종류: 귀 체온계(체온 측정), 적외선 온도계(고체의 온도 측정), 알코올 온도계(액체나 기체의 온도 측정) 등
② 쓰임새에 맞는 온도계를 사용해야 하는 까닭: 온도를 정확하게 측정하기 위해서입니다.

(3) 온도가 다른 두 물질이 접촉할 때 두 물질의 온도 변화
① 온도가 낮은 물질은 온도가 높아지고, 온도가 높은 물질은 온도가 낮아집니다. →온도가 변하는 까닭은 열의 이동 때문임.
② 두 물질이 접촉한 채로 시간이 충분히 지나면 두 물질의 온도가 같아집니다.
③ 열은 온도가 높은 물질에서 온도가 낮은 물질로 이동합니다.
　　얼음을 손으로 쥐고 있으면 ←
　　열은 손에서 얼음으로 이동함.

(4) 고체에서 열의 이동
① 고체의 한 부분을 가열하면 그 부분의 온도가 높아지고, 시간이 지남에 따라 주변의 온도가 낮았던 부분도 온도가 높아집니다.
② 전도: 고체에서의 열의 이동 방법으로, 온도가 높은 곳에서 낮은 곳으로 고체 물질을 따라 열이 이동하는 것입니다.
③ 고체 물질의 종류에 따라 열이 이동하는 빠르기가 다릅니다(구리 > 철 > 나무).

(5) 액체에서 열의 이동: 액체에서는 주변보다 온도가 높은 물질이 직접 위로 이동해 열을 전달하며, 이와 같은 액체에서의 열의 이동 방법을 대류라고 합니다.

(6) 기체에서 열의 이동
① 공기를 가열하면 온도가 높아진 공기는 위로 올라가고 위쪽에 있던 온도가 낮은 공기는 아래로 밀려 내려옵니다.
② 기체에서도 액체에서와 같이 대류의 방법으로 물질이 직접 이동해 열을 전달합니다.
③ 실내에서 난방 기구와 냉방 기구를 설치하기 좋은 위치

난방 기구	난방 기구(난로)는 낮은 곳에 설치하여 온도가 높아진 공기가 위로 올라가게 해야 실내 전체가 빨리 따뜻해짐.
냉방 기구	냉방 기구(에어컨)는 높은 곳에 설치하여 온도가 낮아진 공기가 아래로 내려가게 해야 실내 전체가 빨리 시원해짐.

3 태양계와 별

(1) 태양이 우리에게 미치는 영향
① 식물은 태양 빛이 있어야 양분을 만듭니다. 태양이 없으면 식물이 자라지 못하고, 동물도 살기 어려움.
② 생물이 살아가기에 알맞은 환경을 만들어 줍니다.
③ 우리 생활에서 필요한 대부분의 에너지를 공급해 줍니다.

(2) 태양계의 구성원 →태양과 태양의 영향을 받는 천체들 그리고 그 공간을 말함.

태양	태양계의 중심에 있으며, 유일하게 스스로 빛을 내는 천체
행성	태양의 주위를 도는 둥근 천체 예 수성, 금성, 지구, 화성, 목성, 토성, 천왕성, 해왕성
위성	행성의 주위를 도는 천체 예 달
그 외	소행성, 혜성 등

(3) 태양계 행성의 크기 비교
태양계 행성 중 가장 큼.
① 상대적인 크기가 큰 행성부터 나열하기: 목성, 토성, 천왕성, 해왕성, 지구, 금성, 화성, 수성 →태양계 행성 중 가장 작음.
② 지구보다 큰 행성과 작은 행성으로 분류해 보기

지구보다 큰 행성	지구보다 작은 행성
목성, 토성, 천왕성, 해왕성	수성, 금성, 화성

(4) 태양에서 행성까지의 거리
① 태양에서 가장 가까운 행성은 수성이고, 가장 먼 행성은 해왕성입니다. →수성, 금성, 지구, 화성, 목성, 토성, 천왕성, 해왕성 순으로 떨어져 있음.
② 태양에서 거리가 멀어질수록 행성 사이의 거리도 멀어집니다. →수성, 금성, 지구, 화성은 상대적으로 태양 가까이에 있음.

(5) 별과 별자리
① 별: 태양과 같이 스스로 빛을 내는 천체입니다.
② 별자리: 옛날 사람들이 밤하늘에 무리 지어 있는 별을 연결해 사람이나 동물 또는 물건의 모습으로 떠올리고 이름을 붙인 것입니다.
③ 북쪽 밤하늘에서 볼 수 있는 별자리: 북두칠성, 작은곰자리, 카시오페이아자리 등

(6) 별자리를 이용해 북극성 찾아보기
① 북극성: 정확한 북쪽 하늘에 항상 있기 때문에 나침반의 역할을 합니다.
② 북극성 찾아보기: 북두칠성과 카시오페이아자리를 이용해 찾을 수 있습니다.

(7) 행성과 별의 공통점과 차이점

구분	행성	별
공통점	밤하늘에서 밝게 빛남.	
차이점	• 스스로 빛을 내지 못하고, 태양 빛을 반사하여 빛나는 것처럼 보임. • 밤하늘에서 보이는 위치가 조금씩 변함.	• 스스로 빛을 냄. • 행성에 비해 지구에서 매우 먼 거리에 있기 때문에 밤하늘에서 움직이지 않는 것처럼 보임.

관련 단원 | 1. 과학자는 어떻게 탐구할까요?

01 실험 계획을 세울 때 정해야 할 것이 <u>아닌</u> 것은 무엇입니까?
( )

① 같게 해야 할 조건을 정한다.
② 다르게 해야 할 조건을 정한다.
③ 실험에 필요한 준비물을 정한다.
④ 실험 결과에 영향을 미치는 것은 모두 없앤다.
⑤ 실험을 하면서 측정해야 할 것이 무엇인지 정한다.

관련 단원 | 1. 과학자는 어떻게 탐구할까요?

02 실험을 바르게 했는지 알아보기 위해 확인할 내용으로 옳은 것을 두 가지 고르시오. (,)

① 계획한 과정에 따라 실험했는지 확인한다.
② 스스로 탐구할 수 없는 문제인지 확인한다.
③ 실험 조건을 잘 지키며 실험했는지 확인한다.
④ 많은 사람들의 호기심이 있었던 문제인지 확인한다.
⑤ 실험 결과가 예상대로 나오지 않으면 조작하더라도 결과가 나타나게 한다.

∥중요∥
03 관련 단원 | 2. 온도와 열
온도에 대한 설명으로 옳은 것을 다음 보기 에서 두 가지 골라 기호를 쓰시오.

보기
㉠ 온도는 저울로 측정한다.
㉡ 온도의 단위는 kg중이다.
㉢ 온도는 숫자에 단위를 붙여 나타낸다.
㉣ 물질의 차갑거나 따뜻한 정도를 숫자로 나타낸 것을 온도라고 한다.

(,)

관련 단원 | 2. 온도와 열

04 온도계의 종류에 따라 측정하는 물질을 알맞게 선으로 연결하시오.

(1) 귀 체온계 • • ㉠ 체온을 측정함.

(2) 알코올 온도계 • • ㉡ 주로 고체의 온도를 측정함.

(3) 적외선 온도계 • • ㉢ 주로 액체나 기체의 온도를 측정함.

관련 단원 | 2. 온도와 열

05 다음 ( ) 안에 들어갈 알맞은 말을 쓰시오.

고체에서 열은 고체 물질을 따라 온도가 높은 곳에서 낮은 곳으로 이동한다. 이러한 고체에서의 열의 이동 방법을 ( )(이)라고 한다.

( )

관련 단원 | 2. 온도와 열

06 오른쪽은 세 개의 판에 열 변색 붙임딱지를 붙인 뒤, 뜨거운 물이 담긴 비커 속에 넣은 모습입니다. 시간이 지난 뒤, 열 변색 붙임딱지의 색깔이 먼저 변하는 판부터 순서대로 쓰시오.

구리판 유리판 철판

뜨거운 물

( )판, ( )판, ( )판

∥중요∥
07 관련 단원 | 2. 온도와 열
오른쪽과 같이 차가운 물이 담긴 음료수 캔을 따뜻한 물이 담긴 비커에 넣었습니다. 시간이 충분히 지나면 음료수 캔에 담긴 물의 온도와 비커에 담긴 물의 온도가 어떻게 변합니까? ( )

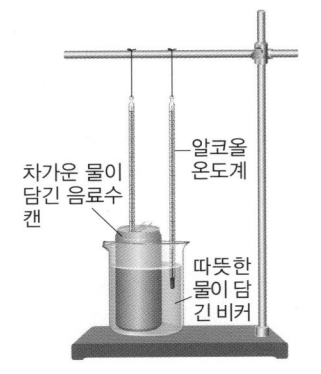
차가운 물이 담긴 음료수 캔
알코올 온도계
따뜻한 물이 담긴 비커

① 비커에 담긴 물의 온도는 계속 높아진다.
② 음료수 캔에 담긴 물의 온도는 계속 낮아진다.
③ 음료수 캔과 비커에 담긴 물의 온도는 같아진다.
④ 음료수 캔과 비커에 담긴 물의 온도 차이는 점점 커진다.
⑤ 비커에 담긴 물의 온도는 점점 낮아지다가 음료수 캔 속 물의 처음 온도보다 낮아진다.

∥중요∥
08 관련 단원 | 2. 온도와 열
주전자에 물을 넣고 바닥을 가열하면 물 전체가 따뜻해집니다. 그 까닭으로 옳은 것은 무엇입니까? ( )

① 주전자 표면이 차가워지기 때문이다.
② 온도가 높아진 물이 직접 위로 이동하기 때문이다.
③ 주전자 바닥에 있는 물의 온도가 낮아지기 때문이다.
④ 물의 한 부분을 가열하면 열이 이동하지 않기 때문이다.
⑤ 불꽃이 주전자 안의 물을 직접 골고루 데우기 때문이다.

중요
09 공기에서 열의 이동에 대한 설명으로 옳은 것은 무엇입니까?
관련 단원 | 2. 온도와 열
( )
① 따뜻한 공기는 아래로 내려간다.
② 기체인 공기에서의 열의 이동 방법을 전도라고 한다.
③ 따뜻한 공기는 위로 올라가고 차가운 공기는 아래로 내려간다.
④ 공기가 데워진 곳에서부터 모든 방향으로 뜨거운 공기가 퍼진다.
⑤ 온도가 높아진 공기가 아래로 내려가면 아랫부분에 있던 온도가 낮은 공기는 위로 올라간다.

10 관련 단원 | 3. 태양계와 별
태양이 우리 생활에 미치는 영향에 대한 설명으로 옳지 않은 것은 무엇입니까? ( )
① 태양 빛은 물체를 볼 수 있게 한다.
② 태양 빛을 이용해 전기를 만들 수 없다.
③ 태양 빛으로 바닷물이 증발해 소금이 만들어진다.
④ 지구의 물이 순환하는 데 필요한 에너지를 공급해 준다.
⑤ 지구를 따뜻하게 하여 생물이 살아가기에 알맞은 환경을 만들어 준다.

11 관련 단원 | 3. 태양계와 별
다음은 어떤 행성에 대한 설명입니까? ( )
• 색깔은 청록색을 띤다.
• 표면은 가스로 이루어져 있다.
• 태양계의 7번째 행성이다.
① 수성　　　　② 금성
③ 화성　　　　④ 토성
⑤ 천왕성

12 관련 단원 | 3. 태양계와 별
태양계에서 가장 작은 행성과 가장 큰 행성을 순서대로 옳게 짝 지은 것은 무엇입니까? ( )
① 수성, 목성　　② 지구, 목성
③ 수성, 토성　　④ 목성, 해왕성
⑤ 천왕성, 수성

중요
13 관련 단원 | 3. 태양계와 별
태양에서 각 행성까지의 거리에 대한 설명으로 옳지 않은 것은 무엇입니까? ( )
① 태양에서 가장 먼 행성은 해왕성이다.
② 태양에서 가장 가까운 행성은 수성이다.
③ 태양에서 거리가 멀어질수록 행성 사이의 거리는 가까워진다.
④ 지구와 크기가 비슷한 행성은 태양에서 상대적으로 가까운 곳에 있다.
⑤ 태양에서 해왕성까지의 거리는 태양에서 지구까지 거리의 30배이다.

14 관련 단원 | 3. 태양계와 별
다음과 같은 별자리는 어느 쪽 밤하늘에서 관찰할 수 있습니까? ( )

▲ 작은곰자리　　　▲ 카시오페이아자리
① 동쪽 밤하늘
② 서쪽 밤하늘
③ 남쪽 밤하늘
④ 북쪽 밤하늘
⑤ 동서남북 모든 방향의 밤하늘

15 관련 단원 | 3. 태양계와 별
다음과 같이 카시오페이아자리를 이용하여 북극성을 찾을 때 북극성의 위치는 어디인지 기호를 쓰시오.
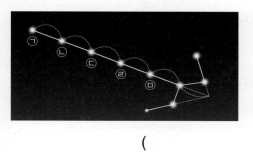
( )

중요
16 관련 단원 | 3. 태양계와 별
행성과 별의 공통점으로 옳은 것은 무엇입니까? ( )
① 스스로 빛을 낼 수 없다.
② 밤하늘에서 밝게 빛난다.
③ 밝은 낮에도 관측할 수 있다.
④ 여러 날 동안 밤하늘에서 보이는 위치가 변한다.
⑤ 여러 날 동안 밤하늘에서 보이는 위치가 거의 변하지 않는다.

4 용해와 용액

(1) 용해와 용액

용해	어떤 물질이 다른 물질에 녹아 골고루 섞이는 현상 예 소금이 물에 녹아 골고루 섞이는 현상
용액	녹는 물질이 녹이는 물질에 골고루 섞여 있는 물질 예 소금물, 설탕물 등
용질	녹는 물질 예 소금, 설탕 등
용매	녹이는 물질 예 물 등

(2) 여러 가지 가루 물질을 물에 넣었을 때의 변화: 소금, 설탕 등은 물에 녹고, 멸치 가루는 물에 녹지 않습니다.

(3) 각설탕이 물에 용해되기 전과 용해된 후의 무게 비교하기
① 각설탕이 물에 용해되기 전과 용해된 후의 무게를 측정해 비교하면 무게가 같습니다.
② 물에 완전히 용해된 각설탕이 눈에 보이지는 않지만, 없어진 것이 아니라 매우 작게 변하여 물속에 골고루 섞여 있기 때문입니다.
→용질이 물에 용해되면 없어지는 것이 아니라 물과 골고루 섞여 용액이 됨.

(4) 용질이 물에 용해되는 양
① 같은 양의 여러 가지 용질을 온도와 양이 같은 물에 넣고 저으면 어떤 용질은 모두 용해되고, 어떤 용질은 어느 정도 용해되면 더 이상 용해되지 않고 바닥에 남습니다.
② 물의 온도와 양이 같아도 용질마다 물에 용해되는 양은 서로 다릅니다.

(5) 물의 온도에 따라 용질이 용해되는 양
→같은 양의 차가운 물보다 따뜻한 물에 코코아 가루가 더 많이 용해됨.
① 물의 온도가 높을수록 용질이 많이 용해됩니다.
② 용질이 다 용해되지 않고 남아 있을 때 물의 온도를 높이면 용해되지 않고 남아 있던 용질을 더 많이 용해할 수 있습니다.
→바닥에 가라앉아 있는 코코아 가루는 물을 데워 온도를 높이면 모두 용해할 수 있음.
③ 따뜻한 물에 모두 용해된 백반 용액이 든 비커를 얼음물에 넣으면 비커에 백반 알갱이가 다시 생겨 바닥에 가라앉습니다.

(6) 용액의 진하기 비교하기
① 용액의 진하기
  • 같은 양의 용매에 용해된 용질의 많고 적은 정도를 말합니다.
  • 용매의 양이 같을 때 용해된 용질의 양이 많을수록 진한 용액입니다.
② 겉보기 성질로 용액의 진하기를 비교 예 진하기가 다른 황설탕 용액
  • 용액이 진할수록 색깔이 더 진하고 단맛이 더 강합니다.
  • 용액이 진할수록 더 무겁고, 용액의 높이가 더 높습니다.
③ 물체가 뜨는 정도로 용액의 진하기 비교
  • 설탕물이나 소금물 같이 색깔이나 맛으로 용액의 진하기를 비교할 수 없을 때에는 방울토마토나 메추리알 등의 물체를 띄워서 용액의 진하기를 확인할 수 있습니다.
  • 용액이 진할수록 물체가 높이 떠오릅니다.
→동해에서보다 사해에서 몸이 더 잘 뜸.

5 다양한 생물과 우리 생활

(1) 곰팡이와 버섯
→여름철에 많이 볼 수 있으며, 따뜻하고 축축한 환경에서 잘 자람.

구분	곰팡이	버섯
특징	• 푸른색, 검은색, 하얀색 등 색깔이 다양함. • 가는 실 같은 것이 많고, 크기가 작고 둥근 알갱이가 많이 보임.	• 윗부분은 갈색이고, 아랫부분은 하얀색임. • 윗부분의 안쪽에는 주름이 많음. • 촉감은 부드럽고 매끄러움.
공통점	• 몸 전체가 균사로 이루어져 있음. • 주로 죽은 생물이나 다른 생물에서 양분을 얻음.	→거미줄처럼 가늘고 긴 모양임.

(2) 균류와 식물
→곰팡이, 버섯과 같은 생물을 말하며, 몸 전체가 균사로 이루어져 있고 포자로 번식함.

구분	균류	식물
공통점	자라고 번식하며, 살아가는 데 물과 공기 등이 필요함.	
차이점	• 주로 포자로 번식하고 균사로 이루어져 있음. • 죽은 생물이나 다른 생물에서 양분을 얻음.	• 주로 씨로 번식하고 대체로 뿌리, 줄기, 잎 등이 있음. • 햇빛으로 광합성을 해 스스로 양분을 만듦.

(3) 짚신벌레와 해캄
→주로 논, 연못과 같은 고인 물이나 물살이 느린 도랑, 하천에서 살아감.

구분	짚신벌레	해캄
특징	• 짚신과 모양이 비슷함. • 바깥쪽에 가는 털이 있음.	• 초록색을 띠며 원기둥 모양이고, 마디가 있음. • 여러 가닥이 서로 뭉쳐 있음.
공통점	빠른 시간 안에 많은 수로 늘어나고, 생김새가 단순함.	→해캄 한 가닥은 매우 가늚.

(4) 원생생물
① 원생생물의 특징: 동물이나 식물, 균류로 분류되지 않고, 생김새가 단순합니다.
② 종류: 짚신벌레, 해캄, 유글레나, 아메바, 종벌레 등

(5) 세균
① 크기가 매우 작고 생김새가 단순한 생물입니다.
② 종류가 매우 많고 생김새에 따라 공 모양, 막대 모양, 나선 모양 등으로 구분합니다.
③ 공기, 물, 다른 생물의 몸, 물체, 흙 등 우리 주변 어디에서나 삽니다.
④ 살기에 알맞은 조건이 되면 짧은 시간 안에 많은 수로 늘어날 수 있습니다.

(6) 다양한 생물이 우리 생활에 미치는 영향
→죽은 생물이나 배설물을 분해하여 자연으로 되돌려 보냄.

이로운 영향	• 균류와 세균은 된장, 김치, 치즈 등의 여러 가지 음식을 만드는 데 이용됨. • 다른 생물에게 양분을 제공하거나 산소를 만들기도 함. • 우리 몸에 이로운 유산균과 같은 세균은 해로운 세균으로부터 건강을 지켜 줌. →일부 균류는 먹으면 생명이 위험할 수 있음.
해로운 영향	• 균류, 원생생물, 세균 등은 음식이나 주변의 물건을 상하게 함. • 곰팡이와 세균은 공기, 물, 음식, 물건 등을 통해 다른 생물로 옮아가 여러 가지 질병을 일으키기도 함.

과학 1학기
4. 용해와 용액 ~ 5. 다양한 생물과 우리 생활

확인문제

관련 단원 | 4. 용해와 용액

01 온도와 양이 같은 물이 담긴 비커에 소금과 멸치 가루를 각각 한 숟가락씩 넣고 저었을 때의 결과로 옳은 것은 무엇입니까? ( )

① 소금과 멸치 가루가 모두 잘 녹는다.
② 소금은 잘 녹고, 멸치 가루는 녹지 않는다.
③ 소금은 멸치 가루보다 물에 떠 있는 것이 많다.
④ 소금은 멸치 가루보다 바닥에 가라앉는 것이 많다.
⑤ 소금을 넣은 물은 색깔이 변하고, 멸치 가루를 넣은 물은 색깔이 변하지 않는다.

중요
관련 단원 | 4. 용해와 용액

02 다음은 설탕을 물에 녹여 설탕물이 만들어지는 과정을 나타낸 것입니다. 이 과정에서 용매, 용질, 용액을 옳게 짝 지은 것은 무엇입니까? ( )

설탕 + 물 → 용해 → 설탕물

① 물 – 용질
② 물 – 용매
③ 설탕 – 용액
④ 설탕물 – 용질
⑤ 설탕물 – 용매

관련 단원 | 4. 용해와 용액

03 설탕 20 g을 물 50 g에 완전히 용해시켰을 때 설탕물의 무게는 얼마입니까? ( )

① 10 g
② 30 g
③ 50 g
④ 70 g
⑤ 140 g

중요
관련 단원 | 4. 용해와 용액

04 다음은 온도가 같은 물 50 mL에 소금, 설탕, 베이킹 소다를 각각 한 숟가락씩 넣으면서 저었을 때 용해되는 양을 비교한 실험 결과입니다. 이 실험으로 알 수 있는 사실은 무엇입니까? ( )

○: 다 녹음, △: 다 녹지 않음.

용질	약숟가락으로 넣은 횟수(회)							
	1	2	3	4	5	6	7	8
소금	○	○	○	○	○	○	○	△
설탕	○	○	○	○	○	○	○	○
베이킹 소다	○	△						

① 용질마다 물에 용해되는 양이 다르다.
② 물의 양에 따라 용질이 용해되는 양이 다르다.
③ 물의 양이 달라도 용질이 용해되는 양은 같다.
④ 물의 온도에 따라 용질이 용해되는 양이 다르다.
⑤ 물의 온도가 달라도 용질이 용해되는 양은 같다.

관련 단원 | 4. 용해와 용액

05 가장 진한 용액은 무엇입니까? ( )

① 물 50 mL에 설탕 10 g을 녹인 용액
② 물 50 mL에 설탕 20 g을 녹인 용액
③ 물 50 mL에 설탕 40 g을 녹인 용액
④ 물 50 mL에 설탕 50 g을 녹인 용액
⑤ 물 50 mL에 설탕 60 g을 녹인 용액

관련 단원 | 4. 용해와 용액

06 물이 담긴 비커에 소금을 넣고 충분히 저어 주었더니 소금이 용해되지 않고 바닥에 가라앉았습니다. 가라앉은 소금을 더 용해시킬 수 있는 방법으로 옳지 <u>않은</u> 것은 무엇입니까? ( )

① 실온의 물을 비커에 더 붓는다.
② 따뜻한 물을 비커에 더 붓는다.
③ 소금 용액이 든 비커를 가열한다.
④ 소금 용액이 든 비커를 얼음물에 담근다.
⑤ 소금 용액이 든 비커를 전자레인지에 넣고 온도를 높인다.

관련 단원 | 4. 용해와 용액

07 다음은 같은 양의 물에 백설탕의 양을 다르게 하여 녹인 뒤, 비커에 담긴 설탕 용액의 높이를 비교한 모습입니다. 더 진한 설탕 용액의 기호를 쓰시오.

㉠    ㉡

( )

관련 단원 | 4. 용해와 용액

08 설탕을 녹인 용액에 방울토마토를 띄웠더니 방울토마토가 위쪽에 떠 있었습니다. 방울토마토를 가라앉게 하는 방법으로 옳은 것은 무엇입니까? ( )

① 소금을 더 녹인다.
② 설탕을 더 많이 녹인다.
③ 용액을 작은 비커에 옮긴다.
④ 용액을 덜어 내어 양을 줄인다.
⑤ 물을 더 넣어 용액을 묽게 만든다.

관련 단원 | 5. 다양한 생물과 우리 생활

09 표고버섯을 관찰한 내용으로 옳지 <u>않은</u> 것은 무엇입니까?
(　)

① 윗부분은 갈색이다.
② 아랫부분은 하얗다.
③ 촉감은 부드럽고 매끄럽다.
④ 윗부분의 안쪽에는 주름이 많다.
⑤ 초록색의 작고 둥근 알갱이가 많이 있다.

관련 단원 | 5. 다양한 생물과 우리 생활

10 곰팡이에 대한 설명으로 옳은 것은 무엇입니까? (　)

① 생물의 한 종류이다.
② 식물과 생김새가 같다.
③ 검은색 점 같은 것이 꽃이다.
④ 햇빛이 많이 드는 곳에서 잘 자란다.
⑤ 맨눈으로 자세한 모습을 관찰할 수 있을 정도로 크다.

‖중요‖
11 관련 단원 | 5. 다양한 생물과 우리 생활
버섯과 곰팡이의 공통점으로 옳은 것은 무엇입니까?
(　)

① 식물이다.
② 포자로 번식한다.
③ 줄기와 잎 같은 모양이 있다.
④ 햇빛을 이용해 양분을 만든다.
⑤ 주로 겨울철에 많이 볼 수 있다.

관련 단원 | 5. 다양한 생물과 우리 생활

12 다음은 곰팡이를 실체 현미경으로 관찰하는 과정입니다.
(　) 안에 공통으로 들어갈 알맞은 말을 쓰시오.

> ㉠ 대물렌즈의 배율을 가장 낮게 하고, 곰팡이를 재물
> 대 위에 올린다.
> ㉡ 전원을 켜고 조명 조절 나사로 빛의 양을 조절한다.
> ㉢ 현미경을 옆에서 보면서 초점 조절 나사로 (　)
> 을/를 곰팡이에 최대한 가깝게 내린다.
> ㉣ 접안렌즈로 곰팡이를 보면서 (　)을/를 천천히
> 올려 초점을 맞추어 관찰한다.
> ㉤ 관찰 결과를 그림과 글로 나타낸다.

(　)

관련 단원 | 5. 다양한 생물과 우리 생활

13 원생생물이 <u>아닌</u> 것은 무엇입니까? (　)

① ▲ 해캄
② ▲ 종벌레
③ ▲ 소금쟁이
④ ▲ 짚신벌레
⑤ ▲ 유글레나

‖중요‖
14 관련 단원 | 5. 다양한 생물과 우리 생활
세균에 대한 설명으로 옳지 <u>않은</u> 것은 무엇입니까?
(　)

① 종류가 다양하다.
② 크기가 매우 작다.
③ 동물처럼 구조가 복잡하다.
④ 다른 생물에게 질병을 일으키기도 한다.
⑤ 김치와 같은 음식을 만드는 데 이용되기도 한다.

관련 단원 | 5. 다양한 생물과 우리 생활

15 다양한 생물이 우리 생활에 미치는 해로운 영향에 대한 설명으로 옳지 <u>않은</u> 것은 무엇입니까? (　)

① 세균은 배탈이 나게 한다.
② 곰팡이는 음식을 상하게 한다.
③ 곰팡이는 가구를 못 쓰게 만든다.
④ 일부 균류는 먹으면 생명이 위험할 수 있다.
⑤ 원생생물은 다른 생물에게 양분을 제공한다.

관련 단원 | 5. 다양한 생물과 우리 생활

16 다음 (　) 안에 공통으로 들어갈 알맞은 말을 쓰시오.

> • 균류와 세균은 죽은 생물을 (　)하여 지구의 환
> 경을 유지하는 데 도움을 준다.
> • 세균이 음식물 쓰레기를 (　)하는 특성을 이용하
> 여 음식물 쓰레기 처리에 이용한다.

(　)

1 재미있는 나의 탐구

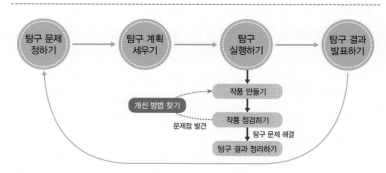

2 생물과 환경

(1) 생태계: 어떤 장소에서 서로 영향을 주고받는 생물 요소와 비생물 요소입니다.

생물 요소	살아 있는 것 ⓔ 개구리, 연꽃, 소금쟁이, 수련, 곰팡이, 세균 등
비생물 요소	살아 있지 않은 것 ⓔ 햇빛, 공기, 물, 온도, 흙 등

(2) 양분을 얻는 방법에 따른 생물 요소의 분류

생산자	햇빛 등을 이용하여 살아가는 데 필요한 양분을 스스로 만드는 생물 ⓔ 배추, 느티나무, 개망초 등
소비자	스스로 양분을 만들지 못하고, 다른 생물을 먹이로 하여 살아가는 생물 ⓔ 배추흰나비 애벌레, 배추흰나비, 참새 등
분해자	주로 죽은 생물이나 배출물을 분해하여 양분을 얻는 생물 ⓔ 곰팡이, 세균 등

(3) 생태계를 구성하는 생물의 먹이 관계
→먹이 관계가 한 방향으로만 연결되어 있음.

먹이 사슬	생태계에서 생물의 먹이 관계가 사슬처럼 연결되어 있는 것
먹이 그물	생태계에서 여러 개의 먹이 사슬이 얽혀 그물처럼 연결되어 있는 것

→먹이 관계가 여러 방향으로 연결되어 있음.

(4) 생태계의 유지
① 생태 피라미드: 먹이 단계별로 생물의 수를 쌓아 올리면 피라미드 모양을 이루는 것으로, 먹이 단계에 따라 생물의 수나 양을 피라미드의 형태로 표현한 것입니다.
② 생태계 평형: 어떤 지역에 살고 있는 생물의 종류와 수 또는 양이 균형을 이루며 안정된 상태를 유지하는 것입니다.
→가뭄, 홍수, 산불, 댐, 도로, 건물 건설 등에 의해 생태계 평형이 깨지기도 함.

(5) 비생물 요소가 생물에 미치는 영향

비생물 요소	영향
온도	식물의 잎은 가을이 되어 온도가 낮아지면 단풍이 들고, 낙엽이 짐. →철새의 이동에 영향을 미침.
햇빛	식물이 스스로 양분을 만드는 데 꼭 필요함.
물	생물이 생명을 유지하는 데 반드시 필요함.
공기	공기가 없으면 사람은 숨을 쉴 수 없음.

→식물의 꽃이 피는 시기와 동물의 번식 시기에도 영향을 줌.

(6) 다양한 환경에 적응하는 생물
① 적응: 특정한 서식지에서 오랜 기간에 걸쳐 살아남기에 유리한 특징이 자손에게 전달되는 것입니다.

② 다양한 환경에 적응된 생물의 예

선인장	굵은 줄기와 뾰족한 가시는 건조한 환경에 유리함.
철새	다른 지역으로 이동하는 행동을 통해 계절별 온도 차가 큰 환경에 유리함.

3 날씨와 우리 생활

→건구 온도와 습구 온도를 측정한 후, 습도표에서 건구 온도, 건구 온도와 습구 온도의 차가 만나는 지점을 찾아 습도를 구함.

(1) 습도가 우리 생활에 미치는 영향
→공기 중의 수증기가 포함된 정도임.

습도가 높을 때	빨래가 잘 마르지 않고, 음식물이 부패하기 쉬움.
습도가 낮을 때	빨래가 잘 마르고, 산불이 발생하기 쉬움.

(2) 이슬과 안개

이슬	밤에 차가워진 나뭇가지나 풀잎 표면 등에 수증기가 응결해 물방울로 맺히는 것
안개	밤에 지표면 근처의 공기가 차가워지면 공기 중 수증기가 응결해 작은 물방울로 떠 있는 것

(3) 구름, 비, 눈

구름	공기는 지표면에서 하늘로 올라가면서 부피는 점점 커지고 온도는 점점 낮아지는데, 이때 공기 중 수증기가 응결해 물방울이 되거나 얼음 알갱이 상태로 변해 하늘에 떠 있는 것
비	구름 속 작은 물방울이 합쳐지면서 무거워져 떨어지거나, 크기가 커진 얼음 알갱이가 무거워져 떨어지면서 녹은 것
눈	구름 속 얼음 알갱이의 크기가 커지면서 무거워져 떨어질 때 녹지 않은 채로 떨어지는 것

(4) 기압과 바람

기압	공기의 무게로 누르는 힘
바람	기압 차로 공기가 이동하는 것으로, 고기압에서 저기압으로 이동함.

(5) 지면과 수면의 하루 동안 온도 변화
→지면이 수면보다 빨리 데워짐.

낮	지면의 온도가 수면의 온도보다 높음.
밤	지면의 온도가 수면의 온도보다 낮음.

→지면이 수면보다 빠르게 식음.

(6) 바닷가에서 낮과 밤에 부는 바람

해풍	낮에 육지 위는 저기압, 바다 위는 고기압이 되어 바다에서 육지로 부는 바람 →육지가 바다보다 온도가 높음.
육풍	밤에 바다 위는 저기압, 육지 위는 고기압이 되어 육지에서 바다로 부는 바람 →바다가 육지보다 온도가 높음.

(7) 우리나라의 계절별 날씨의 특징

봄, 가을	남서쪽에서 이동해 오는 공기 덩어리의 영향으로 따뜻하고 건조함.
여름	남동쪽에서 이동해 오는 공기 덩어리의 영향으로 덥고 습함.
겨울	북서쪽에서 이동해 오는 공기 덩어리의 영향으로 춥고 건조함.

(8) 날씨가 우리 생활에 미치는 영향: 날씨가 맑고 따뜻하면 야외 활동을 즐길 수 있고, 날씨가 춥고 건조하면 감기에 걸리지 않도록 주의합니다.

01 관련 단원 | 1. 재미있는 나의 탐구

주변에 있는 재료를 이용해 모래시계를 만들려고 합니다. 이때 정할 수 있는 탐구 문제로 가장 알맞은 것은 무엇입니까? ( )

① 모래시계를 만드는 데 얼마나 걸릴까?
② 모래시계에 얼마나 많은 돌이 들어갈까?
③ 모래시계의 무게를 어떻게 측정할 수 있을까?
④ 모래시계에 들어 있는 모래의 개수를 어떻게 셀 수 있을까?
⑤ 1분을 측정할 수 있는 모래시계를 어떻게 만들 수 있을까?

02 관련 단원 | 1. 재미있는 나의 탐구

탐구 결과를 발표하는 방법에 대한 설명으로 옳지 <u>않은</u> 것은 무엇입니까? ( )

① 발표 방법에는 포스터 발표, 전시회 등이 있다.
② 발표를 마친 다음에는 친구들의 질문에 대답한다.
③ 탐구 내용을 전달하기에 적절한 방법으로 탐구 결과를 발표해야 한다.
④ 발표 자료에는 탐구 문제, 탐구 기간, 탐구 순서 등이 들어가야 한다.
⑤ 탐구 결과를 발표할 때에는 되도록 자세하게 모든 내용을 포함하여 발표한다.

03 관련 단원 | 2. 생물과 환경

생태계의 구성 요소를 다음과 같이 분류한 기준으로 옳은 것은 무엇입니까? ( )

벌, 개나리, 세균, 소나무	공기, 햇빛, 흙, 물

① 식물과 동물
② 생산자와 소비자
③ 분해자와 생물 요소
④ 생물 요소와 비생물 요소
⑤ 1차 소비자와 최종 소비자

∥중요∥
04 관련 단원 | 2. 생물과 환경

생태계에 대한 설명으로 옳은 것은 무엇입니까? ( )

① 화단도 하나의 생태계이다.
② 어떤 장소에 있는 모든 생물 요소만을 말한다.
③ 생태계를 이루는 생물은 생산자와 소비자로만 구성된다.
④ 어떤 장소에서 살아가는 생물 요소끼리 서로 영향을 주고받는 것이다.
⑤ 곰팡이는 스스로 양분을 만들지 못하기 때문에 생태계에 포함되지 않는다.

05 관련 단원 | 2. 생물과 환경

햇빛 등을 이용하여 살아가는 데 필요한 양분을 스스로 만드는 생물을 무엇이라고 하는지와 그 예를 옳게 짝 지은 것은 무엇입니까? ( )

① 생산자 – 곰팡이
② 생산자 – 개나리
③ 소비자 – 공벌레
④ 소비자 – 호랑이
⑤ 분해자 – 등나무

∥중요∥
06 관련 단원 | 2. 생물과 환경

다음 생태 피라미드에서 ㉣의 수나 양이 갑자기 줄어들었을 때 일시적으로 나타나는 현상으로 옳은 것은 무엇입니까? ( )

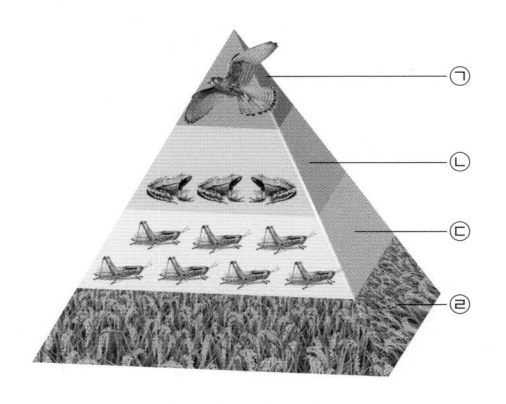

① ㉠~㉢의 수나 양이 모두 줄어든다.
② ㉡과 ㉢의 수나 양이 모두 늘어난다.
③ 먹이 부족으로 ㉢의 수나 양만 줄어든다.
④ ㉢의 수나 양은 늘어나고, ㉡의 수나 양은 줄어든다.
⑤ ㉢의 수나 양은 줄어들고, ㉠과 ㉡의 수나 양은 변화가 없다.

07 관련 단원 | 2. 생물과 환경

다음 설명과 관계 있는 비생물 요소는 무엇인지 쓰시오.

• 식물의 잎에 단풍이 들거나 낙엽이 진다.
• 추운 계절이 다가오면 개나 고양이는 털갈이를 한다.

( )

08 관련 단원 | 2. 생물과 환경

다음 서식지와 그 서식지에서 살아남기에 유리한 동물을 찾아 선으로 연결하시오.

(1)
▲ 북극

• • ㉠

(2)
▲ 사막

• • ㉡

09 관련 단원 | 2. 생물과 환경

사람들의 활동이 자연환경에 미치는 영향에 대한 설명으로 옳지 **않은** 것은 무엇입니까? (　　)

① 자동차의 사용으로 공기가 오염된다.
② 합성 세제의 사용으로 물이 오염된다.
③ 건물을 지으면서 생물의 서식지가 파괴된다.
④ 지나친 난방으로 생물에게 해로운 영향을 준다.
⑤ 화학 물질이 많이 배출되어 생물의 종류가 늘어나기도 한다.

||중요||
10 관련 단원 | 3. 날씨와 우리 생활

다음 습도표를 보고, 건구 온도가 28 ℃이고, 습구 온도가 23 ℃일 때 현재 습도는 몇 %인지 구하시오.

건구 온도 (℃)	건구 온도와 습구 온도의 차(℃)					
	0	1	2	3	4	5
27	100	92	85	78	71	65
28	100	93	85	78	72	65
29	100	93	86	79	72	66
30	100	93	86	79	73	67

(　　)%

11 관련 단원 | 3. 날씨와 우리 생활

비커에 물과 조각 얼음을 넣었더니 비커 표면에 물방울이 생겼습니다. 이와 관계 있는 현상은 무엇입니까? (　　)

① 증발　　　② 응결　　　③ 끓음
④ 녹음　　　⑤ 얼음

12 관련 단원 | 3. 날씨와 우리 생활

페트병에 공기 주입 마개를 끼우고 공기 주입 마개를 눌러 공기를 넣고, 온도가 더 이상 변하지 않을 때 공기 주입 마개 뚜껑을 열었습니다. 이때 페트병 안에서 나타나는 현상으로 옳은 것을 두 가지 고르시오. (　 , 　)

① 페트병 안의 온도가 낮아진다.
② 페트병 안의 온도가 높아진다.
③ 페트병 안이 뿌옇게 흐려진다.
④ 뿌옇던 페트병 안이 맑아진다.
⑤ 페트병 안의 수증기가 얼음 알갱이로 변한다.

||중요||
13 관련 단원 | 3. 날씨와 우리 생활

다음은 지면과 수면의 하루 동안 온도 변화를 나타낸 그래프입니다. 이 그래프에 대한 설명으로 옳지 **않은** 것은 무엇입니까? (　　)

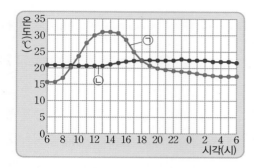

① ㉠은 지면의 온도 변화를 나타낸다.
② ㉡은 수면의 온도 변화를 나타낸다.
③ 밤에는 수면의 온도가 지면의 온도보다 높다.
④ 수면은 지면보다 빨리 데워지고 빨리 식는다.
⑤ 수면의 온도 변화가 지면의 온도 변화보다 작다.

14 관련 단원 | 3. 날씨와 우리 생활

해풍에 대한 설명으로 옳은 것을 두 가지 고르시오. (　 , 　)

① 바닷가에서 밤에 부는 바람이다.
② 바다에서 육지로 부는 바람이다.
③ 육지에서 바다로 부는 바람이다.
④ 바다 위가 고기압이 되어 부는 바람이다.
⑤ 바다가 육지보다 온도가 높을 때 부는 바람이다.

15 관련 단원 | 3. 날씨와 우리 생활

우리나라의 겨울 날씨가 춥고 건조한 까닭으로 옳은 것은 무엇입니까? (　　)

① 우리나라에 높은 산이 많기 때문이다.
② 동쪽에서 춥고 건조한 바람이 불기 때문이다.
③ 다른 계절에 비해 구름이 잘 만들어지기 때문이다.
④ 남동쪽 대륙에서 이동해 오는 공기 덩어리 때문이다.
⑤ 북서쪽 대륙에서 이동해 오는 공기 덩어리 때문이다.

16 관련 단원 | 3. 날씨와 우리 생활

황사나 미세 먼지가 많은 날에 우리 생활의 모습으로 옳은 것은 무엇입니까? (　　)

① 장화를 준비한다.
② 얇은 옷을 입는다.
③ 야외 활동을 자제한다.
④ 운동장에서 체육 활동을 한다.
⑤ 외출할 때에는 모자를 착용한다.

4 물체의 운동

(1) 물체의 운동 나타내기

→시간이 지남에 따라 위치가 변하지 않는 물체는 운동하지 않는 물체임.

① 물체의 운동: 시간이 지남에 따라 물체의 위치가 변할 때 물체가 운동한다라고 합니다. 예 달리는 자전거와 자동차 등

② 물체의 운동을 나타내는 방법: 물체가 이동하는 데 걸린 시간과 이동 거리로 나타냅니다. 예 자전거는 1초 동안 2 m를 이동했습니다.

(2) 여러 가지 물체의 운동

→물체가 빨라지거나 느려지는 것

빠르기가 변하는 운동을 하는 물체	빠르기가 일정한 운동을 하는 물체
롤러코스터, 자이로 드롭, 배드민턴 공, 비행기, 치타, 컬링 스톤, 펭귄 등	자동계단, 스키장 승강기, 자동길, 케이블카 등

(3) 일정한 거리를 이동한 물체의 빠르기 비교하기

① 일정한 거리를 이동한 물체의 빠르기는 물체가 이동하는 데 걸리는 시간으로 비교합니다.

→50 m 달리기, 스피드 스케이팅, 조정, 마라톤, 수영 등

② 일정한 거리를 이동하는 데 짧은 시간이 걸린 물체가 긴 시간이 걸린 물체보다 더 빠릅니다.

(4) 일정한 시간 동안 이동한 물체의 빠르기 비교하기

① 일정한 시간 동안 물체가 이동한 거리로 비교합니다.

② 일정한 시간 동안 긴 거리를 이동한 물체가 짧은 거리를 이동한 물체보다 더 빠릅니다.

(5) 물체의 속력 나타내기

① 속력

뜻	1초, 1분, 1시간 등과 같은 단위 시간 동안 물체가 이동한 거리
단위	km/h, m/s 등
속력을 구하는 방법	• 속력은 물체가 이동한 거리를 걸린 시간으로 나누어 구함. • (속력) = (이동 거리) ÷ (걸린 시간)
속력 구하기	예 3시간 동안 240 km를 이동한 자동차의 속력 (자동차의 속력) = (이동 거리) ÷ (걸린 시간) = 240 km ÷ 3시간 = 80 km/h
속력을 읽는 방법	예 80 km/h는 1시간 동안 80 km를 이동한 물체의 속력을 나타내며, '팔십 킬로미터 퍼 아워' 또는 '시속 팔십 킬로미터'라고 읽음.

② 속력이 크다는 뜻: 물체가 빠르다는 뜻이며, 일정한 시간 동안 더 긴 거리를 이동한다는 것입니다.

(6) 속력과 관련된 안전장치와 안전 수칙

① 속력과 관련된 안전장치: 자동차의 안전띠와 에어백, 도로의 과속 방지 턱 등이 있습니다.

→자동차의 속력을 줄여서 사고를 막음.

② 도로에서 지켜야 할 교통안전 수칙

• 횡단보도를 건널 때에는 좌우를 살핍니다.

• 도로 주변에서는 공을 공 주머니에 넣고 다닙니다.

• 버스가 정류장에 도착할 때까지는 인도에서 기다립니다.

• 초록색 신호등이 켜지면 잠시 기다린 다음 횡단보도를 건넙니다.

5 산과 염기

(1) 여러 가지 용액 분류하기: 색깔, 투명한 정도, 냄새, 거품이 3초 이상 유지되는 것 등을 관찰합니다. 예

분류 기준: 색깔이 있는가?	
그렇다.	그렇지 않다.
식초, 레몬즙, 유리 세정제, 빨랫비누 물	사이다, 석회수, 묽은 염산, 묽은 수산화 나트륨 용액

(2) 지시약을 이용한 여러 가지 용액 분류

① 리트머스 종이와 페놀프탈레인 용액, 자주색 양배추 지시약에 의한 색깔 변화

구분	리트머스 종이	페놀프탈레인 용액	자주색 양배추 지시약
식초	푸른색 → 붉은색	변화 없음.	붉은색으로 변함.
레몬즙	푸른색 → 붉은색	변화 없음.	붉은색으로 변함.
묽은 염산	푸른색 → 붉은색	변화 없음.	붉은색으로 변함.
사이다	푸른색 → 붉은색	변화 없음.	연한 붉은색으로 변함.
빨랫비누 물	붉은색 → 푸른색	붉은색으로 변함.	연한 푸른색으로 변함.
석회수	붉은색 → 푸른색	붉은색으로 변함.	연한 푸른색으로 변함.
유리 세정제	붉은색 → 푸른색	붉은색으로 변함.	푸른색으로 변함.
묽은 수산화 나트륨 용액	붉은색 → 푸른색	붉은색으로 변함.	노란색으로 변함.

② 산성 용액과 염기성 용액

산성 용액	• 푸른색 리트머스 종이가 붉은색으로 변하고, 페놀프탈레인 용액의 색깔은 변하지 않으며, 자주색 양배추 지시약이 붉은색 계열의 색깔로 변함. • 식초, 레몬즙, 사이다, 묽은 염산 등이 있음.
염기성 용액	• 붉은색 리트머스 종이가 푸른색으로 변하고, 페놀프탈레인 용액의 색깔이 붉은색으로 변하며, 자주색 양배추 지시약이 푸른색이나 노란색 계열의 색깔로 변함. • 유리 세정제, 빨랫비누 물, 석회수, 묽은 수산화 나트륨 용액 등이 있음.

(3) 산성 용액과 염기성 용액에 여러 가지 물질을 넣어보기: 산성 용액은 달걀 껍데기와 대리석 조각을 녹이고, 염기성 용액은 삶은 달걀흰자와 두부를 녹입니다.

→식초에 달걀 껍데기 또는 대리석 조각을 넣으면 기포가 발생하며 녹음.

(4) 산성 용액과 염기성 용액을 섞었을 때의 변화: 산성 용액에 염기성 용액을 넣을수록 산성이 점점 약해지고, 염기성 용액에 산성 용액을 넣을수록 염기성이 점점 약해집니다.

산성인 염산이 새어 나오는 사고가 발생하면 염기성인 소석회수를 뿌려 염산의 성질을 약하게 함.

(5) 생활에서 산성 용액과 염기성 용액의 이용

산성 용액을 이용하는 예	• 생선을 손질한 도마를 닦아 내거나 음식을 만들 때 산성 용액인 식초를 사용함. • 변기를 청소할 때 산성 용액인 변기용 세제를 사용함.
염기성 용액을 이용하는 예	• 속이 쓰릴 때 염기성 용액인 제산제를 먹음. • 하수구가 막힐 때 염기성 용액인 하수구 세정제를 사용함. • 욕실을 청소할 때 염기성 용액인 표백제를 사용함.

관련 단원 | 4. 물체의 운동

01 우리 주변에서 운동하는 물체의 예로 옳은 것은 무엇입니까?
( )

① 학교
② 신호등
③ 가로수
④ 도로 표지판
⑤ 달리는 자전거

관련 단원 | 4. 물체의 운동

02 물체의 운동을 나타낸 것으로 옳지 <u>않은</u> 것은 무엇입니까?
( )

① 자전거는 1초 동안 2 m를 이동했다.
② 자동차는 1초 동안 7 m를 이동했다.
③ 경일이는 서점까지 10 m를 이동했다.
④ 기차는 2시간 동안 400 km를 이동했다.
⑤ 육상 선수는 1시간 동안 20 km를 달렸다.

관련 단원 | 4. 물체의 운동

03 빠르기가 변하는 운동을 하는 물체를 두 가지 고르시오.
(,)

▲ 자이로 드롭

▲ 케이블카

▲ 자동길

▲ 대관람차

▲ 비행기

관련 단원 | 4. 물체의 운동

04 일정한 거리를 이동한 물체의 빠르기를 비교하는 방법으로 옳은 것은 무엇입니까? ( )

① 이동한 거리를 비교한다.
② 물체의 무게를 비교한다.
③ 물체의 모양을 비교한다.
④ 출발선의 위치를 비교한다.
⑤ 이동하는 데 걸린 시간을 비교한다.

관련 단원 | 4. 물체의 운동

05 다음은 3시간 동안 여러 교통수단이 이동한 거리를 나타낸 그래프입니다. 시내버스보다 빠른 교통수단을 두 가지 찾아 쓰시오.

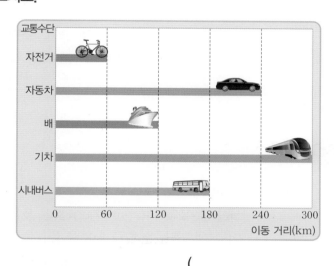

(,)

관련 단원 | 4. 물체의 운동

06 속력을 구하는 방법으로 옳은 것은 무엇입니까? ( )

① 걸린 시간을 이동한 거리로 나누어 구한다.
② 걸린 시간과 이동한 거리를 더하여 구한다.
③ 걸린 시간에서 이동한 거리를 빼서 구한다.
④ 이동한 거리와 걸린 시간을 곱하여 구한다.
⑤ 이동한 거리를 걸린 시간으로 나누어 구한다.

관련 단원 | 4. 물체의 운동

07 속력이 나머지와 <u>다른</u> 하나는 무엇입니까? ( )

① 2초에 10 m를 가는 자전거
② 5초에 25 m를 가는 고양이
③ 11초에 110 m를 가는 드론
④ 10초에 50 m를 가는 장난감 자동차
⑤ 20초에 100 m를 가는 장난감 비행기

관련 단원 | 4. 물체의 운동

08 도로 주변에서 어린이가 지켜야 할 교통안전 수칙으로 옳은 것은 무엇입니까? ( )

① 급할 때에는 도로를 무단 횡단한다.
② 자전거를 탄 채로 횡단보도를 건넌다.
③ 도로 주변에서 공을 공 주머니에 넣고 다닌다.
④ 버스가 정류장에 도착할 때까지 차도에서 기다린다.
⑤ 초록색 신호등이 켜지자마자 바로 횡단보도를 건넌다.

09 관련 단원 | 5. 산과 염기
다음 용액을 분류할 수 있는 기준으로 알맞은 것을 두 가지 고르시오. 　　　　　　　（　　，　　）

① 투명한가?
② 색깔이 있는가?
③ 달콤한 맛이 나는가?
④ 눈으로 볼 수 있는가?
⑤ 다른 그릇에 담을 때 모양이 변하는가?

10 관련 단원 | 5. 산과 염기
묽은 수산화 나트륨 용액에 대한 설명으로 옳지 <u>않은</u> 것을 다음 보기 에서 골라 기호를 쓰시오.

> 보기
> ㉠ 색깔이 없고 투명하다.
> ㉡ 시큼한 냄새가 나며 잘 흔들린다.
> ㉢ 흔들어도 거품이 유지되지 않는다.

　　　　　　　　　　　　（　　　　　　　）

11 관련 단원 | 5. 산과 염기
푸른색 리트머스 종이를 붉은색으로 변하게 하는 용액을 두 가지 고르시오. 　　　　　（　　，　　）

① 사이다　　　　　② 석회수
③ 묽은 염산　　　　④ 유리 세정제
⑤ 빨랫비누 물

12 관련 단원 | 5. 산과 염기
산성 용액에 대한 설명으로 옳지 <u>않은</u> 것은 무엇입니까?
　　　　　　　　　　　　　　（　　　　　）

① 페놀프탈레인 용액의 색깔이 붉은색으로 변한다.
② 푸른색 리트머스 종이를 붉은색으로 변하게 한다.
③ 식초, 레몬즙, 사이다, 묽은 염산은 산성 용액이다.
④ 붉은색 리트머스 종이에 떨어뜨려도 아무 변화가 없다.
⑤ 자주색 양배추 지시약에 의해 붉은색 계열의 색깔로 변한다.

||중요||
13 관련 단원 | 5. 산과 염기
다음 용액의 공통된 성질로 옳은 것을 보기 에서 세 가지 골라 기호를 쓰시오.

> 석회수, 유리 세정제, 묽은 수산화 나트륨 용액

> 보기
> ㉠ 푸른색 리트머스 종이가 붉은색으로 변한다.
> ㉡ 붉은색 리트머스 종이가 푸른색으로 변한다.
> ㉢ 자주색 양배추 지시약이 푸른색 계열의 색깔로 변한다.
> ㉣ 자주색 양배추 지시약이 붉은색 계열의 색깔로 변한다.
> ㉤ 페놀프탈레인 용액을 떨어뜨리면 붉은색으로 변한다.

　　　　　　　　（　　，　　，　　）

14 관련 단원 | 5. 산과 염기
묽은 염산과 묽은 수산화 나트륨 용액에 각각 두부를 넣었을 때의 결과에 맞게 선으로 연결하시오.

(1)　묽은 염산　•　　　•㉠　아무런 변화가 없다.

(2)　묽은 수산화 나트륨 용액　•　　•㉡　흐물흐물해진다.

15 관련 단원 | 5. 산과 염기
다음은 묽은 수산화 나트륨 용액 20 mL에 자주색 양배추 지시약을 열 방울 떨어뜨린 뒤 묽은 염산을 5 mL씩 여섯 번 넣었을 때에 대한 설명입니다. （　　）안에 들어갈 알맞은 말을 쓰시오.

> 염기성 용액에 산성 용액을 계속 넣으면 （　㉠　）이 점점 약해지고 （　㉡　）이 점점 강해진다.

㉠: (　　　　　　　), ㉡: (　　　　　　　)

16 관련 단원 | 5. 산과 염기
우리 생활에서 염기성 용액을 이용하는 경우를 다음 보기 에서 두 가지 골라 기호를 쓰시오.

> 보기
> ㉠ 속이 쓰릴 때 제산제를 먹는다.
> ㉡ 생선을 손질한 도마를 식초로 닦는다.
> ㉢ 욕실을 청소할 때 표백제를 사용한다.
> ㉣ 변기를 청소할 때 변기용 세제를 사용한다.

　　　　　　　　　（　　，　　）

1 출신 국가 묻고 답하기

> A: Where are you from? 너는 어느 나라에서 왔니?
> B: I'm from Canada. 나는 캐나다에서 왔어.

- 상대방이 어느 나라에서 왔는지 물을 때는 Where are you from?이라고 표현합니다.

- '나는 ~에서 왔어.'라고 자신의 출신지를 말할 때는 「I'm from + 나라 이름.」이라고 합니다.

> **참고** 나라 이름
> Korea (한국), Brazil (브라질), China (중국), Canada (캐나다),
> Australia (오스트레일리아 / 호주), France (프랑스),
> the U.S.A. (미국), the U.K. (영국), Austria (오스트리아),
> Japan (일본), Spain (스페인), Italy (이탈리아)

2 전화를 하거나 받기

> A: Hello? 여보세요?
> B: Hello. 여보세요.
>   This is Henry. 저는 Henry라고 합니다.
>   Can I speak to Jenny? Jenny와 통화할 수 있을까요?
> A: Speaking. 나야.

- 전화 대화 중에 '저는 ~인데요.'라고 자신이 누구인지 말할 때는 「This is + 자기 이름.」으로 표현합니다.

- '~를 바꿔 주세요.'라고 말할 때는 「Can[May] I speak to + 사람 이름?」 또는 「Is + 사람 이름 + there?」라고 합니다.

- '전데요.'라고 자신을 밝힐 때는 Speaking. / This is he[she]. / This is he[she] speaking. 등으로 말합니다.

3 안부 묻고 답하기

> A: How's it going? 어떻게 지내니?
> B: Very well, thanks. 아주 잘 지내, 고마워.

- How's it going?은 상대방의 안부를 묻는 표현으로 How are you?로 바꾸어 쓸 수 있습니다.

- 이에 대답할 때는 잘 지내면 Very well. (아주 잘 지내.) / Fine. (좋아.) 등으로 답하고 그저 그러면 Not bad. (나쁘지 않아.) / Not so good. (그저 그래.) 등으로 답합니다.

4 지금 하고 있는 일 묻고 답하기

(1) 상대방이 지금 하고 있는 일 묻고 답하기

> A: What are you doing? 너 뭐 하고 있니?
> B: I'm doing my homework. 저는 숙제하고 있어요.
>   What are you doing, Mom? 뭐 하고 계세요, 엄마?
> A: I'm reading a book. 나는 책을 읽고 있어.

- '너는 무엇을 하고 있니?'라고 상대방이 무엇을 하고 있는지 물을 때는 What are you doing?이라고 합니다.

- '나는 ~을 하고 있어.'라고 자신이 지금 하고 있는 일을 말할 때는 「I'm + 행동을 나타내는 말-ing.」라고 합니다.

(2) 다른 사람이 지금 하고 있는 일 묻고 답하기

> A: What is he doing? 그는 뭐 하고 있니?
> B: He is making a card. 그는 카드를 만들고 있어.

- '그[그녀]는 무엇을 하고 있니?'라고 다른 사람이 무엇을 하고 있는지 물을 때는 What is he[she] doing?이라고 합니다.

- 그[그녀]는 ~을 하고 있어.'라고 다른 사람이 하고 있는 행동을 말할 때는 「He[She] is + 행동을 나타내는 말-ing.」라고 합니다.

5 길 묻고 답하기

> A: Where is the bank? 은행은 어디에 있나요?
> B: Go straight and turn right.
>   똑바로 가서 오른쪽으로 도세요.
>   It's next to the library. 도서관 옆에 있어요.

- '~은 어디에 있나요?'라고 길을 물을 때는 「Where is the + 장소 이름?」으로 표현합니다.

- 길을 안내할 때는 go straight (똑바로 가다), turn left (왼쪽으로 돌다), turn right (오른쪽으로 돌다) 등으로 말합니다.

- 장소의 위치를 말할 때는 next to (~ 옆에), in front of (~ 앞에), behind (~ 뒤에), across (~ 건너편에), on your left (너의 왼쪽에), on your right (너의 오른쪽에) 등의 표현을 사용하여 말합니다.

> **참고** 장소 이름
> bank (은행), library (도서관), hospital (병원), market (시장),
> school (학교), park (공원), zoo (동물원), museum (박물관),
> bus stop (버스 정류장)

01 관련 단원 | 1. 출신 국가 묻고 답하기

다음 문장과 관계있는 것은 무엇입니까? (   )

> I'm from Canada.

① ② ③
④ ⑤

[02~03] 그림을 보고, 대화의 빈칸에 알맞은 말을 고르시오.

02 관련 단원 | 4. 지금 하고 있는 일 묻고 답하기

(   )

A: What are you doing?
B: I'm _____.

① watch TV
② watching TV
③ eat dinner
④ eating dinner
⑤ riding a bike

03 관련 단원 | 5. 길 묻고 답하기

(   )

A: Where is the museum?
B: _____

① Turn left.
② Turn right.
③ Go straight.
④ Go straight two blocks.
⑤ Go straight and turn left.

04 중요 관련 단원 | 2. 전화를 하거나 받기

대화의 빈칸에 알맞은 말을 쓰시오.

A: Hello?
B: Hello. _____ is Suji. Can I speak to Mina?
A: Speaking.

(   )

05 중요 관련 단원 | 3. 안부 묻고 답하기

대화의 빈칸에 알맞지 <u>않은</u> 것은 무엇입니까? (   )

A: How's it going?
B: _____

① Not bad.
② Very well.
③ No, thanks.
④ Fine, thanks.
⑤ Not so good.

06 관련 단원 | 2. 전화를 하거나 받기

대화의 밑줄 친 우리말을 영어로 바르게 표현한 것을 두 가지 고르시오. (,   )

A: Hello?
B: Hello. This is Peter. Can I speak to Mina?
A: <u>전데요.</u>

① This is me.
② Speaking.
③ Yes, I can.
④ No, I can't.
⑤ This is she.

07 관련 단원 | 1. 출신 국가 묻고 답하기

Ann은 어느 나라 출신입니까? (   )

Jina : Hi. I'm Jina. What's your name?
Ann : Hi. I'm Ann.
Jina : Where are you from?
Ann : I'm from Australia. Where are you from?
Jina : I'm from Canada.

① 캐나다
② 오스트리아
③ 프랑스
④ 오스트레일리아
⑤ 뉴질랜드

08 중요 관련 단원 | 5. 길 묻고 답하기

대화에서 말하고 있는 곳의 위치로 알맞은 것은 무엇입니까? (   )

A: Where is the school?
B: Go straight one block and turn left. It's on your right.

09 관련 단원 | 1. 출신 국가 묻고 답하기 / 5. 길 묻고 답하기
《중요》 대화의 빈칸에 공통으로 들어갈 말을 쓰시오.

> A: Excuse me. _____ is the Museum?
> B: Go straight one block. It's on your left.
> A: Thank you.
> B: _____ are you from?
> A: I'm from the U.K.

(　　　　　　)

[10~11] 대화를 읽고, 물음에 답하시오.

> A: Hello?
> B: Hello. This is Julie. ⓐ Can I speak to James?
> A: Speaking.
> B: Hi, James. _____ ⓑ
> A: Very well, thanks.

10 관련 단원 | 2. 전화를 하거나 받기
대화의 밑줄 친 ⓐ와 바꾸어 쓸 수 있는 것은 무엇입니까? (　　)

① Is this James?　　② Is James there?
③ James is here.　　④ Can James talk?
⑤ James can speak.

11 관련 단원 | 3. 안부 묻고 답하기
대화의 빈칸 ⓑ에 알맞은 말은 무엇입니까? (　　)

① How's it going?　　② What are you doing?
③ Where is the bank?　④ Where are you from?
⑤ What is James doing?

12 관련 단원 | 4. 지금 하고 있는 일 묻고 답하기
대화의 빈칸에 알맞은 말이 바르게 짝 지어진 것은 무엇입니까?
(　　)

> Mom : What are you doing, Jinhui?
> Jinhui: I'm ____ⓐ____ my homework.
> Mom : What is Jisu doing?
> Jinhui: She is ____ⓑ____ pictures.

	ⓐ	ⓑ		ⓐ	ⓑ
①	do	draw	②	do	drawing
③	does	draws	④	doing	draw
⑤	doing	drawing			

13 관련 단원 | 4. 지금 하고 있는 일 묻고 답하기
《중요》 짝 지어진 대화 중 자연스럽지 <u>않은</u> 것은 무엇입니까?
(　　)

① A: Where are you from?
　 B: I'm from Korea.
② A: May I speak to Kelly?
　 B: This is she speaking.
③ A: How's it going?
　 B: I'm very well, thanks.
④ A: Where is the bus stop?
　 B: Go straight. It's next to the park.
⑤ A: What are you doing?
　 B: I'm a designer.

[14~15] 다음 대화를 읽고, 물음에 답하시오.

> Tom　 : Hello, Jason.
> Jason: Hi, Tom. I'm from New Zealand.
> 　　　　Where are you from?
> Tom　 : I'm from the U.S.A.
> 　　　　Umm…. Where is the library?
> Jason: Go _____ one block and turn left.
> 　　　　I'm going there, too. Let's go there together.
> Tom　 : Sounds great.

14 관련 단원 | 5. 길 묻고 답하기
대화의 빈칸에 알맞은 것은 무엇입니까? (　　)

① left　　　　　　② right
③ across　　　　　④ behind
⑤ straight

15 관련 단원 | 1. 출신 국가 묻고 답하기 / 5. 길 묻고 답하기
대화의 내용과 일치하지 <u>않는</u> 것은 무엇입니까? (　　)

① Jason은 뉴질랜드에서 왔다.
② Tom은 미국에서 왔다.
③ 두 사람은 도서관에 갈 것이다.
④ 두 사람은 도서관이 어디에 있는지 모른다.
⑤ 도서관은 한 블록 가서 왼쪽으로 돌면 있다.

6 좋아하는 활동 묻기

> A: I like to play tennis. How about you?
> 나는 테니스 치는 걸 좋아해. 너는 어때?
> B: I don't like to play tennis.
> 나는 테니스 치는 걸 좋아하지 않아.

• 자신이 좋아하는 활동을 말할 때는 「I like to + 활동을 나타내는 말」로 표현합니다.

• 자신이 좋아하지 않는 활동을 말할 때는 「I don't like to + 활동을 나타내는 말」로 표현합니다.

• How about you?는 너는 어때?라는 뜻으로 상대방의 생각이나 의견 등에 대해 물을 때 이처럼 앞에서 말한 것에 대한 상대방의 생각을 물을 때 쓰입니다. What about you?나 How about you?로 쓸 수 있는 표현입니다.

7 가장 좋아하는 과목 묻고 답하기

> A: We have music class today.
> 우리 오늘 음악 수업이 있어.
> My favorite subject is music.
> 내가 제일 좋아하는 과목은 음악이야.
> What's your favorite subject?
> 네가 가장 좋아하는 과목은 뭐니?
> B: My favorite subject is science.
> 내가 가장 좋아하는 과목은 과학이야.

• 자신이 가장 좋아하는 과목을 말할 때는 「My favorite subject is + 과목 이름」이라고 말합니다.

• 상대방이 가장 좋아하는 과목이 무엇인지 물을 때는 What's your favorite subject?라고 합니다.

> 참고 과목 이름
> English (영어), Korean (국어), math (수학), science (과학), social studies (사회), music (음악), art (미술), P.E. (체육)

8 제안하고 답하기

> A: Let's go swimming. 우리 수영하러 가자.
> B: Sorry, I can't. I can't swim. 미안하지만, 안 돼. 나는 수영을 못해.
> A: Umm, let's go shopping. 음, 우리 쇼핑하러 가자.
> A: Sounds great. 좋아.

9 여가 활동 묻고 답하기

> A: What do you do on Sundays?
> 너는 일요일에 뭐 하니?
> B: I play basketball with my dad. 아빠랑 농구를 해.

• 상대방이 특정한 날에 하는 여가 활동 등을 물을 때는 「What do you do on + 때를 나타내는 말?」이라고 하고, 여기서 What do you do는 '~할 때는 무엇을 하니?'라는 뜻을 나타냅니다.

> 참고 요일을 나타내는 말
> Monday (월요일), Tuesday (화요일), Wednesday (수요일),
> Thursday (목요일), Friday (금요일), Saturday (토요일),
> Sunday (일요일), weekend (주말)

• '~하러 가자.'라고 제안할 때는 「Let's go + 활동을 나타내는 말-ing」로 표현합니다.

• 제안을 수락할 때는 Okay. / Sounds good. / Sounds great. / Sounds fun. 등으로 답합니다.

• 제안을 거절하거나 제안대로 할 수 없을 때는 Sorry, I can't.로 답할 수 있으며, 뒤에 이유를 함께 말할 수 있습니다.

> 참고 활동을 나타내는 표현
> go swimming (수영하러 가다)
> go fishing (낚시하러 가다)
> go camping (캠핑 가다)
> go shopping (쇼핑하러 가다)
> watch a movie (영화 보다)
> visit grandma (할머니 댁을 방문하다)

10 일과 묻고 답하기

> A: What time do you have a piano lesson?
> 너는 몇 시에 피아노 수업이 있니?
> B: I have a piano lesson at three thirty.
> 나는 3시 30분에 피아노 수업이 있어.

• 일과를 물을 때는 「What time do you + 일반동사 ~?」로 표현합니다.

• '나는 ~해.'라고 일과를 말할 때는 「I + 일반동사 + at + 시각」으로 표현합니다.

> 참고 일과를 나타내는 말
> get up (일어나다), go to school (학교에 가다),
> come home (집에 돌아오다), do my[your] homework (숙제를 하다)
> have dinner (저녁을 먹다), go to bed (잠자리에 들다)

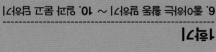

[01~02] 그림을 보고, 빈칸에 알맞은 것을 고르시오.

01 관련 단원 | 7. 가장 좋아하는 것 묻고 답하기 ( )

My favorite subject is _____.

① Korean   ② English   ③ math
④ music   ⑤ science

02 관련 단원 | 10. 일과 묻고 답하기 ( )

I _____ dinner at seven.

① cook   ② have   ③ make
④ play   ⑤ get

03 관련 단원 | 8. 제안하고 답하기

두 사람이 할 일을 두 글자의 우리말 낱말로 쓰시오.

A: Let's go hiking.
B: Sorry, I don't like to hike. Let's go fishing.
A: Sounds great.

( )

04 관련 단원 | 6. 좋아하는 활동 말하기

대화의 빈칸에 공통으로 들어갈 것은 무엇입니까? ( )

A: I like _____ play tennis.
   How about you?
B: I don't like _____ play tennis.

① at   ② in   ③ to
④ for   ⑤ from

[05~06] 대화의 빈칸에 알맞은 말을 고르시오.

05 중요 관련 단원 | 10. 일과 묻고 답하기 ( )

A: _____
B: I go to school at eight thirty.

① What is he doing?
② Where is the school?
③ What do you do on Sundays?
④ What's your favorite subject?
⑤ What time do you go to school?

06 중요 관련 단원 | 9. 여가 활동 묻고 답하기 ( )

A: _____
B: I play badminton with my friends.

① What is he doing?
② Where is the school?
③ What do you do on Sundays?
④ What's your favorite subject?
⑤ What time do you go to school?

07 관련 단원 | 8. 제안하고 답하기

밑줄 친 ①~⑤ 중 자연스럽지 않은 것은 무엇입니까? ( )

A: ① I like to watch movies.
   ② How about you?
B: ③ I like to watch movies, too.
A: ④ Let's watch a movie together.
B: ⑤ Sounds great. I'm busy.

08 관련 단원 | 7. 가장 좋아하는 것 묻고 답하기

Sally가 가장 좋아하는 과목은 무엇입니까? ( )

Sunny: I like math. Do you like math?
Sally : Yes, I do.
Sunny: What's your favorite subject?
Sally : My favorite subject is science.

① 국어   ② 영어   ③ 수학
④ 과학   ⑤ 음악

09 관련 단원 | 9. 여가 활동 묻고 답하기
대화의 내용과 일치하는 것은 무엇입니까? (   )

> Bora : What do you do on Sundays?
> Sujin: I play tennis with my sister on Sundays.
>   What about you?
> Bora : I take pictures with my friends.

① 두 사람은 서로에게 주말에 하는 일에 대해 묻고 있다.
② 수진이는 토요일에 아빠와 사진을 찍는다.
③ 수진이는 일요일에 아빠와 함께 테니스를 친다.
④ 보라는 토요일에 친구들과 테니스를 친다.
⑤ 보라는 일요일에 친구들과 사진을 찍는다.

10 ‖중요‖ 관련 단원 | 7. 가장 좋아하는 것 묻고 답하기
대화의 빈칸에 알맞지 않은 것은 무엇입니까? (   )

> A: What is your favorite subject?
> B: My favorite subject is _____.

① math   ② P.E.   ③ English
④ art   ⑤ book

11 관련 단원 | 6. 좋아하는 활동 말하기
밑줄 친 우리말을 영어로 바르게 표현한 것은 무엇입니까?
(   )

> A: I like to draw pictures.
>   너는 어때?
> B: I don't like to draw pictures.

① How are you?   ② How about you?
③ How's it going?   ④ What are you doing?
⑤ What do you do?

12 ‖중요‖ 관련 단원 | 10. 일과 묻고 답하기
대화의 빈칸에 알맞은 말을 세 낱말로 쓰시오.

> A: What time do you do your homework?
> B: I _____ at four.

(   )

13 ‖중요‖ 관련 단원 | 8. 제안하고 답하기
밑줄 친 낱말을 알맞은 모양으로 바꾸어 쓰시오.

> A: Let's go swim.
> B: Sounds fun.

(   )

14 관련 단원 | 10. 일과 묻고 답하기
짝 지어진 대화 중 자연스럽지 않은 것은 무엇입니까?
(   )

① A: Let's go shopping.
   B: Sounds good.
② A: I like to listen to music.
   B: I like to listen to music, too.
③ A: What is your favorite subject?
   B: My favorite subject is P.E.
④ A: What do you do on weekends?
   B: I go hikng with my family.
⑤ A: What time do you have a violin lesson?
   B: I like to play the violin.

[15~16] 다음 대화를 읽고, 물음에 답하시오.

> Jisu : What time do you go to school, Mark?
> Mark : I go to school at eight thirty.
> Jisu : What is your favorite subject?
> Mark : My favorite subject is music.
> Jisu : Can you play the piano?
> Mark : Yes, I can. I like play the piano.

15 ‖중요‖ 관련 단원 | 6. 좋아하는 활동 말하기
대화의 밑줄 친 play를 알맞은 모양으로 바꾸어 쓰시오.

(   )

16 관련 단원 | 10. 일과 묻고 답하기 / 6. 좋아하는 활동 말하기 / 7. 가장 좋아하는 것 묻고 답하기
대화의 내용과 일치하지 않는 것은 무엇입니까? (   )

① Mark는 8시 30분에 학교에 간다.
② Mark가 가장 좋아하는 과목은 음악이다.
③ Mark는 피아노를 칠 수 있다.
④ Mark는 피아노 치는 것을 좋아한다.
⑤ Mark의 장래 희망은 피아니스트이다.

11 장소 소개하기

> This is the kitchen. 이곳은 주방이에요.
> You can cook here. 당신은 이곳에서 요리할 수 있어요.

- '이곳은 ~이에요.'라고 장소를 소개할 때는 「This is the + 장소 이름.」으로 표현합니다.

- 그 장소에서 할 수 있는 일을 말할 때는 「You can + 행동을 나타내는 말 + here[there].」로 표현합니다.

> **참고** 장소 이름
> living room (거실), kitchen (주방), bedroom (침실),
> bathroom (욕실)

12 장소에 있는 것 말하기

> - There is a table in the dinning room.
>   식당에 탁자가 하나 있어요.
> - There are four chairs.
>   의자가 네 개 있어요.

- 어떤 장소에 사물이 하나 있을 때는 「There is a[an] + 사물 이름 + in the + 장소 이름.」이라고 말합니다.

- 어떤 장소에 사물이 둘 이상 있을 때는 「There are + 사물 이름의 복수형 + in the + 장소 이름.」이라고 말합니다.

13 사람의 위치 묻고 답하기

> A: Where are you? 너 어디에 있니?
> B: I'm in my room. 제 방에 있어요.
> A: Where is your mom? 너희 어머니는 어디에 계시니?
> B: She is in the bathroom. 욕실에 계세요.

- 상대방이 어디에 있는지 물을 때는 Where are you?라고 하고 대답할 때는 「I'm in the + 장소 이름.」이라고 말합니다.

- 다른 사람이 어디에 있는지 물을 때는 「Where is + he[she] / 이름[관계를 나타내는 말]?」이라고 하고, 대답할 때는 「He[She] is in the + 장소 이름.」이라고 합니다.

14 외모 묘사하기

(1) 외모 묻고 답하기

> A: What does she look like?
>   그 여자는 어떻게 생겼니?
> B: She is tall. She has short curly hair.
>   그녀는 키가 커. 그녀는 짧은 곱슬머리야.

- 다른 사람의 외모에 대해 물을 때는 What does he[she] look like?라고 합니다.

- 다른 사람의 머리 모양에 대해 말할 때는 「He[She] has + 머리 모양.」으로 표현합니다.

> **참고** 머리 모양을 나타내는 말
> short hair (짧은 머리), long hair (긴 머리),
> straight hair (생머리), curly hair (곱슬머리)

(2) 옷차림 묘사하기

> - He is wearing glasses.
>   그는 안경을 쓰고 있어.
> - She is wearing a green T-shirt.
>   그는 초록색 티셔츠를 입고 있어.

- 옷차림에 대해 말할 때는 「He[She] is wearing (a[an]) + 옷 / 장신구.」로 표현합니다.

> **참고** 옷/장신구를 나타내는 말
> skirt (치마), T-shirt (티셔츠), shirt (셔츠), scarf (스카프),
> jacket (재킷), pants (바지), glasses (안경), shoes (신발), socks (양말)

15 누구의 것인지 묻고 답하기

> A: Whose eraser is this? 이것은 누구의 지우개니?
> B: It's Bomi's. 그것은 보미의 것이야.

- 가까이 있는 물건이 누구의 것인지 물을 때는 「Whose + 물건 이름 + is this?」라고 합니다.

- 물건이 누구의 것인지 말할 때는 「It's + 소유를 나타내는 말.」이라고 합니다.

> **참고** 소유를 나타내는 말
> mine (나의 것), yours (너의 것), Jim's (Jim의 것), Ari's (아리의 것)

영어 **2학기**
11. 장소 소개하기 ~ 15. 누구의 것인지 묻고 답하기

확인문제

[01~02] 그림을 보고, 빈칸에 알맞은 말을 보기 에서 고르시오.

보기
① is wearing a cap　② is wearing glasses
③ has long curly hair　④ has short curly hair
⑤ has long straight hair

관련 단원 | 14. 외모 묘사하기

01　　　　　　　　　　　　　　(　　)

She ＿＿＿＿＿＿＿＿＿＿.

관련 단원 | 14. 외모 묘사하기

02　　　　　　　　　　　　　　(　　)

She ＿＿＿＿＿＿＿＿＿＿.

||중요||
관련 단원 | 15. 누구의 것인지 묻고 답하기

03 대화의 빈칸에 알맞지 <u>않은</u> 것은 무엇입니까?　(　　)

A: Whose baseball is this?
B: It's ＿＿＿＿＿＿.

① mine　　② tall　　③ Kevin's
④ not mine　　⑤ my baseball

관련 단원 | 11. 장소 소개하기

04 다음 빈칸에 알맞은 것은 무엇입니까?　(　　)

This is the ＿＿＿＿＿＿.
You can cook here.
You can have lunch here.

① kitchen　　② bathroom　　③ bedroom
④ living room　　⑤ classroom

||중요||
관련 단원 | 12. 장소에 있는 것 말하기

05 그림을 보고, 빈칸에 알맞은 말을 고르시오.　(　　)

There is a ＿＿＿＿＿＿ in the room.

① chair　　② chairs　　③ table
④ tables　　⑤ sofa

관련 단원 | 13. 사람의 위치 묻고 답하기

06 대화의 빈칸에 알맞은 말을 쓰시오.

A: Mina! ＿＿＿＿＿＿ are you?
B: I'm in the bathroom.

(　　)

관련 단원 | 12. 장소에 있는 것 말하기

07 괄호 안에 주어진 낱말을 바르게 배열하여 쓰시오.

(There, many, are, chairs) in the classroom.

(　　)

관련 단원 | 15. 누구의 것인지 묻고 답하기

08 물건과 주인이 바르게 짝 지어진 것은 무엇입니까?
(　　)

A: Is this your cap, Bomi?
B: No, it's not mine. It's Jinsu's.
A: Whose jacket is this?
B: It's not mine. It's Jimin's.

	모자	재킷		모자	재킷
①	보미	진수	②	보미	지민
③	진수	보미	④	진수	지민
⑤	지민	진수			

|| 중요 ||
09 그림을 보고, 대화의 빈칸에 알맞지 <u>않은</u> 말을 고르시오.
관련 단원 | 14. 외모 묘사하기
(　　　)

A: What does she look like?
B: _____

① She is wearing pants.
② She is wearing a jacket.
③ She is wearing glasses.
④ She has long curly hair.
⑤ She has long brown hair.

10 그림을 보고, 대화의 빈칸에 알맞은 말을 쓰시오.
관련 단원 | 15. 누구의 것인지 묻고 답하기

A: Whose eraser is this?
B: It's not mine.
　　 It's _____ .

(　　　)

[11~12] 대화를 읽고, 물음에 답하시오.

A: Where are you, Mina?
B: I'm _____ the kitchen.
A: What are you doing?
B: I'm making juice.
A: Where is your mom?
B: She is _____ my room. She is sleeping.

|| 중요 ||
11 대화의 빈칸에 공통으로 들어갈 것은 무엇입니까?
관련 단원 | 13. 사람의 위치 묻고 답하기
(　　　)

① at　　　　② in　　　　③ on
④ to　　　　⑤ with

12 대화의 내용과 일치하지 <u>않는</u> 것은 무엇입니까? (　　　)
관련 단원 | 13. 사람의 위치 묻고 답하기
① 미나는 부엌에 있다.
② 미나는 주스를 만들고 있다.
③ 미나는 엄마가 어디에 있는지 알고 있다.
④ 미나의 엄마는 엄마의 방에 있다.
⑤ 미나의 엄마는 자고 있다.

13 다음 그림에서 Jenny는 누구입니까? (　　　)
관련 단원 | 14. 외모 묘사하기

A: What does Jenny look like?
B: She is tall. She has long straight hair.
　　 She is wearing a blue scarf.

① 　　② 　　③ 　　④ 　　⑤

|| 중요 ||
14 짝 지어진 대화 중 자연스럽지 <u>않은</u> 것은 무엇입니까?
관련 단원 | 13. 사람의 위치 묻고 답하기
(　　　)

① A: Where are you?
　 B: I'm in my room.
② A: What does your mom look like?
　 B: She has short curly hair.
③ A: Whose bike is this?
　 B: It's mine.
④ A: There is a sofa in the living room.
　 B: There is a TV, too.
⑤ A: Where is Minsu?
　 B: Minsu is playing games.

|| 중요 ||
15 밑줄 친 ①~⑤ 중 자연스럽지 <u>않은</u> 것은 무엇입니까?
관련 단원 | 15. 누구의 것인지 묻고 답하기
(　　　)

A: Is this your watch?
B: ① <u>Yes, it's mine.</u>
A: ② <u>Whose ruler is this?</u>
B: ③ <u>No, it's not mine.</u> ④ <u>It's Kelly's.</u>
　　 ⑤ <u>That notebook is mine.</u>

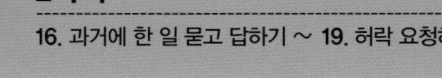
16 과거에 한 일 묻고 답하기

(1) 과거에 한 일 묻고 답하기

> A: What did you do yesterday?
> 너 어제 무엇을 했니?
> B: I watched a movie with my sister.
> 언니와 함께 영화를 봤어.

- 상대방에게 과거에 무엇을 했는지 물을 때는 「What did you do + 과거의 시간을 나타내는 말?」이라고 합니다.
- 과거에 한 일에 대해 말할 때는 「I + 행동을 나타내는 말의 과거형 ~.」이라고 합니다.

> **참고** 행동을 나타내는 말의 과거형
>
> | | | |
> |---|---|---|
> | visit → visited | watch → watched | play → played |
> | go → went | make → made | do → did |
> | eat → ate | swim → swam | see → saw |
> | read → read | cut → cut | put → put |

(2) 과거의 일에 대한 느낌 묻고 답하기

> A: How was your weekend? 주말은 어땠니?
> B: It was good. 좋았어.

- 상대방에게 과거의 특정 시간에 대한 느낌을 물을 때는 「How was your + 특정 시간을 나타내는 말?」이라고 합니다.
- 이에 대해 대답할 때는 「It was + 느낌을 나타내는 말.」이라고 합니다.

17 미래에 할 일 묻고 답하기

> A: What will you do this winter vacation?
> 너는 이번 겨울 방학에 무엇을 할 거니?
> B: I will visit my grandma.
> 나는 할머니 댁을 방문할 거야.

- 미래에 할 일은 「will + 행동을 나타내는 말」을 사용하여 표현합니다.
- 상대방에게 미래에 할 일을 물을 때는 「What will you do + 미래의 시간을 나타내는 말?」이라고 합니다.
- 이에 대해 대답할 때는 「I'll + 행동을 나타내는 말.」이라고 합니다. I'll은 I will의 줄임말입니다.

18 하고 싶은 일 묻고 답하기

(1) 하고 싶은 일 묻고 답하기

> A: What do you want to do?
> 너는 무엇을 하고 싶니?
> B: I want to ride a bike.
> 나는 자전거를 타고 싶어.

- 상대방이 무엇을 하고 싶은지 물을 때는 「What do you want to do?」라고 합니다.
- 자신이 하고 싶은 일을 말할 때는 「I want to + 행동을 나타내는 말.」이라고 합니다.

> **참고** 활동을 나타내는 표현
>
> watch a movie (영화를 보다), feed the dogs (개에게 먹이를 주다),
> visit grandma (할머니 댁을 방문하다), make cookies (쿠키를 만들다),
> ride a bike (자전거를 타다), meet friends (친구들을 만나다),
> go to the park (공원에 가다), go to the museum (박물관에 가다)

(2) 장래 희망 묻고 답하기

> A: What do you want to be?
> 너는 무엇이 되고 싶니?
> B: I want to be a photobrather.
> 나는 사진 작가가 되고 싶어.

- 상대방의 장래 희망을 물을 때는 What do you want to be?라고 합니다.
- 자신의 장래 희망을 말할 때는 「I want to be a[an] + 직업 이름.」이라고 합니다.

19 허락 요청하고 답하기

> A: Can I use your pen? 내가 네 펜 좀 써도 될까?
> B: Sure, you can. 물론이지, 그래도 돼. /
> Sorry, you can't. 미안하지만 안돼.

- '~해도 될까?'라고 상대방의 허락을 요청할 때는 「Can [May] I + 행동을 나타내는 말?」이라고 합니다.
- 상대방의 요청을 허락할 때는 Yes, you can. (응, 그래도 돼.) / Sure, you can. (물론이지, 그래도 돼.) / Of course. (당연하지.) 등으로 대답합니다.
- 요청을 거절할 때는 Sorry, you can't. (미안하지만 안돼.)로 대답합니다. 이때 이어서 거절하는 이유를 말할 수 있습니다.

01 관련 단원 | 16. 과거에 한 일 묻고 답하기

낱말의 현재형과 과거형이 바르게 짝 지어진 것은 무엇입니까? ( )

① go – goed
② do – does
③ cut – cutted
④ see – seed
⑤ play – played

02 관련 단원 | 19. 허락 요청하고 답하기

그림의 빈칸에 알맞은 말은 무엇입니까? ( )

Sure, you can.

① Can I sit here?
② Do you sit here?
③ May I help you?
④ Can you sit here?
⑤ Can you help me?

[03~04] 대화의 빈칸에 알맞은 말을 고르시오.

03 관련 단원 | 16. 과거에 한 일 묻고 답하기 ( )

A: How was your weekend?
B: It was good.
A: What did you do?
B: _____

① I ride a bike.
② I'm reading a book.
③ I like to make cookies.
④ I want to watch a movie.
⑤ I went camping with my family.

04 관련 단원 | 17. 미래에 할 일 묻고 답하기 ( )

A: What will you do this summer vacation?
B: _____

① I was at home.
② I like to swim.
③ I went to the sea.
④ I watched a movie.
⑤ I will go to the beach.

05 중요 관련 단원 | 18. 하고 싶은 일 묻고 답하기

대화의 빈칸에 공통으로 들어갈 말을 쓰시오.

A: What do you want _____ be?
B: I want _____ be a designer.

( )

06 관련 단원 | 19. 허락 요청하고 답하기

James가 축구를 할 수 없는 이유는 무엇입니까? ( )

James: It's sunny.
　　　 Can I play soccer with my friends?
Mom: No, you can't.
　　　 Do your homework first.
James: Okay....

① 비가 오고 있다.
② 시간이 너무 늦었다.
③ 저녁을 먹어야 한다.
④ 숙제를 먼저 해야 한다.
⑤ 축구를 함께할 친구가 없다.

[07~08] 대화의 밑줄 친 낱말을 알맞은 모양으로 바꾸어 쓰시오.

07 중요 관련 단원 | 16. 과거에 한 일 묻고 답하기

A: What did you do last weekend?
B: I visit my uncle in Suwon.

( )

08 중요 관련 단원 | 17. 미래에 할 일 묻고 답하기

A: What will you do this weekend?
B: I go fishing with my mom and dad.

( )

09 관련 단원 | 19. 허락 요청하고 답하기
대화의 빈칸에 알맞은 말은 무엇입니까? 　(　　)

A: Can I feed the monkey?
B: _____

① Sure.
② I like monkeys.
③ It's a monkey.
④ No, you can't.
⑤ Monkeys are brown.

10 관련 단원 | 18. 하고 싶은 일 묻고 답하기
Jenny와 Jessy가 하고 싶은 일은 무엇입니까? (　　)

Jenny: What do you want to do?
Jessy : I want to go shopping. What about you?
Jenny: I want to go shopping, too.
　　　　Let's go shopping together.
Jessy : Okay.

① 캠핑
② 쇼핑
③ 낚시
④ 점심 식사
⑤ 자전거 타기

11 관련 단원 | 16. 과거에 한 일 묻고 답하기
밑줄 친 ①~⑤ 중 낱말의 쓰임이 틀린 것은 무엇입니까?
　(　　)

A: How ① is your weekend?
B: It ② was good.
A: What did you ③ do?
B: I ④ went to the park. I ⑤ rode a bike there.

||중요||
12 관련 단원 | 17. 미래에 할 일 묻고 답하기
대화의 빈칸에 알맞지 않은 것은 무엇입니까? 　(　　)

A: What will you do _____?
B: I will go camping.

① tomorrow
② yesterday
③ this summer
④ this Sunday
⑤ this winter vacation

13 관련 단원 | 18. 하고 싶은 일 묻고 답하기
대화의 밑줄 친 낱말을 알맞은 모양으로 각각 바꾸어 쓰시오.

A: What do you want (1) do?
B: I want (2) listen to music.

(1) (　　　　　　)　　(2) (　　　　　　)

||중요||
14 관련 단원 | 19. 허락 요청하고 답하기
짝 지어진 대화 중 자연스럽지 않은 것은 무엇입니까?
　(　　)

① A: What do you want to be?
　　B: I want to be a pilot.
② A: Can I eat some cookies?
　　B: Yes, you are.
③ A: What will you do this Saturday?
　　B: I will watch a movie.
④ A: What did you do yesterday?
　　B: I went camping with my family.
⑤ A: What do want to do?
　　B: I want to have breakfast.

[15~16] 대화를 읽고, 물음에 답하시오.

Mina: How was your summer vacation?
Jina : It was wonderful.
Mina: (do, What, you, did)?
Jina : I went to the beach. What about you?
Mina: I visited my grandma in Busan. It was great.

||중요||
15 관련 단원 | 16. 과거에 한 일 묻고 답하기
괄호 안에 주어진 낱말을 바르게 배열하여 쓰시오.
(　　　　　　　　　　　　　　　　)

16 관련 단원 | 16. 과거에 한 일 묻고 답하기
대화의 내용과 일치하지 않는 것은 무엇입니까? (　　)

① 지나는 여름방학을 멋지게 보냈다.
② 지나는 여름방학에 해변에 갔다.
③ 미나는 부산에 갔다.
④ 미나의 할머니는 부산에 계신다.
⑤ 미나는 부산에서 태어났다.

모의 평가

모의 평가 1회

출제 범위: 5학년 전 범위   문항 수: 25문항

점수

정답과 해설 12쪽

[01~02] 다음 대화를 읽고 물음에 답하시오.

소희: 30분이나 지났는데 왜 이렇게 안 오지?
은주: 미안해!
소희: 왜 이렇게 늦었니?
은주: 정말 미안해! 부모님 심부름을 하고 오느라 늦었어.
소희: 그래, 다음부터 약속 시간을 잘 지켰으면 좋겠어. 너한
　테 무슨 일이 생긴 줄 알고 걱정했잖아.
은주: 　　⊙　　, 소희야!

대화 태도 파악하기

01 소희는 은주의 말을 듣고 어떻게 반응했습니까? (　　　)

① 은주의 말을 무시했다.
② 은주의 처지를 이해해 주었다.
③ 은주의 사과를 받아주지 않았다.
④ 은주의 말을 들으려 하지 않고 화만 냈다.
⑤ 딴생각을 하느라 아무런 반응을 하지 않았다.

공감하며 대화하기

02 　⊙　에 들어갈 알맞은 말은 무엇입니까?　(　　　)

① 화를 내서 미안해
② 걱정해 줘서 고마워
③ 나도 많이 걱정했는데……
④ 아무 일이 없어서 다행이야
⑤ 너도 약속을 잘 안 지키잖아

경험을 떠올리며 시 바꾸어 쓰기

03 시 **가**를 **나**와 같이 바꾸어 썼을 때 떠올린 경험은 무엇이겠
습니까?　(　　　)

> **가** 꽃이 얼굴을 내밀었다
>
> 　내가 먼저 본 줄 알았지만
> 　봄이 쫓아가던 길목에서
> 　내가 보아 주기를 날마다 기다리고 있었다
>
> **나** 친구가 손을 내밀었다
>
> 　나만 화해하고 싶은 줄 알았는데
> 　마음이 갈라지는 길목에서
> 　내가 손 내밀어 주기를 날마다 기다리고 있었다

① 친구와 화해한 경험　　② 봄에 꽃을 본 경험
③ 친구와 손을 잡은 경험　④ 길에서 친구를 만난 경험
⑤ 봄이 오기를 기다린 경험

[04~05] 다음 글을 읽고 물음에 답하시오.

　우리나라에는 화강암을 쪼아 만든 석탑이 많습니다. ⊙그
가운데에서 가장 유명한 탑은 다보탑과 석가탑입니다. 다보
탑과 석가탑에는 공통점과 차이점이 있습니다.
　다보탑과 석가탑은 공통점이 있습니다. 두 탑은 모두 통일
신라 시대에 만든 탑으로서 불국사 대웅전 앞뜰에 나란히 서
있습니다. ⓒ또 두 탑은 그 가치를 인정받아 국보로 지정되었
습니다.
　ⓒ두 탑의 모습은 매우 다릅니다. 다보탑은 장식이 많고
화려합니다. 십자 모양의 받침 주변에 돌계단을 만들고 그 위
에 사각·팔각·원 모양의 돌을 쌓아 올렸습니다. 반면 석가탑
은 단순하면서도 세련된 멋이 있습니다. 사각 평면 받침 위에
돌을 삼 층으로 쌓아 올려 매우 균형 있는 모습을 자랑합니다.

중심 문장 찾기

04 ⊙~ⓒ 중에서 중심 문장을 찾아 기호를 쓰시오.

(　　　　　　)

여러 가지 설명 방법 알기

05 이 글을 다음과 같은 틀에 정리할 때, ㉮ 부분에 들어갈 내용
이 <u>아닌</u> 것은 무엇입니까?　(　　　)

다보탑　㉮　석가탑

① 국보로 지정되었다.
② 불국사 대웅전 앞뜰에 있다.
③ 화강암을 쪼아 만든 석탑이다.
④ 통일 신라 시대에 만든 탑이다.
⑤ 받침 주변에 돌계단을 만들었다.

의견의 타당성 평가하기

06 '개교기념일을 뜻깊게 보내는 방법'에 대한 다음 의견이 타당
하지 <u>않은</u> 까닭은 무엇입니까?　(　　　)

> 영지: 우리 학교의 자랑거리를 찾으면 좋겠습니다. 저
> 　는 우리 학교 도서관이 참 편리해서 자주 가거든요.
> 　제가 지금까지 대출한 책만 해도 200권이 넘습니다.

① 실천하기 어려운 의견이다.
② 의견을 구체적으로 말하지 않았다.
③ 토의 주제와 관련 없는 의견을 내세웠다.
④ 의견에 대한 까닭이 토의 주제에 맞지 않는다.
⑤ 자신의 제안을 내세우기만 하고 근거는 말하지 않았다.

07 다음 문장이 어색한 까닭은 무엇입니까?   (   ) 문장 성분 이해하기

> 선수가 잡았습니다.

① 문장에 주어가 없다.
② 문장에 서술어가 없다.
③ 어떤 선수가 잡았는지 나와 있지 않다.
④ 선수가 무엇을 잡았는지 드러나지 않았다.
⑤ 선수가 어떻게 잡았는지 설명하지 않았다.

[08~09] 다음 글을 읽고 물음에 답하시오.

> 앞으로 인공 지능은 우리의 삶 곳곳에 영향을 미칠 것입니다. 그런 미래는 편리함이라는 빛만큼이나 위험하고 어두운 그림자 또한 있을 것이라고 생각합니다. 그러므로 인공 지능이 일으킬 위험을 막을 방법도 생각해야 합니다.
> 첫째, 인공 지능을 가졌느냐 아니냐에 따라 부자는 더 부자가 되고 가난한 사람은 더욱 가난해질 것입니다. 이로써 사회적·경제적 불평등은 더욱 심해질 것입니다.
> 둘째, 힘이 강한 나라나 집단이 힘이 약한 나라나 사람들을 지배할 수도 있습니다. 인공 지능이 발달하면 힘 있는 사람들의 지배력이 지금과 비교가 안 될 정도로 강해질 것입니다. 즉 나라 사이에 새로운 지배 관계가 생길 위험이 매우 크다고 생각합니다.

08 글쓴이의 생각과 <u>다른</u> 내용은 무엇입니까?   (   ) 글쓴이의 생각 파악하기

① 인공 지능은 편리함을 주지만 위험한 면이 있다.
② 미래에 인공 지능은 우리 삶에 많은 영향을 줄 것이다.
③ 인공 지능 때문에 경제적 불평등이 더욱 심해질 것이다.
④ 인공 지능을 잘 관리하면 인류에게 전혀 위험하지 않을 것이다.
⑤ 힘이 강한 나라는 인공 지능의 발달과 함께 지배력이 강해질 것이다.

09 이 글에 많이 쓰인 낱말 두 가지를 고르시오. (,   ) 중요한 낱말 찾기

① 빛   ② 위험   ③ 불평등
④ 편리함   ⑤ 인공 지능

10 기행문의 끝부분에 쓰는 내용은 무엇입니까?   (   ) 기행문에 들어가는 내용 알기

① 여행 일정 소개   ② 여행의 전체 감상
③ 여행하면서 있었던 일   ④ 여행한 까닭이나 목적
⑤ 인상 깊은 경험이나 이야기

11 다음 중 여정이 드러난 표현은 무엇입니까?   (   ) 기행문의 특성 알기

① 불국사에는 청운교와 백운교가 있다.
② 창덕궁이 유네스코 세계 문화유산이 되었다고 한다.
③ 이른 아침에 과거와 현재가 어우러진 인사동에 도착했다.
④ 현대 기술 수준을 앞선 우리 선조의 지혜가 자랑스럽게 느껴졌다.
⑤ 무령왕릉 내부를 보는 동안 머리카락이 쭈뼛 서는 듯한 감동이 밀려왔다.

12 예원이는 낱말의 뜻을 어떻게 짐작했습니까?   (   ) 낱말의 뜻을 짐작하는 방법 알기

> 예원: 시원아, 책을 읽다가 '바늘방석'이라는 말이 나왔는데 뜻을 잘 모르겠어.
> 시원: 글쎄, '바늘'과 '방석'을 합친 말 같은데…….
> 예원: 아, 그러면 '바늘'은 '바느질할 때 쓰는 뾰족한 것'이고 '방석'은 '자리에 앉을 때 쓰는 것'이니까 '바늘방석'은 바늘처럼 뾰족한 방석이라는 뜻이겠구나.

① 인터넷에서 낱말을 검색해 보았다.
② 선생님께 낱말의 뜻을 여쭈어보았다.
③ 국어사전에서 낱말의 뜻을 찾아보았다.
④ 문장의 앞뒤 내용을 통해 뜻을 짐작했다.
⑤ 이미 아는 뜻으로 모르는 낱말의 뜻을 짐작했다.

13 다음과 같은 이야기가 일기와 다른 점은 무엇입니까? 경험이 드러난 이야기의 특성 알기
  (   )

> 명찬이 반장은 얼굴이 하얗고, 손이 작고 고운 아이였다. 다운 증후군을 앓고 있는 명찬이 반장은 운동장에서 나를 보자마자 생글생글 웃으면서 인사를 건넸다.
> "형아, 안녕!"
> 어눌한 말투였지만 밝고 경쾌한 목소리였다. 옆에 선 누나가 수줍게 웃었다. 보기만 해도 좋은 모양이다. 누나가 좋아하는 명찬이 반장이 다운 증후군을 앓고 있다니 좀 의외였다.

① 읽는 사람을 생각하면서 쓴다.
② 실제 있었던 일을 객관적으로 쓴다.
③ 하루 동안에 일어난 사건만 드러나게 쓴다.
④ 글을 쓴 사람의 생각이 드러나지 않게 쓴다.
⑤ 현실에서 일어날 수 없는 일을 상상하여 쓴다.

14 훑어 읽기 방법을 모두 고르시오. (, ,)

읽는 목적에 따라 글을 읽는 방법 알기

① 글 내용을 자세히 살펴보며 꼼꼼히 읽는다.
② 사진을 살펴보며 필요한 내용이 있을지 짐작한다.
③ 제목을 가장 먼저 읽고 필요한 내용이 있는지 생각한다.
④ 중요한 낱말을 읽으면서 필요한 내용이 있는지 찾아본다.
⑤ 자신이 아는 내용과 새롭게 안 내용을 비교하여 자세히 읽는다.

15 경험한 일을 떠올리며 글을 쓰는 방법으로 알맞지 <u>않은</u> 것은 무엇입니까? ( )

체험한 일을 떠올리며 글 쓰기

① 인상적인 체험을 중심으로 쓴다.
② 체험한 내용을 자세하게 풀어 쓴다.
③ 체험에 대한 감상은 끝부분에만 쓴다.
④ 체험에 대한 생각이나 느낌을 생생하게 쓴다.
⑤ 글 내용에 따라 적절하게 문단을 나누어 쓴다.

[16~17] 다음 글을 읽고 물음에 답하시오.

> **가** 중국의 중학교부터 들어갔어. 2년 반 만에 영어와 중국어를 다 배웠지. 중국의 비행 학교를 찾아갔어.
> ⊙"여자는 들어올 수 없소!"
> 여자는 날 수 없다네? 중국에서도.
> 나는 윈난성의 장군 당계요를 찾아갔어.
> **나** 당계요 장군은 많이 놀랐지.
> "여자가 어떻게 여기 왔나?"
> "세상을 돌고 돌아 왔어요."
> "여자가 왜 여기 왔나?"
> "하늘을 날고 싶어서요."
> "여자가 왜 비행사가 되려 하나?"
> "내 나라를 빼앗아 간 일본과 싸우려고요!"
> ⓒ"…… 좋다!"
> 당 장군은 비행 학교에다 편지를 썼어. 여자가 자기 나라를 되찾으려고 왔으니 꼭 들여보내라고 썼어.

16 ⊙과 같은 말을 들었을 때 '나'의 기분으로 알맞은 것을 두 가지 고르시오. (,)

인물의 마음 헤아리기

① 신기하고 놀라웠을 것이다.
② 자유롭다고 생각했을 것이다.
③ 억울하다는 생각이 들었을 것이다.
④ 발을 동동 구를 정도로 신났을 것이다.
⑤ 공정하지 못하다는 마음이 들었을 것이다.

17 ⓒ을 공감하며 대화하는 방법에 따라 바꾸어 쓴 말로 알맞은 것을 찾아 선으로 이으시오.

공감하며 대화하기

(1) 공감하며 말하기 • • ① "내가 너라도 나라를 빼앗기면 되찾고 싶을 것이다."

(2) 처지를 바꾸어 생각하기 • • ② "좋다. 비행 학교에 들어갈 수 있게 편지를 써 주겠다."

[18~19] 다음 글을 읽고 물음에 답하시오.

> **가** 세계보건기구[WHO]는 아동 비만을 21세기 최대 건강 문제 가운데 하나로 꼽고 있다. 한국도 예외는 아니다. 교육부에 따르면 2017년을 기준으로 우리나라 초중고 비만 학생은 100명당 약 17.3명인데 해마다 꾸준히 증가하고 있다.
> 영국의 한 초등학교에서 실시한 건강 달리기 프로그램이 성공을 거두어 큰 관심을 끌고 있다. 이 학교는 날마다 적절한 시간을 정해 1.6킬로미터를 달리게 하고 있다. 학생들을 관찰한 □□대학의 ○ 박사는 "이 학교의 학생들에게는 비만 문제가 보이지 않는다."라고 했다.
> 미국 일리노이주의 한 학교 역시 건강 달리기로 하루를 시작한다. 이 학교의 학생들은 건강은 물론 집중력도 향상되었고, 우울증과 불안감은 줄어들었다고 한다.
> 『○○신문』

> **나**
>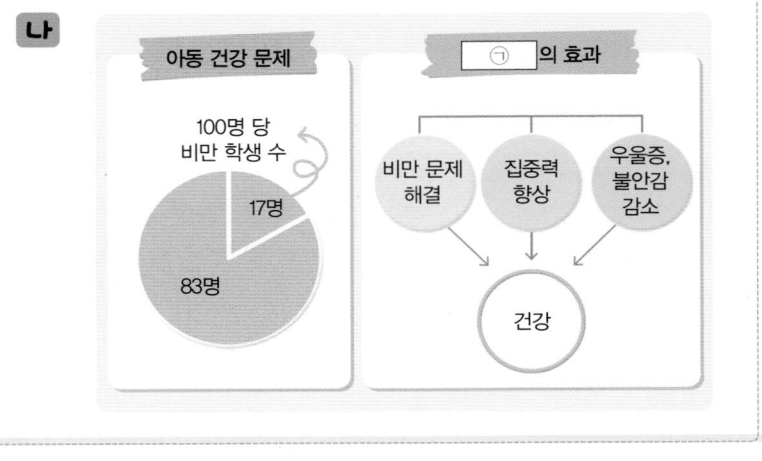

18 **가**와 **나**의 특징으로 알맞지 <u>않은</u> 것은 무엇입니까? ( )

자료의 특성 파악하기

① **가**는 신문 기사이다.
② **나**는 **가**의 내용을 요약한 것이다.
③ **가**와 **나**는 건강 달리기에 대한 자료이다.
④ 한눈에 이해하기 쉽게 표현한 자료는 **가**이다.
⑤ **나**는 **가**의 내용을 도형과 선, 화살표로 나타냈다.

19 ⊙에 들어갈 알맞은 말을 글 **가**에서 찾아 쓰시오. ( )

자료 요약하기

20 다음 내용은 글쓰기 과정 중 어느 단계에서 생각할 내용입니까? ( )

글쓰기 과정 이해하기

- 동생의 모습을 좀 더 재미있게 표현해 보자.
- 읽는 사람이 관심을 보일 만한 제목은 무엇일까?
- 대화 내용을 실감 나게 쓰면 읽는 사람이 더 흥미롭게 읽을 수 있을 거야.

① 글을 고치는 단계
② 직접 글을 쓰는 단계
③ 쓸 내용을 나누는 단계
④ 글 쓸 준비를 하는 단계
⑤ 쓸 내용을 떠올리는 단계

21 시를 읽고 토론을 할 때, 주제에 맞지 <u>않는</u> 의견을 말한 사람은 누구인지 쓰시오.

시 읽고 독서 토론 하기

시장에 간 우리 고모 물건 사고 아주머니가 돌려주는 거스름돈, 꼭 세어 보아요	은행에 간 고모 현금 지급기가 '달깍' 내미는 돈 세어 보지도 않고 지갑에 얼른 넣는 거 있죠?

수민: '인공 지능 시대에 사람의 가치는 낮아질 것인가?'라는 주제로 토론을 해 보자.
현재: 이 시는 사람보다 기계를 더 믿는 현실을 비판적으로 바라보는 것 같아.
정윤: 나는 외삼촌께서 용돈을 주시면 돈을 세어 보지 않고 그냥 지갑에 넣어.
리아: '시장'과 '은행'을 대비하려고 한 연씩 구성한 점이 시의 주제를 더 잘 드러내.

( )

[22~23] 연속극의 장면을 정리한 내용을 보고 물음에 답하시오.

장면	인물이 처한 상황	표현 방법
❶	허준이 밤새도록 환자를 치료하는 장면	치료 장면을 연달아 보여 준다.
❷	여기서 무너지면 안 된다고 다짐하는 장면	㉠인물의 속마음을 그대로 들려준다.

22 장면 ❶에 어울리는 배경 음악은 무엇입니까? ( )

매체 자료의 표현 방법 알기

① 경쾌한 느낌의 음악
② 잔잔하고 차분한 음악
③ 비장한 느낌을 주는 음악
④ 평화로운 느낌을 주는 음악
⑤ 불안하고 긴장되는 느낌의 음악

23 ㉠의 내용으로 알맞은 것은 무엇이겠습니까? ( )

매체 자료의 내용 파악하기

① '너무 피곤하니 잠깐 눈을 붙여야겠어.'
② '도저히 안 되겠어. 도와줄 사람을 찾아야지.'
③ '정신을 차려야 한다. 여기서 무너지면 안 돼!'
④ '이제 환자들이 돌아갈 때도 된 것 같은데…….'
⑤ '환자가 너무 많구나. 더 이상은 힘들어서 안 되겠어.'

24 글을 요약하기에 알맞은 틀을 골라 ○표 하시오.

글의 내용을 틀에 요약하기

사람들은 많은 물건을 한꺼번에 나르려고 바구니를 이용한다. 그렇다면 동물들은 한꺼번에 먹이를 나르려고 무엇을 이용할까?
다람쥐는 볼주머니를 이용한다. 볼주머니는 입안 좌우에 있는 큰 주머니를 말한다. 다람쥐는 먹이를 입에 넣은 다음 볼에 차곡차곡 담는데 밤처럼 너무 큰 먹이는 이빨로 잘라서 넣기도 한다. 다람쥐의 경우 도토리 같은 열매 열 개 이상을 볼주머니에 잠시 저장할 수 있다.
원숭이도 볼주머니가 있다. 원숭이의 볼주머니에는 사과 한 개 정도가 들어갈 수 있는 공간이 있다. 원숭이는 먹이를 발견하면 대충 씹어 그곳에 잠시 저장한다. 그런 다음 다른 원숭이에게 먹이를 빼앗기지 않으려고 안전한 장소로 이동한 뒤 먹이를 조금씩 꺼내어 먹는다.

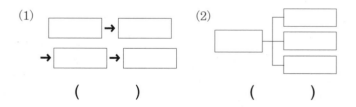

(1) ( ) (2) ( )

25 다음 그림에서 여자아이가 발표할 때 잘못한 점은 무엇입니까? ( )

발표 태도 살펴보기

① 너무 빠른 속도로 발표했다.
② 발표 내용을 보지 않고 말했다.
③ 발표 자료를 너무 작게 보여 줬다.
④ 한 화면에 너무 많은 내용을 제시했다.
⑤ 듣는 사람이 알아듣지 못하게 작게 말했다.

모의 평가 1회

출제 범위: 5학년 전 범위   문항 수: 25문항

점수

정답과 해설 13쪽

덧셈과 뺄셈이 섞여 있는 식의 계산

01 식의 계산 결과는 어느 것입니까?   (   )

$$19-7+8$$

① 4　　　　② 10　　　　③ 15
④ 20　　　　⑤ 24

선대칭도형 알기

02 선대칭도형은 어느 것입니까?   (   )

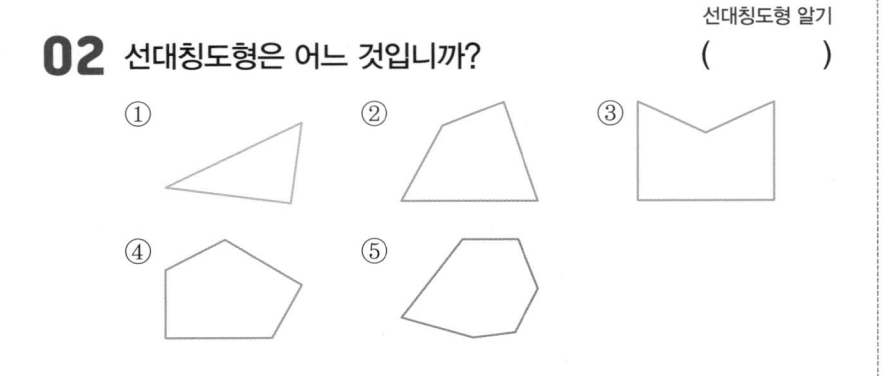

① 　　　② 　　　③

④ 　　　⑤

기약분수 알아보기

03 $\frac{27}{72}$ 을 기약분수로 나타내려고 합니다. 어떤 수로 약분해야 합니까?   (   )

① 1　　　　② 3　　　　③ 4
④ 6　　　　⑤ 9

덧셈, 뺄셈, 곱셈, 나눗셈이 섞여 있는 식의 계산 순서 알기

04 가장 먼저 계산해야 하는 부분은 어느 것입니까?
(   )

$$15+9\times(7-3)\div2+8$$
$$\uparrow\quad\uparrow\quad\uparrow\quad\quad\uparrow\quad\uparrow$$
$$①\quad②\quad③\quad④\quad⑤$$

배수 알아보기

05 어떤 수의 배수를 가장 작은 수부터 쓴 것입니다. 13번째의 수는 어느 것입니까?   (   )

$$6,\ 12,\ 18,\ 24,\ 30,\ \dots$$

① 36　　　　② 66　　　　③ 78
④ 84　　　　⑤ 90

수직선에 나타낸 수의 범위 알기

06 수직선에 나타낸 수의 범위에 속하지 <u>않는</u> 수는 어느 것입니까?   (   )

24　25　26　27　28　29　30　31　32　33

① 26　　　　② 26.1　　　　③ 28.8
④ 30.5　　　　⑤ 31

약수의 수 구하기

07 약수의 수가 가장 적은 수는 어느 것입니까?   (   )

① 6　　　　② 10　　　　③ 14
④ 17　　　　⑤ 25

진분수의 덧셈 알아보기

08 계산 결과가 $\frac{5}{12}$ 인 것은 어느 것입니까?   (   )

① $\frac{2}{5}+\frac{3}{7}$　　　② $\frac{1}{4}+\frac{1}{6}$　　　③ $\frac{4}{9}+\frac{5}{18}$
④ $\frac{1}{3}+\frac{3}{4}$　　　⑤ $\frac{5}{6}+\frac{1}{2}$

점대칭도형의 대응변 알기

09 오른쪽 점대칭도형에서 변 ㄱㄴ 의 대응변은 어느 것입니까?
(   )

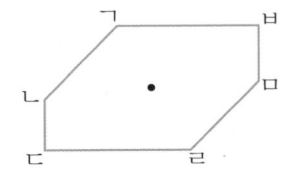

① 변 ㄴㄷ　　　② 변 ㄷㄹ　　　③ 변 ㄹㅁ
④ 변 ㅁㅂ　　　⑤ 변 ㅂㄱ

10 문어의 수와 문어 다리의 수 사이의 대응 관계를 쓰시오.

대응 관계 알아보기

(   )

11 직육면체에서 면 ㄴㅂㅅㄷ과 서로 평행한 면은 어느 것입니까?

직육면체의 밑면 알아보기

(   )

① 면 ㄱㄴㄷㄹ   ② 면 ㄱㅁㅇㄹ   ③ 면 ㄴㅂㅁㄱ

④ 면 ㄷㅅㅇㄹ   ⑤ 면 ㅁㅂㅅㅇ

12 계산 결과가 $\frac{5}{8}$보다 작은 것을 두 가지 고르시오.

분수의 곱셈의 크기 비교하기

(,   )

① $\frac{5}{8} \times 3$ ② $\frac{2}{5} \times \frac{5}{8}$ ③ $2 \times \frac{5}{8}$

④ $\frac{5}{8} \times \frac{5}{8}$ ⑤ $\frac{5}{8} \times 1\frac{1}{2}$

13 정육면체의 전개도가 될 수 <u>없는</u> 것은 어느 것입니까?

정육면체의 전개도 알아보기

(   )

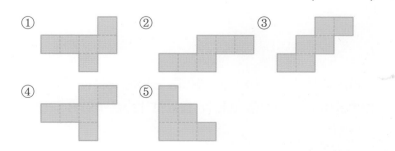

14 한 변의 길이가 17 cm인 정오각형의 둘레는 몇 cm입니까?

다각형의 둘레 구하기

(   )

① 65 cm   ② 75 cm   ③ 85 cm

④ 95 cm   ⑤ 105 cm

15 분모의 최소공배수로 통분할 때 $\left(\frac{4}{5}, \frac{5}{6} \right)$와 공통분모가 같은 것은 어느 것입니까?

최소공배수로 통분하기

(   )

① $\left(\frac{13}{15}, \frac{17}{30} \right)$ ② $\left(2\frac{5}{12}, \frac{7}{18} \right)$ ③ $\left(\frac{11}{12}, 3\frac{2}{5} \right)$

④ $\left(\frac{9}{20}, \frac{4}{15} \right)$ ⑤ $\left(\frac{29}{36}, \frac{1}{6} \right)$

16 철사가 $3\frac{2}{5}$ m 있습니다. 그중에서 미술 시간에 자동차 모양을 만들기 위해 $1\frac{2}{3}$ m를 사용했습니다. 남은 철사는 몇 m입니까?

대분수의 뺄셈 활용하기

(   )

① $1\frac{8}{15}$ m   ② $1\frac{11}{15}$ m   ③ $2\frac{8}{15}$ m

④ $2\frac{11}{15}$ m   ⑤ $2\frac{13}{15}$ m

17 곱의 소수점의 위치가 옳은 것은 어느 것입니까?

곱의 소수점의 위치 알기

(   )

① $37 \times 1.8 = 6.66$

② $0.37 \times 18 = 66.6$

③ $37 \times 0.18 = 6.66$

④ $0.037 \times 18 = 6.66$

⑤ $0.0037 \times 18 = 0.666$

18 미희는 8450원짜리 과자를 사려고 합니다. 1000원짜리 지폐로만 사려면 적어도 얼마를 내야 하는지 구해 보시오.

올림 활용하기

( )

19 정수의 몸무게는 42 kg이고, 아버지의 몸무게는 정수의 몸무게의 1.8배라고 합니다. 아버지의 몸무게는 몇 kg입니까?

(자연수)×(소수) 활용하기

( )

① 49.6 kg   ② 55.6 kg   ③ 64.6 kg
④ 75.6 kg   ⑤ 82.6 kg

20 무게가 $3\frac{1}{2}$ kg인 백과사전이 있습니다. 같은 백과사전 3권의 무게는 모두 몇 kg인지 구해 보시오.

분수의 곱셈 활용하기

( )

21 ㉠에 알맞은 수는 어느 것입니까?

삼각형의 넓이 활용하기

( )

27 cm² / ㉠ cm / 9 cm

① 2   ② 3   ③ 4
④ 5   ⑤ 6

22 1부터 6까지의 눈이 그려진 주사위를 한 번 던질 때, 주사위 눈이 2가 나올 가능성을 바르게 표현한 말은 어느 것입니까?

일어날 가능성 알기

( )

① 불가능하다   ② ~아닐 것 같다   ③ 반반이다
④ ~일 것 같다   ⑤ 확실하다

23 오른쪽 직사각형의 둘레가 24 cm일 때 넓이는 몇 cm²입니까?

직사각형의 둘레와 넓이 구하기

9 cm

( )

① 27 cm²   ② 36 cm²   ③ 45 cm²
④ 54 cm²   ⑤ 63 cm²

24 16과 32의 공배수 중에서 100보다 작으면서 100에 가장 가까운 공배수를 구해 보시오.

공배수의 활용하기

( )

25 도영이가 지난 번에 본 4과목의 단원평가 점수의 평균은 85점이었습니다. 이번에 단원평가에서 평균을 90점 받으려면 4과목의 총점은 지난 번 총점보다 몇 점 더 올려야 하는지 구해 보시오.

평균 활용하기

( )

모의 평가 1회

출제 범위: 5학년 전 범위 문항 수: 25문항

정답과 해설 14쪽

우리 국토의 모습과 위치 알아보기

01 우리 국토의 모습과 위치를 잘못 설명한 것은 무엇입니까? ( )

① 우리나라는 북반구에 있다.
② 우리나라는 바다로 둘러싸여 있다.
③ 우리나라는 바다 쪽으로 뻗어 있다.
④ 우리나라는 아시아 대륙의 동쪽에 있다.
⑤ 우리나라 주변에는 중국, 일본, 러시아 등이 있다.

우리나라의 전통적인 지역 구분 알아보기

02 우리나라의 전통적인 지역 구분에 대한 설명으로 알맞은 것은 무엇입니까? ( )

① 한강의 서쪽에 있어서 '호서'라 한다.
② 경기해의 동쪽에 있어서 '해서'라고 한다.
③ 조령 고개의 남쪽에 있어서 '호남'이라 한다.
④ '경기'는 왕이 사는 도읍의 주변 지역을 뜻한다.
⑤ 대관령을 기준으로 서쪽 지방을 '관서', 북쪽 지방을 '관북'이라고 한다.

지형의 특징 살펴보기

03 산지의 특징으로 알맞은 것은 무엇입니까? ( )

① 하천 주변에 나타난다.
② 바다와 맞닿은 육지 부분을 말한다.
③ 높이 솟은 산들이 모여 이룬 지형을 말한다.
④ 농사짓기가 좋아서 사람들이 많이 모여 산다.
⑤ 갯벌이 나타나거나 모래사장이 있는 곳도 있다.

동해안과 서해안의 기온 차이가 나는 까닭 알아보기

04 우리나라의 동해안의 겨울 기온이 서해안보다 높은 까닭을 두 가지 고르시오. (,)

① 동해의 수심이 깊기 때문
② 우리나라가 중위도에 위치해 있기 때문
③ 우리나라가 남북으로 길게 뻗어 있기 때문
④ 태백산맥이 차가운 북서풍을 막아 주기 때문
⑤ 서해안보다 동해안에 평야가 발달해 있기 때문

강수량에 따른 생활 모습 알아보기

05 비가 많이 오는 지역과 눈이 많이 오는 지역에서 쉽게 볼 수 있는 것이 알맞게 짝 지어진 것은 무엇입니까? ( )

구분	비가 많이 오는 지역	눈이 많이 오는 지역
①	설피	저수지
②	설피	우데기
③	우데기	설피
④	터돋움집	우데기
⑤	터돋움집	다목적 댐

우리나라 인구 구성의 특징 알아보기

06 빈칸에 들어갈 알맞은 말을 쓰시오.

오늘날 우리나라의 연령별 인구 구성 비율은 [   ] 사회의 특징을 잘 보여 주고 있다. 아이를 적게 낳는 가정이 늘면서 새로 태어나는 아기의 수는 점점 줄고, 전체 인구에서 노년층이 차지하는 비율은 계속해서 늘고 있다.

( )

우리나라 인구 분포의 특징 알아보기

07 14세 이하의 유소년층 인구가 대도시에 분포해 있는 가장 큰 까닭은 무엇입니까? ( )

① 일 년 내내 기후가 온화하기 때문
② 뛰어놀 수 있는 공간이 많기 때문
③ 주변의 자연환경이 아름답기 때문
④ 많은 교육 혜택을 누릴 수 있기 때문
⑤ 다른 나라의 문화를 쉽게 접할 수 있기 때문

인권이 존중되는 사례 찾아보기

08 생활 속에서 인권이 존중되는 사례로 알맞지 않은 것은 무엇입니까? ( )

① 친구가 하기 싫어하는 숙제를 대신 해 준다.
② 장애인을 위해 장애인 전용 주차 구역을 만든다.
③ 키가 작은 어린이를 위해 낮은 세면대를 설치한다.
④ 노약자와 몸이 불편한 사람을 위해 공공장소에 승강기를 설치한다.
⑤ 임신, 출산 등으로 직장 생활을 잠시 쉬어야 할 때 이를 법적으로 보장한다.

인권 침해 사례 찾아보기

09 다음 대화와 관련이 있는 인권 침해 사례는 무엇입니까?
( )

> 성호: 나도 너희들과 같이 공기놀이하면 안 될까?
> 희정: 넌 남자라서 안 돼!

① 학교 폭력　　　　　② 남녀 차별
③ 사생활 침해　　　　④ 사이버 폭력
⑤ 개인 정보 유출

법으로 제재를 받는 상황과 그렇지 않은 상황 구분하기

10 보기 에서 법으로 제재를 받는 상황을 두 가지 골라 기호를 쓰시오.

> 보기
> ㉠ 형제끼리 다투는 것
> ㉡ 버스를 탈 때 줄을 서지 않는 것
> ㉢ 횡단보도가 아닌 곳에서 길을 건너는 것
> ㉣ 가게에서 돈을 내지 않고 물건을 가져가는 것

(,)

우리 생활 속 법 찾아보기

11 다음 신문 기사의 빈칸에 들어갈 알맞은 법은 무엇입니까?
( )

> ○○신문　　　　　　　20△△년 △△월 △△일
>
> [ ] 위반한 학교 급식 시설 적발
>
> 　식품 의약품 안전처는 가을 신학기에 학교 식중독을 예방하려고 초·중·고등학교 급식 시설, 학교 매점, 식재료 공급 업체 등 총 7,577곳을 대상으로 점검했다. 그 결과 유통 기한이 지난 제품을 보관하는 등 관련 법을 위반한 학교 총 36곳(0.5%)을 적발해 행정 조치를 내릴 예정이다.

① 저작권법
② 식품 위생법
③ 장애인 차별 금지법
④ 어린이 놀이 시설 안전 관리법
⑤ 어린이 식생활 안전 관리 특별법

헌법에 담긴 내용 알아보기

12 헌법에 담긴 내용으로 알맞지 <u>않은</u> 것은 무엇입니까?
( )

① 우리나라의 건국 이야기가 담겨 있다.
② 대한민국 국민이 누려야 할 권리를 담고 있다.
③ 대한민국 국민이 지켜야 할 의무를 담고 있다.
④ 국가 기관을 조직하고 운영하는 기본 원칙을 제시하고 있다.
⑤ 모든 국민이 존중받고 행복한 삶을 살아가는 데 필요한 내용을 담고 있다.

헌법에 나타난 국민의 의무 알아보기

13 국민의 의무와 일상생활에서 실천하는 사례를 알맞게 선으로 이으시오.

(1) 국방의 의무　　·　　·㉮ 누나가 돈을 벌어서 세금을 냄.

(2) 납세의 의무　　·　　·㉯ 자녀를 학교에 보내 교육을 받게 함.

(3) 근로의 의무　　·　　·㉰ 형이 고등학교를 졸업하고 입대했음.

(4) 교육의 의무　　·　　·㉱ 부모님께서 가게를 운영하심.

고조선의 건국 과정 알아보기

14 다음은 고조선의 건국 이야기의 일부입니다. 밑줄 친 부분에 담겨 있는 의미는 무엇입니까?
( )

> <u>웅녀는 환웅와 결혼해</u> 아들을 낳았고, 그 아들이 후에 단군왕검이 되었다. 단군왕검은 아사달로 도읍을 옮겨 고조선을 건국했다.

① 하늘에 제사를 지냈다.
② 농업을 중요하게 생각했다.
③ 지배자들이 세력을 키우고 싶어 했다.
④ 곰을 믿는 부족이 환웅 부족과 연합했다.
⑤ 곰을 믿는 부족과 호랑이를 믿는 부족이 환웅 부족과 연합하고 싶어 했다.

신라의 전성기를 이끈 왕 알아보기

15 백제와 전쟁을 벌여 한강 유역을 차지했으며, 신라의 전성기를 이끈 왕은 누구입니까?
( )

① 진흥왕　　　　　　② 장수왕
③ 법흥왕　　　　　　④ 근초고왕
⑤ 광개토 대왕

후삼국 알아보기

16 후삼국 시대에 대한 설명으로 알맞지 <u>않은</u> 것은 무엇입니까?
( )

① 왕건은 후고구려의 건국을 도왔다.
② 견훤이 후고구려, 궁예가 후백제를 세웠다.
③ 왕건은 송악의 호족으로 후백제와의 여러 전투에 참여해 뛰어난 공을 세웠다.
④ 신라 말에 나라가 신라, 후백제, 후고구려로 나뉘었는데, 이를 후삼국이라고 한다.
⑤ 왕건은 궁예가 신하를 의심하고 죽이며 일부 호족들을 억압하자 궁예를 몰아내었다.

거란의 침입 알아보기

17 2차 침입 이후 거란이 고려에 요구한 것은 무엇입니까?
（　　　）

① 송과 관계를 끊어라.
② 강동 6주를 돌려 달라.
③ 거란에 조공을 바쳐라.
④ 거란의 문화를 받아들여라.
⑤ 거란과 임금과 신하의 관계를 맺어라.

조선의 건국 과정 알아보기

18 고려 말 상황으로 알맞지 <u>않은</u> 것은 무엇입니까? （　　　）

① 고려 개혁파와 조선 개국파의 갈등이 생겼다.
② 홍건적과 왜구의 침입으로 나라가 혼란스러웠다.
③ 신진 사대부의 횡포로 백성의 생활이 어려워졌다.
④ 이성계는 위화도에서 군대를 되돌려 권력을 잡았다.
⑤ 신진 사대부들은 신흥 무인 세력과 손잡고 고려 사회의 문제를 해결하고자 했다.

훈민정음 알아보기

19 훈민정음에 대한 설명으로 알맞지 <u>않은</u> 것은 무엇입니까?
（　　　）

① 백성을 가르치는 바른 소리라는 의미이다.
② 혀와 입술의 모양에서 과학적 원리를 찾아 창제했다.
③ 세종이 훈민정음을 만드는 일에 모든 신하들이 찬성했다.
④ 백성들이 쉽고 편하게 우리글을 쓰도록 하기 위해서 만들었다.
⑤ 훈민정음 창제 이후 백성들이 자신의 생각을 좀 더 쉽게 전달할 수 있게 되었다.

영조의 개혁 정책 알아보기

20 영조가 실시한 정책으로 알맞은 것을 두 가지 고르시오.
（　　，　　）

① 탕평책을 펼쳤다.
② 수원에 화성을 건설했다.
③ 세금을 줄이고 백성의 생활을 안정시켰다.
④ 백성이 좀 더 자유롭게 경제 활동을 할 수 있도록 제도를 고쳤다.
⑤ 규장각을 설치하고 젊은 학자들에게 나랏일과 관련해 학문을 연구하게 했다.

조선 후기에 사회 문제 해결을 위한 노력 알아보기

21 빈칸에 들어갈 알맞은 말을 쓰시오.

> 임진왜란과 병자호란 이후 기존의 학문이 사회 문제를 해결할 방법을 제시하지 못하자 　　　　　(이)라는 학문이 등장했다.

（　　　　　）

을사늑약 알아보기

22 대한 제국이 을사늑약으로 일본에게 빼앗긴 권리는 무엇입니까?
（　　　）

① 입법권　　　　　② 사법권
③ 행정권　　　　　④ 외교권
⑤ 경찰권

[23~24] 다음 글을 읽고 물음에 답하시오.

> 일본의 항복 이후 미국, 영국, 소련의 외무 장관은 모스크바에 모여 한반도의 문제를 어떻게 처리할지 회의했다.

한반도 분단의 과정 알아보기

23 위에서 설명하는 회의를 무엇이라고 하는지 쓰시오.
（　　　　　）

한반도 분단의 과정 알아보기

24 위 회의에서 결정된 내용을 두 가지 고르시오.
（　　，　　）

① 한반도에 임시 정부를 수립한다.
② 최대 5년 동안 신탁 통치를 실시한다.
③ 직접 선거를 통해 대통령을 선출한다.
④ 남한과 북한에 각각 다른 정부를 수립한다.
⑤ 38도선을 경계로 미국과 소련이 한반도에 주둔한다.

6·25 전쟁으로 겪은 어려움 알아보기

25 6·25 전쟁으로 사람들이 겪은 어려움이 <u>아닌</u> 것은 무엇입니까?
（　　　）

① 국토가 황폐해졌다.
② 이산가족이 많이 생겼다.
③ 전쟁고아가 많이 생겼다.
④ 민간인의 피해는 거의 없었다.
⑤ 건물, 도로, 철도, 다리 등이 파괴되었다.

모의 평가 1회

출제 범위: 5학년 전 범위   문항 수: 25문항

정답과 해설 15쪽

탐구 문제를 정하는 방법 알아보기

01 탐구 문제를 정하는 방법으로 옳지 <u>않은</u> 것은 무엇입니까?
( )

① 탐구 범위가 좁고 구체적이어야 한다.
② 실험을 통하여 검증할 수 없는 것을 정한다.
③ 무엇을 알아보고자 하는 것인지 명확해야 한다.
④ 궁금했던 점 중에서 알아보고 싶은 내용을 정한다.
⑤ 스스로 탐구할 수 있는 문제인지 생각하고 정한다.

온도가 다른 두 물질이 접촉했을 때 온도 변화 알아보기

02 온도가 다른 두 물질이 접촉할 때 두 물질의 온도 변화에 대한 설명으로 옳지 <u>않은</u> 것은 무엇입니까? ( )

① 온도가 낮은 물질은 온도가 높아진다.
② 온도가 높은 물질은 온도가 낮아진다.
③ 온도가 변하는 까닭은 열의 이동 때문이다.
④ 열은 온도가 낮은 물질에서 온도가 높은 물질로 이동한다.
⑤ 두 물질이 접촉한 채로 시간이 충분히 지나면 두 물질의 온도는 같아진다.

고체에서 열의 이동 알아보기

03 오른쪽과 같이 열 변색 붙임딱지를 붙인 구리판, 유리판, 철판을 뜨거운 물에 넣었습니다. 이 실험을 통해 알 수 있는 사실로 옳은 것을 두 가지 고르시오. (,)

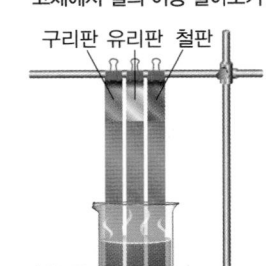

구리판 유리판 철판

뜨거운 물

① 구리판에서는 열이 이동하지 않는다.
② 유리판에서 가장 빨리 열이 이동한다.
③ 구리판이 철판보다 열의 이동이 빠르다.
④ 유리판, 구리판, 철판의 순서로 열이 빠르게 이동한다.
⑤ 고체는 물질의 종류에 따라 열이 이동하는 빠르기가 다르다.

액체에서 열의 이동 알아보기

04 물이 담긴 주전자를 가열하였을 때 시간이 지나면 물 전체가 따뜻해지는 까닭입니다. ( ) 안에 들어갈 알맞은 말을 쓰시오.

온도가 높아진 물은 (㉠)(으)로 이동하고, 위에 있던 물은 (㉡)(으)로 이동하여 물이 전체적으로 따뜻해진다.

㉠: ( ), ㉡: ( )

태양이 생물에게 소중한 까닭 알아보기

05 태양이 생물에게 소중한 까닭으로 옳지 <u>않은</u> 것을 다음 보기 에서 골라 기호를 쓰시오.

보기

㉠ 태양 빛이 있어 얼음이 언다.
㉡ 우리가 따뜻하게 살 수 있게 한다.
㉢ 식물이 양분을 만드는 데 도움을 준다.
㉣ 우리가 밝은 낮에 활동할 수 있게 해 준다.

( )

태양계 행성의 크기 알아보기

06 태양계 행성의 크기에 대한 설명으로 옳지 <u>않은</u> 것은 무엇입니까? ( )

① 수성은 지구보다 크기가 작다.
② 천왕성은 토성보다 크기가 크다.
③ 목성은 태양계에서 가장 큰 행성이다.
④ 수성, 금성, 화성은 상대적으로 크기가 작다.
⑤ 지구와 크기가 가장 비슷한 행성은 금성이다.

행성과 별 비교하기

07 밤하늘에 보이는 행성과 별을 비교한 내용으로 옳지 <u>않은</u> 것은 무엇입니까? ( )

① 행성은 위치가 조금씩 변한다.
② 행성은 스스로 빛을 내지 못한다.
③ 별은 거의 위치가 변하지 않는다.
④ 행성은 태양 빛을 반사하여 빛나 보인다.
⑤ 밤하늘에서 금성과 목성은 주위의 별보다 어둡게 보인다.

용질이 물에 용해되기 전과 용해된 후의 무게 알아보기

08 물 100 g에 소금 8 g이 완전히 용해되어 소금물의 무게가 108 g이 되었습니다. 이 사실로 알 수 있는 것은 무엇입니까? ( )

① 소금물은 용액이 아니다.
② 소금이 물에 녹으면 없어진다.
③ 소금이 물에 녹기 전과 녹은 후의 무게는 같다.
④ 소금이 많이 용해될수록 점점 없어져 짠맛이 약해진다.
⑤ 소금이 많이 용해될수록 비커에 담긴 용액의 높이가 낮아진다.

물의 온도에 따라 용질이 용해되는 양 알아보기

09 물의 양이 모두 같을 때 백반이 가장 많이 용해되는 물의 온도는 무엇입니까? ( )

① 10 ℃   ② 20 ℃   ③ 40 ℃
④ 60 ℃   ⑤ 80 ℃

용액의 진하기 비교하기

10 다음은 진하기가 다른 설탕 용액에 방울토마토를 넣은 모습입니다. 설탕을 가장 많이 녹인 비커의 기호를 쓰시오.

 ㉠　 ㉡　 ㉢

(　　　　　)

곰팡이의 특징 알아보기

11 곰팡이에 대한 설명으로 옳지 <u>않은</u> 것은 무엇입니까?

(　　　　　)

① 뿌리를 내리고 산다.
② 너무 작아서 뭉쳐져 보인다.
③ 줄기, 잎과 같은 모양이 없다.
④ 가는 실 같은 것이 서로 엉켜 있다.
⑤ 푸른색, 하얀색, 검은색 등 여러 가지 색깔의 둥근 알갱이가 있다.

원생생물의 특징 알아보기

12 다음 생물들의 공통점으로 옳은 것은 무엇입니까?

(　　　　　)

▲ 유글레나

▲ 아메바

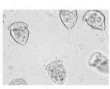
▲ 종벌레

① 공기 중에서 산다.
② 원생생물에 속한다.
③ 세균으로 분류할 수 있다.
④ 동물처럼 복잡한 구조이다.
⑤ 맨눈으로 관찰할 수 있는 크기이다.

다양한 생물이 우리 생활에 미치는 영향 알아보기

13 우리 생활에 이로운 영향을 미치는 다양한 생물이 하는 일로 옳은 것은 무엇입니까?

(　　　　　)

① 된장을 만드는 버섯
② 두부를 만드는 세균
③ 적조를 일으키는 균류
④ 산소를 만드는 아메바
⑤ 건강식품을 만드는 원생생물

생태계 알아보기

14 생태계에 대한 설명으로 옳지 <u>않은</u> 것은 무엇입니까?

(　　　　　)

① 생산자는 스스로 양분을 만든다.
② 분해자는 생물의 배출물을 분해한다.
③ 소비자는 양분을 생산자로부터만 얻는다.
④ 화단, 바다뿐만 아니라 도시도 생태계이다.
⑤ 생태계는 생산자, 소비자, 분해자, 비생물 요소로 이루어진다.

생태 피라미드 알아보기

15 생태 피라미드에 대한 설명으로 옳지 <u>않은</u> 것은 무엇입니까?

(　　　　　)

① 생산자의 수가 가장 많다.
② 1차 소비자의 수가 2차 소비자의 수보다 많다.
③ 생태 피라미드의 가장 아랫부분은 생산자이다.
④ 생산자의 수가 갑자기 늘어나면 1차 소비자의 수는 줄어든다.
⑤ 먹이 단계에 따라 생물의 수나 양을 피라미드의 형태로 표현한 것이다.

비생물 요소가 생물에 미치는 영향 알아보기

16 다음 설명에 해당하는 비생물 요소는 무엇인지 쓰시오.

- 대부분의 식물이 여기에 뿌리를 내린다.
- 쓰레기 배출, 농약이나 비료의 지나친 사용이 오염의 원인이다.
- 오염되면 주변에 심각한 악취가 나고, 식물이 잘 자라지 못하거나 죽기도 한다.

(　　　　　)

습도 알아보기

17 다음 (　　) 안에 공통으로 들어갈 알맞은 말을 쓰시오.

- 차가운 유리컵 표면에 맺힌 물방울은 유리컵 주변의 공기 중에 있던 (　　)이/가 물방울로 바뀐 것이다.
- 공기 중에 (　　)이/가 포함된 정도를 습도라고 한다.

(　　　　　)

18 다음은 수면과 지면의 하루 동안 온도 변화를 나타낸 그래프
입니다. 이에 대한 설명으로 옳지 **않은** 것은 무엇입니까?

(   )

지면과 수면의 하루 동안 온도 변화 알아보기

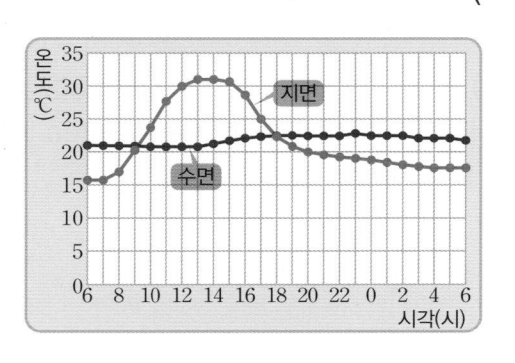

① 낮에는 지면이 더 빨리 데워진다.
② 지면이 수면보다 온도 변화가 더 크다.
③ 밤에는 수면과 지면의 온도 차가 작다.
④ 낮에는 지면과 수면의 온도 차가 거의 없다.
⑤ 밤에는 수면 온도가 지면 온도보다 더 높다.

우리나라 계절별 날씨의 특징 알아보기

19 우리나라의 여름 날씨에 영향을 주는 공기 덩어리에 대한 설
명으로 옳은 것은 무엇입니까?   (   )

① 차갑고 습하다.
② 따뜻하고 습하다.
③ 따뜻하고 건조하다.
④ 육지에서 이동해 온다.
⑤ 북서쪽에서 이동해 온다.

물체의 운동을 나타내는 방법 알아보기

20 자동차의 운동을 옳게 나타낸 것은 무엇입니까? (   )

① 자동차는 1 km를 이동했다.
② 자동차는 빠르게 이동했다.
③ 자동차는 1시간 동안 이동했다.
④ 자동차는 1초 동안 7 m를 이동했다.
⑤ 자동차는 횡단보도 쪽으로 7 m를 이동했다.

일정한 거리를 이동한 물체의 빠르기 알아보기

21 다음은 50 m 달리기를 할 때 걸린 시간을 나타낸 것입니다.
가장 빠른 사람은 누구입니까?   (   )

① 8초 55   ② 9초 10
③ 9초 43   ④ 10초 22
⑤ 11초 30

도로 주변에서 지켜야 할 교통안전 수칙 알아보기

22 도로 주변에서 안전하게 행동한 경우는 무엇입니까?

(   )

① 차도에서 버스 기다리기
② 도로 주변에서 축구하기
③ 좌우를 살피며 횡단보도 건너기
④ 횡단보도가 없는 곳에서 길 건너기
⑤ 스마트 기기를 보면서 횡단보도 건너기

여러 가지 용액 분류하기

23 여러 가지 용액을 다음과 같이 분류했을 때의 분류 기준으로
옳은 것은 무엇입니까?   (   )

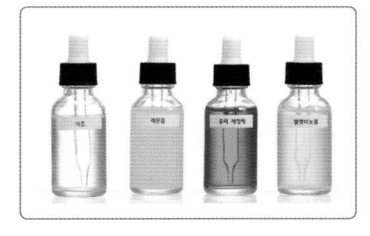 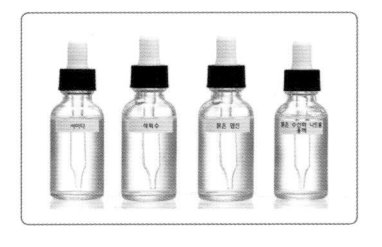

① 불투명한가?
② 짠맛이 나는가?
③ 색깔이 있는가?
④ 푸른색 계열의 색깔을 띠는가?
⑤ 흔들었을 때 거품이 3초 이상 유지되는가?

지시약에 의한 여러 가지 용액의 색깔 변화 알아보기

24 자주색 양배추 지시약을 여러 가지 용액에 떨어뜨렸을 때의
색깔 변화를 **잘못** 짝 지은 것은 무엇입니까?   (   )

① 식초 – 푸른색
② 사이다 – 연한 붉은색
③ 석회수 – 연한 푸른색
④ 유리 세정제 – 푸른색
⑤ 묽은 수산화 나트륨 용액 – 노란색

산성 용액과 염기성 용액을 섞었을 때의 변화 알아보기

25 염산이 새어 나오는 사고가 발생하면 소석회를 뿌려 피해를
줄입니다. 그 까닭에 대한 설명으로 옳은 것은 무엇입니까?

(   )

① 소석회는 주변에서 쉽게 구할 수 있기 때문이다.
② 소석회는 액체를 흡수하는 성질이 있기 때문이다.
③ 소석회는 냄새를 흡수하는 성질이 있기 때문이다.
④ 소석회를 뿌리면 염산의 성질이 점점 강해지기 때문
이다.
⑤ 소석회를 뿌리면 염산의 성질이 점점 약해지기 때문
이다.

모의 평가 1회

출제 범위: 5학년 전 범위 문항 수: 25문항

점수

정답과 해설 16쪽

1번부터 17번까지는 듣고 답하는 문제입니다. 녹음 내용을 잘 듣고, 물음에 답하기 바랍니다. 내용은 한 번만 들려줍니다.

출신 국가 묻고 답하는 표현 이해하기

01 다음을 듣고, 그림에 알맞은 대답을 고르시오. (   )

① 🎧   ② 🎧   ③ 🎧   ④ 🎧   ⑤ 🎧

길 묻고 답하는 표현 이해하기

02 다음을 듣고, 공원으로 가는 길을 바르게 설명한 것을 고르시오.
(   )

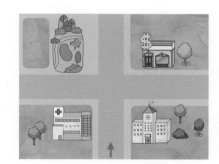

① 🎧   ② 🎧   ③ 🎧   ④ 🎧   ⑤ 🎧

지금 하고 있는 일 묻고 답하는 표현 이해하기

03 대화를 듣고, 엄마가 하고 있는 것을 고르시오. (   )

① 청소   ② 요리   ③ 독서
④ 음악 감상   ⑤ 수영

전화를 하거나 받는 표현 이해하기

04 다음을 듣고, 여자아이가 할 말로 알맞은 것을 고르시오.
(   )

① 🎧   ② 🎧   ③ 🎧   ④ 🎧   ⑤ 🎧

제안하고 답하는 표현 이해하기

05 대화를 듣고, 두 사람이 할 일을 고르시오. (   )

① 테니스   ② 산책하기   ③ 자전거 타기
④ 배드민턴   ⑤ 영화 보기

좋아하는 것 말하는 표현 이해하기

06 대화를 듣고, 두 사람이 공통으로 좋아하는 것을 고르시오.
(   )

① 운동하기   ② 요리하기   ③ 음악 듣기
④ 영화 보기   ⑤ 그림 그리기

일과 묻고 답하는 표현 이해하기

07 대화를 듣고, 미나가 일어나는 시각을 고르시오. (   )

① 6시   ② 6시 30분   ③ 7시
④ 7시 30분   ⑤ 8시

가장 좋아하는 것 묻고 답하는 표현 이해하기

08 대화를 듣고, 민호가 가장 좋아하는 과목을 고르시오.
(   )

① 영어   ② 과학   ③ 음악
④ 체육   ⑤ 사회

장소 소개하는 표현 이해하기

09 다음을 듣고, 설명하고 있는 장소를 고르시오. (   )

① 마당   ② 부엌   ③ 거실
④ 욕실   ⑤ 발코니

사람의 위치 묻고 답하는 표현 이해하기

10 대화를 듣고, 민주가 있는 곳을 고르시오. (   )

① 민주의 방   ② 민주의 집 거실
③ 민주의 반 교실   ④ 민주의 학교 음악실
⑤ 민주의 학교 미술실

11 대화를 듣고, 보미의 것을 고르시오. (　)

물건의 주인 묻고 답하는 표현 이해하기

① 펜　　　　② 자　　　　③ 연필
④ 공책　　　⑤ 지우개

12 대화를 듣고, 미나의 엄마를 고르시오. (　)

외모 묻고 답하는 표현 이해하기

① ② ③ ④ ⑤

13 다음을 듣고, 이어질 대답으로 알맞은 것을 고르시오.

여가 활동 묻고 답하는 표현 이해하기

(　)

① ② ③ ④ ⑤

14 대화를 듣고, 지나가 어제 한 일을 고르시오. (　)

과거에 한 일 묻고 답하는 표현 이해하기

① 친구와 숙제를 했다.
② 친구와 운동을 했다.
③ 친구와 쇼핑을 갔다.
④ 엄마와 마트에 갔다.
⑤ 아빠와 집 청소를 했다.

15 대화를 듣고, 유나가 이번 토요일에 할 일을 고르시오.

미래에 할 일 묻고 답하는 표현 이해하기

(　)

① 엄마와 영화를 볼 것이다.
② 아빠와 등산을 갈 것이다.
③ 엄마와 캠핑을 갈 것이다.
④ 아빠와 낚시를 갈 것이다.
⑤ 엄마와 도서관에 갈 것이다.

16 대화를 듣고, 수미가 하고 싶어 하는 것을 고르시오.

원하는 것 묻고 답하는 표현 이해하기

(　)

① 피자 먹기　　　② 케이크 먹기
③ 피자 만들기　　④ 카드 만들기
⑤ 케이크 만들기

17 다음을 듣고, 자연스럽지 않은 대화를 고르시오. (　)

외모 묻고 답하는 표현 이해하기

① ② ③ ④ ⑤

이제 듣기 문제가 모두 끝났습니다. 18번부터는 문제지의 지시에 따라 답하기 바랍니다.

18 그림에 대한 설명으로 알맞은 것을 고르시오. (　)

다른 사람이 지금 하고 있는 일 나타내는 문장 읽고 이해하기

① He is riding a bike.
② He is reading a book.
③ He is playing the violin.
④ He is drawing a picture.
⑤ He is cleaning his room.

19 다음을 읽고, 글에 알맞은 제목을 고르시오. (　)

좋아하는 계절과 활동 나타내는 글 읽고 이해하기

My favorite season is summer.
My birthday is in summer.
I like to swim in the sea.
I like to eat ice cream in hot weather.
I like summer days!

① 내가 가장 하고 싶은 일
② 내가 가장 좋아하는 음식
③ 내가 가장 좋아하는 계절
④ 내가 받고 싶은 생일 선물
⑤ 더운 날씨에 하면 좋은 일

20 대화의 빈칸에 알맞은 말을 고르시오. (　)

외모 묻고 답하는 문장 완성하기

A: ＿＿＿＿＿＿ does she look like?
B: She has short hair.
　　She is wearing a green shirt.

① How　　　② What　　　③ Who
④ Where　　⑤ Whose

21 그림을 보고, 대화의 빈칸에 알맞은 말이 짝 지어진 것을 고르시오. ( )

길 안내하는 문장 완성하기

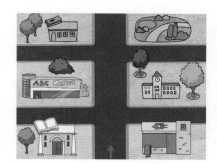

A: Where is the school?
B: Go ___ⓐ___ one block and turn ___ⓑ___.
   It's on your ___ⓒ___.

	ⓐ	ⓑ	ⓒ
①	straight	left	right
②	across	left	right
③	across	right	left
④	behind	right	left
⑤	straight	right	left

22 대화를 읽고, Kate의 일과로 알맞은 것을 고르시오. ( )

일과 묻고 답하는 대화 읽고 이해하기

A: What time do you get up, Kate?
B: I get up at eight o'clock.
A: What time do you go to school?
B: I go to school at eight thirty.
A: What time do you do your homework?
B: I do my homework at four.

Kate의 일과			
	일어나는 시각	학교 가는 시각	숙제하는 시각
①	7시	8시 30분	4시
②	7시	8시 50분	5시
③	7시 30분	8시 30분	3시
④	8시	8시 30분	4시
⑤	8시	8시 50분	5시

23 대화를 읽고, 내용과 일치하는 것을 고르시오. ( )

과거에 한 일과 미래에 할 일에 관한 대화문 읽고 이해하기

Minsu: How was your weekend, Suji?
Suji : It was great.
Minsu: What did you do?
Suji : I visited my grandma in Naju.
Minsu: What will you do this Saturday?
Suji : I'll go to the art museum.

① 수지는 주말을 잘 보냈다.
② 수지는 삼촌 댁을 방문했다.
③ 수지의 삼촌은 나주에 계신다.
④ 수지는 미술 작품 보는 것을 좋아한다.
⑤ 수지는 이번 토요일에 도서관에 갈 것이다.

24 다음 문장을 바르게 고쳐 쓴 것을 고르시오. ( )

장소를 소개하는 문장을 어법에 맞게 고쳐 쓰기

this is the kitchen,

① this is the kitchen?
② this Is the kitchen.
③ This is the kitchen?
④ This is the kitchen.
⑤ This Is the kitchen.

25 다음 카드를 배열하여 문장을 바르게 완성한 것을 고르시오. ( )

하고 싶은 일을 나타내는 문장 완성하기

I	to	learn
Chinese	want	.

① I want learn Chinese to.
② I want learn to Chinese.
③ I want to learn Chinese.
④ I learn want to Chinese.
⑤ I learn to want Chinese.

모의 평가 2회

출제 범위: 5학년 전 범위   문항 수: 25문항

정답과 해설 19쪽

01 시 읽고 경험 떠올리기
다음 시를 읽고 떠올린 경험으로 알맞지 <u>않은</u> 것은 무엇입니까? (   )

> 할머니 아픈 허리는 왜 밟아야 시원할까요?
> 아이쿠! 아이쿠! 하면서도 "꼭꼭 밟아라." 하십니다
> 그래도 나는 겁이 나 자근자근 밟습니다.

① 한눈을 팔다가 실수로 친구의 발을 밟았다.
② 할아버지 어깨를 주물러 드렸던 생각이 났다.
③ 어머니께서 내 다리를 주물러 주신 적이 있다.
④ 동생이 다리에 쥐가 나서 다리를 주물러 준 적이 있다.
⑤ 아버지께서 아프실까 봐 흰머리를 조심히 뽑아 드렸다.

[02~03] 다음 글을 읽고 물음에 답하시오.

> **가** 수일이는 걸상 옆에 앉아 있는 덕실이가 엄마라도 되는 듯이, 덕실이를 곁눈질로 흘겨보며 말했다. 그러고는 영어 학원 가방을 집어서 퍽 소리가 나도록 방바닥에 떨어뜨렸다.
> "으으, 진짜 내가 하나 더 있었으면 좋겠어! 그래야 하나는 학원에 가고 하나는 마음껏 놀 수가 있지."
> "정말 네가 둘이었으면 좋겠니?" / "둘이었으면 좋겠어."
> "참말이야?" / "그래, 참말이야! 혼자서는 너무 힘들어. 어, 그런데 네가 말을 했니?"
> 수일이는 눈을 커다랗게 뜨고 덕실이를 보았다.
> **나** "엄마, 덕실이가요!" / "얘, 너 또 학원 가기 싫으니까 엉뚱한 소리로 빠져나가려고 그러지?"
> 엄마가 안방에서 나오며 말했다. 손에 걸레를 들고 있었다.
> "아니에요, 정말로 말을 했어요!" / "개들도 무슨 말인가 하기는 하겠지. 사람이 못 알아들어서 그렇지."
> "나하고 말을 했다니까요. 나는 알아들었어요. 덕실이가 나한테, '나는 말하면 안 되니?' 그랬어요."

02 인물의 마음 헤아리기
수일이가 자신이 둘이었으면 좋겠다고 말한 까닭은 무엇이겠습니까? (   )

① 혼자 학원에 가는 것이 심심했기 때문이다.
② 덕실이와 놀아 줄 사람이 필요했기 때문이다.
③ 덕실이가 하는 말을 알아듣고 싶었기 때문이다.
④ 함께 공부하면 공부를 더 잘할 수 있을 것 같아서이다.
⑤ 학원에만 왔다 갔다 하는 것이 싫고, 놀고 싶기 때문이다.

03 작품 속 세계와 현실 세계 비교하기
이 이야기에서 알 수 있는, 작품 속 세계와 우리가 사는 현실 세계가 다른 점은 무엇입니까?
• 작품 속 세계에서는 (   )와 대화할 수 있지만 현실 세계에서는 그럴 수 없다.

[04~05] 다음 문장을 보고 물음에 답하시오.

> 매콤한 떡볶이가 익은 고추처럼 빨갛다.
>   ⊙   ⊙   ⊙   ⊙   ⊙

04 문장 성분 이해하기
⊙~⊙ 중에서 문장에 반드시 있어야 하는 부분을 두 가지 고르시오. (,   )

① ⊙   ② ⊙   ③ ⊙
④ ⊙   ⑤ ⊙

05 문장 성분의 역할 파악하기
⊙이 문장에서 하는 역할은 무엇입니까? (   )

① 동작의 대상이 된다.   ② 상태의 주체가 된다.
③ '떡볶이'를 꾸며 준다.   ④ '익은'의 꾸밈을 받는다.
⑤ 주어의 움직임을 설명한다.

06 글 요약하기
요약할 때 필요 없는 문장을 두 가지 고르시오. (,   )

> ①사람은 직업에 따라 고유한 색깔 옷을 입기도 한다. 직업의 특성에 따라 특정 색깔의 옷이 일을 하는 데 도움이 되기 때문이다.
> ②의사나 간호사는 보통 흰색 옷을 입는다. 감염에 민감한 환자들이 있는 병원에서는 위생이 매우 중요한 문제이기 때문이다. ③흰색 옷은 옷이 더러워졌을 때 이를 쉽게 알아차릴 수 있게 해 준다.
> ④법관은 검은색 옷을 입는다. 예전 서양에서는 신분에 따라 입을 수 있는 옷 색깔이 정해져 있었지만, 검은색 옷은 누구나 입을 수 있었다. ⑤법관의 검은색 옷은 법 앞에서 모든 사람이 평등하다는 뜻을 나타내며, 다른 것에 물들지 않고 공정하게 재판해야 한다는 의미를 담고 있다.

07 동형어와 다의어 이해하기
⊙과 ⊙을 알맞게 이해한 것은 무엇입니까? (   )

> 지호: 태빈아, 안녕? 어디 다녀오는 길인가 보구나!
> 태빈: 응, ⊙다리가 부러져서 고치고 오는 길이야.
> 지호: ⊙다리를 다쳤어? 누가? 많이 다쳤어? 걱정되겠다.
> 태빈: 무슨 소리야. 안경다리가 부러져서 고치고 왔어.

① ⊙은 ⊙에 포함되는 낱말이다.
② ⊙은 글자와 다르게 소리 나는 낱말이다.
③ ⊙과 ⊙은 뜻이 서로 반대되는 관계이다.
④ ⊙과 ⊙은 형태는 같지만 뜻이 서로 다른 낱말이다.
⑤ ⊙과 ⊙은 같은 낱말이 여러 가지 뜻을 가진 경우이다.

[08~09] 다음 글을 읽고 물음에 답하시오.

> **가** 어린이 보호 구역에서 유치원생이 목숨을 잃은 사고가 있은 뒤, 초등학생들이 직접 교통사고 대책 마련에 나서 화제가 됐다. 과거에도 같은 곳에서 비슷한 사고가 있었기에 학생들은 학교 앞 어린이 보호 구역이 자신들의 안전을 지켜 주지 못한다는 것을 알았다.
>
> **나** 학생회는 학교 친구들이 직접 학교 앞 어린이 보호 구역 환경 개선을 요구하고 뚜렷한 개선 방안을 낼 것을 계획했다. 학생회는 학교 곳곳에 알림 글을 붙여 전교생이 편지를 쓰자고 했다. 그 결과, 편지가 2주 만에 200여 통이나 쌓였다.
>
> 학교 앞 어린이 보호 구역에 폐회로 텔레비전[CCTV]과 신호등을 설치하고, 불법 주정차 단속을 제대로 해야 한다는 내용이 대부분이었다. 이 가운데 가장 눈에 띄는 제안은 어린이 보호 구역 표지판을 개선하자는 것이었다. 어린이 보호 구역 표지판이 너무 작아 가로수에 가려 잘 보이지도 않는 데다 밤에는 어린이 보호 구역을 알아보기조차 힘들다는 의견이었다. 이에 따라 어린이 보호 구역 표지판의 크기를 키우고 밤에 잘 보일 수 있도록 표지판 테두리를 엘이디(LED)로 반짝이게 만들어 밤이든 낮이든 운전자가 이곳이 어린이 보호 구역임을 분명히 알게 하자는 개선 방안이 나왔다.

문제 상황 파악하기

08 이 글에서 학생들에게 생긴 문제에 ○표 하시오.

(1) 학교 앞 어린이 보호 구역이 줄어들었다. ( )

(2) 학교 주변이 어두워서 집에 갈 때 위험하다. ( )

(3) 어린이 보호 구역에서 유치원생이 교통사고로 목숨을 잃었다. ( )

글쓴이의 의견 찾기

09 문제 상황을 해결하기 위해 학생들이 제안한 방법이 <u>아닌</u> 것은 무엇입니까? ( )

① 어린이 보호 구역에 신호등을 설치한다.

② 어린이 보호 구역 표지판의 크기를 키운다.

③ 어린이 보호 구역에 폐회로 텔레비전을 설치한다.

④ 어린이 보호 구역 둘레를 엘이디로 반짝이게 만든다.

⑤ 어린이 보호 구역에서 불법 주정차 단속을 제대로 한다.

기행문의 요소 알기

10 ㉠에는 무엇이 나타나 있습니까? ( )

> 일출봉의 서쪽은 고운 잔디 능선 위에 돌기둥과 수백 개의 기암이 우뚝우뚝 솟아 있는데 그 사이에 계단으로 만든 등산로가 나 있다. ㉠전설에 따르면 설문대 할망은 일출봉 분화구를 빨래 바구니로 삼고 우도를 빨랫돌로 하여 옷을 매일 세탁했다고 한다.

① 여행한 목적 ② 여행한 시간

③ 여행하면서 다닌 곳 ④ 여행하면서 보고 들은 것

⑤ 여행하면서 생각하거나 느낀 것

[11~12] 다음 글을 읽고 물음에 답하시오.

아름다운 비색을 지닌 고려청자

고려청자는 무엇보다 아름다운 빛깔로 더욱 주목받았다. 청자의 빛깔은 맑고 은은한 푸른 녹색이다. 이는 유약 안에 아주 작은 기포가 많아 빛이 반사되면서 은은하고 투명하게 비쳐 보이기 때문이다. 청자의 색이 짙고 푸른색 윤이 나는 구슬인 비취옥과 색깔이 닮았기 때문에 '비색'이라 불렀는데, 중국 송나라의 태평 노인이 『수중금』이라는 책에서 고려청자의 빛깔을 비색이라 부르며 천하제일이라고 칭찬했다.

청자의 상감 기법은 어느 나라에서도 찾아볼 수 없는 우리 고유의 독창적인 도자기 장식 기법이다. 상감 기법은 그릇을 빚고 굳었을 때 그릇 바깥쪽에 조각칼로 무늬를 새긴 다음, 검은색이나 흰색의 흙을 메운 뒤 무늬가 드러나도록 바깥쪽을 매끄럽게 다듬는 기법이다. 이 기법은 금속 공예나 나전 칠기에 장식 기법으로 쓰고 있었지만, 고려 도공들이 도자기를 만들 때 장식에 처음으로 응용했다.

글의 내용 이해하기

11 고려청자의 특징으로 알맞은 것은 무엇입니까? ( )

① 고려청자는 우리나라 사람들에게만 인정을 받았다.

② 청자의 색은 비취옥과 색깔이 닮아 '비색'이라고 불렸다.

③ 중국의 독창적인 장식 기법인 상감 기법이 우리나라로 전해졌다.

④ 청자의 은은한 빛깔은 유약 안의 기포가 빛을 흡수하여 내는 것이다.

⑤ 상감 기법은 도자기 장식 기법으로 쓰다가 나전 칠기 장식에 응용했다.

읽는 목적에 따라 글을 읽는 방법 알기

12 다음과 같은 상황에서 이 글을 읽을 때 알맞은 읽기 방법은 무엇입니까? ( )

> 지완: 외국에서 온 친구는 고려청자를 잘 모를 거야. 고려청자를 자세히 알려 주고 싶어.

① 제목을 먼저 읽고 제목과 관련된 부분만 찾아 읽는다.

② 각 문단의 중심 문장을 찾아 그 부분을 중심으로 읽는다.

③ 사진을 중심으로 살펴보며 필요한 내용이 있을지 짐작한다.

④ 글 전체를 다 읽지 않고 중요한 낱말을 찾으면서 필요한 내용만 읽는다.

⑤ 고려청자의 뛰어난 점이 무엇인지 자세히 살펴보고 내가 아는 내용과 비교해 읽어 본다.

뜻을 더해 주는 말 이해하기

13 밑줄 친 '풋'은 어떤 뜻을 더해 주는 말입니까? (   )

▲ 풋밤   ▲ 풋고추   ▲ 풋사과

① 덜 익은   ② 쓸데없는
③ 정도가 심한   ④ 다른 것이 없는
⑤ 말리거나 익히지 않은

겪은 일을 이야기로 쓰기

14 겪은 일을 이야기로 만들 때 생각할 점으로 알맞지 <u>않은</u> 것은 무엇입니까?   (   )

① 실제로 경험한 일만 쓴다.
② 읽는 사람이 이해할 수 있게 쓴다.
③ 읽는 사람이 관심을 보일 수 있는 경험을 쓴다.
④ 사건을 어떻게 전개하고 어떻게 해결했는지가 나타나게 쓴다.
⑤ 내가 말하고자 하는 주제가 잘 드러나도록 이야기 흐름에 맞게 쓴다.

[15~16] 다음 글을 읽고 물음에 답하시오.

가 영산 줄다리기는 어른들보다 아이들이 먼저 겨룹니다. 작은 줄을 만들어 어른들이 하는 것처럼 아이들이 경기를 벌이지요. 아이들 줄다리기가 끝나고 어느 편이 이겼다는 소리가 돌면 그제야 장정들이 나섭니다. 장정들은 집집을 돌면서 짚을 모아 마을 사람들과 함께 줄을 만들지요. 음력 정월은 농한기라서 마을 사람이 모두 모여 줄을 만드는 일에만 매달릴 수 있어요.

나 줄을 다 만들면 여러 마을에서 모인 농악대가 앞장을 서고, 그 뒤로 수백 명의 장정이 줄을 어깨에 메고서 줄다리기할 곳으로 줄을 옮깁니다.

다 드디어 줄을 당길 장소에 다다르면 양편에서는 상대의 기를 누르려고 있는 힘을 다하여 함성을 질러요. 이 소리에 영산 지방 전체가 쩌렁쩌렁 울릴 정도이지요.

그렇지만 장소에 도착하자마자 줄을 당기는 것은 아닙니다. 한동안 암줄과 수줄을 합하지 않고 어르기만 하다가 어느 정도 시간이 지난 뒤에야 암줄에 수줄을 끼우고 비녀목을 지릅니다. 그리고 나서 양편에서 서로 힘차게 줄을 당겨서 승부를 가리지요. 이때 모두 신이 나서 자기편을 응원합니다.

글의 내용 이해하기

15 영산 줄다리기를 할 때 무엇을 가장 먼저 합니까? (   )

① 줄다리기 할 곳으로 줄을 옮긴다.
② 아이들이 작은 줄로 경기를 벌인다.
③ 상대의 기를 누르려고 함성을 지른다.
④ 마을 사람들이 모두 모여 줄을 만든다.
⑤ 암줄에 수줄을 끼우고 양편에서 줄을 당긴다.

경험을 활용해 글 읽기

16 이 글을 읽을 때 도움이 되는 지식이나 경험으로 알맞지 <u>않</u>은 것은 무엇입니까?   (   )

① 줄다리기는 무형 문화재로 지정되었다.
② 줄다리기는 우리나라 민속놀이 가운데 하나이다.
③ 운동회 때 두 편으로 나뉘어 줄다리기를 한 경험이 있다.
④ 예전에 농사일이 바쁠 때면 아이들도 일손을 거들었다는 이야기를 할머니께 들은 적이 있다.
⑤ 똑바로 서서 줄을 당기는 것보다 비스듬히 누워서 줄을 당기면 더 센 힘으로 줄을 당길 수 있다.

공감하며 대화하기

17 아리의 말에 알맞은 표정이나 행동은 무엇입니까?(   )

민준: 넓은 구역을 청소하는 학생은 힘든 일을 오랫동안 하게 돼.
아리: 그렇구나. 내가 너처럼 넓은 청소 구역을 맡았다면 너와 같은 마음이 들 것 같아.
민준: 내 마음을 알아줘서 고마워. 그러니까 청소 구역을 자주 바꾸면 좋겠어.
아리: 너는 맡은 청소 구역이 넓어서 그동안 무척 힘들었겠다. 네 말대로 좋은 방법을 생각해 보자.

① 고개를 젓는다.   ② 주먹을 불끈 쥔다.
③ 어깨를 토닥여 준다.   ④ 시무룩한 표정을 짓는다.
⑤ 눈을 피하며 얼굴을 돌린다.

문제 상황에 알맞은 의견 떠올리기

18 그림에 나타난 문제를 해결하기 위한 의견으로 알맞지 <u>않은</u> 것에 ×표 하시오.

(1) 자율 배식을 하자.   (   )
(2) 배식 순서를 제비뽑기로 정하자.   (   )
(3) 먹지 못하는 음식을 말하고 조금만 받자.   (   )

문장의 호응 이해하기

19 부정적인 서술어와 호응하는 낱말이 쓰인 문장은 어느 것입니까?   (   )

① 준수는 늘 준비물을 가져오지 않는다.
② 부자라고 해서 반드시 행복한 것은 아니다.
③ 나는 책 읽기를 별로 좋아하지 않는 편이다.
④ 만약 날씨가 좋지 않아도 소풍을 갈 것이다.
⑤ 평소 윤주는 친구들에게 화를 잘 내지 않는다.

20 글머리를 시작하는 방법 알기

다음은 어떤 방법으로 글머리를 시작했습니까? (   )

> 10월의 어느 날, 드디어 반 대항 축구 대회가 열리는 날이었다.

① 의성어로 시작하기
② 대화 글로 시작하기
③ 날씨 표현으로 시작하기
④ 상황 설명으로 시작하기
⑤ 인물 설명으로 시작하기

21 매체 자료의 특성 알기

자료 ㉮와 ㉯에 대한 설명으로 알맞은 것은 무엇입니까? (   )

① ㉮는 영상 매체 자료이다.
② ㉯는 인쇄 매체 자료이다.
③ ㉮는 글과 사진으로 정보를 전달한다.
④ ㉯는 시각 정보만을 사용하는 매체 자료이다.
⑤ ㉮는 영화와, ㉯는 연속극과 성격이 비슷하다.

22 토론할 때 주의할 점 알기

다음 대화를 잘못 이해한 것은 무엇입니까? (   )

> 지훈, 채경: (선생님께 인사하며) 착한 사람이 되겠습니다.
> 채경: 나는 우리 학교 인사말이 좀 어색해. 우리가 지금은 착한 사람이 아닌 것 같거든. 또 "안녕하세요?"와 같은 전통적인 인사말을 우리가 지켜야 하는 것이 아닐까 하는 생각도 들어.
> 지훈: 나는 좋은데? 너는 왜 그렇게 항상 불만이 많니? 어휴, 투덜이 같아.

① 채경이는 학교 인사말에 대해 부정적이다.
② 지훈이는 자신의 의견을 근거를 들어 말하였다.
③ 지훈이의 말은 문제를 해결하는 데 도움이 되지 않을 것이다.
④ 두 사람은 결국 문제를 해결하기보다 서로 다투게 될 것이다.
⑤ 두 사람은 학교 인사말을 "착한 사람이 되겠습니다."로 하는 문제에 대해 이야기하고 있다.

[23~24] 다음 글을 읽고 물음에 답하시오.

> ㉮ 글쓰기반 수업 첫날, 켈러 선생님은 아무 ㉠기척도 없이 교실로 들어와 책상 사이를 왔다 갔다 하며 엄포부터 놓았다.
> "오늘부터, 나는 너희 한 사람 한 사람을 완전히 훈련시켜서 진짜 멋진 작가로 만들어 줄 생각이다. 정말 기적 같겠지?"
> ㉯ 어쩐지 켈러 선생님이 ㉡유독 나만 노려보는 것 같았다.
> 켈러 선생님은 허리를 꼿꼿이 펴고 똑바로 서 있어서 실제 키보다 더 커 보였다. 특히 교탁에 기대설 때면, 마치 죽은 나뭇가지에 앉아 금방이라도 사냥감을 홱 낚아챌 듯 노려보는 매처럼 ㉢매서워 보였다.
> "첫 번째 과제는 수필이다. 내가 놀라 까무러칠 정도로 재미있는 글을 써 오도록."
> ㉰ 우리는 허둥지둥 종이를 꺼내 ㉣끼적이기 시작했다.
> "아니, 아니! 여기서 말고!"
> 켈러 선생님의 ㉤호통에 우리는 바로 연필을 놓았다.

23 이야기의 배경 알기

공간적 배경을 알 수 있는 낱말을 글에서 찾아 쓰시오.

(   )

24 낱말의 뜻 짐작하기

㉠~㉤의 뜻을 짐작하는 방법으로 알맞지 않은 것은 무엇입니까? (   )

① ㉠: 이미 알고 있는 '소리'라는 낱말과 바꾸어 써도 문장의 뜻이 자연스러운지 살펴본다.
② ㉡: 뒤에 '나만'이라는 낱말이 오므로 '특별히 하나만 두드러지게.'라는 뜻일 것이다.
③ ㉢: '매워'와 글자가 비슷하게 생겼으므로 비슷한 뜻일 것이다.
④ ㉣: 낱말의 앞뒤에 있는 '허둥지둥'과 '연필을 놓았다'라는 내용으로 뜻을 짐작한다.
⑤ ㉤: 화를 낼 때 '호통을 치다'라는 표현을 쓰므로 '화'와 비슷한 뜻일 것이다.

25 발표를 들을 때 주의할 점 알기

발표를 들을 때 주의할 점이 아닌 것에 ×표 하시오.

(1) 발표 내용이 주제와 관련 있는지 판단하며 듣는다. (   )
(2) 발표자가 제시한 자료가 정확한 것인지 판단하며 듣는다. (   )
(3) 발표 내용 중에 과장되거나 거짓인 내용은 없는지 생각한다. (   )
(4) 발표자가 시간에 맞춰 끝낼 수 있도록 남은 시간을 알려 준다. (   )

정답과 해설 20쪽

01 두 수의 곱은 얼마입니까? (분수)×(자연수) 계산하기   (   )

$$\frac{4}{7} \qquad 21$$

① 8　　　　② 9　　　　③ 12
④ 16　　　⑤ 18

02 두 수가 서로 약수와 배수의 관계인 것은 어느 것입니까? 약수와 배수의 관계 알기
(   )

① (18, 4)　　② (42, 7)　　③ (8, 54)
④ (24, 9)　　⑤ (36, 5)

03 계산 결과가 20인 것은 어느 것입니까? 덧셈, 뺄셈, 곱셈, 나눗셈이 섞여 있는 식 계산하기   (   )

① 27－9＋12　　　② 14＋3－8
③ 25－(7＋12)　　④ 72÷8×5
⑤ 15×4÷3

04 어떤 두 수의 최대공약수가 21입니다. 이 두 수의 공약수가 최대공약수와 공약수의 관계 알아보기
아닌 것은 어느 것입니까?   (   )

① 1　　　　② 3　　　　③ 7
④ 9　　　　⑤ 21

05 다음 중 크기가 다른 분수는 어느 것입니까? 크기가 같은 분수 알아보기   (   )

① $\frac{12}{28}$　　② $\frac{15}{35}$　　③ $\frac{18}{42}$
④ $\frac{21}{56}$　　⑤ $\frac{36}{84}$

06 계산 결과가 가장 작은 것은 어느 것입니까? 진분수의 뺄셈 계산하기   (   )

① $\frac{4}{5}-\frac{1}{4}$　　② $\frac{1}{2}-\frac{3}{20}$　　③ $\frac{7}{10}-\frac{1}{2}$
④ $\frac{3}{4}-\frac{3}{10}$　　⑤ $\frac{2}{5}-\frac{3}{10}$

07 오른쪽 직육면체에서 보이지 않는 직육면체의 겨냥도 알아보기
꼭짓점은 어느 것입니까?
(   )

① 점 ㄱ　　② 점 ㄷ　　③ 점 ㅁ
④ 점 ㅂ　　⑤ 점 ㅇ

08 계산 결과가 자연수인 것은 어느 것입니까? (소수)×(자연수), (자연수)×(소수) 계산하기   (   )

① 0.3×7　　② 2.5×4　　③ 3.4×6
④ 12×3.2　　⑤ 18×2.8

09 오른쪽 사다리꼴의 넓이는 몇 cm^2입 사다리꼴의 넓이 구하기
니까?
(   )

8 cm
9 cm
20 cm

① 88 cm²　　② 106 cm²　　③ 126 cm²
④ 184 cm²　　⑤ 252 cm²

10 한 모둠에 5명씩 앉아 있습니다. 모둠의 수를 ◎, 학생의 수를 △라고 할 때 대응 관계를 식으로 나타낸 것을 두 가지 고르시오. (　 , 　)

대응 관계를 식으로 나타내기

① ◎=△×5　　② ◎=△÷5　　③ △=◎×5
④ △=◎÷5　　⑤ ◎+△=5

14 서울이 오전 11시일 때 파리의 시각은 오전 3시입니다. 서울의 시각이 오후 5시일 때 파리의 시각은 몇 시입니까? (　　　)

두 양 사이의 관계 알아보기

① 오전 3시　　② 오전 9시　　③ 오전 11시
④ 오후 3시　　⑤ 오후 9시

11 두 사각형은 서로 합동입니다. 변 ㅂㅅ의 길이와 각 ㅇㅁㅂ의 크기로 알맞은 것은 어느 것입니까? (　　　)

합동인 도형의 성질 알기

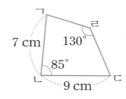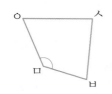

① 7 cm, 85°　　② 7 cm, 130°　　③ 9 cm, 85°
④ 9 cm, 95°　　⑤ 9 cm, 130°

15 사탕 20개와 초콜릿 35개를 최대한 많은 친구에게 남김없이 똑같이 나누어 주려고 합니다. 최대 몇 명의 친구에게 나누어 줄 수 있는지 구해 보시오.

최대공약수 활용하기

(　　　　　)

16 빨간색 페인트 $3\frac{2}{7}$ L와 파란색 페인트 $2\frac{1}{2}$ L를 섞어서 보라색 페인트를 만들었습니다. 보라색 페인트를 만들기 위해 사용한 빨간색 페인트와 파란색 페인트는 모두 몇 L입니까? (　　　)

대분수의 덧셈 활용하기

① $5\frac{11}{14}$ L　　② $5\frac{13}{14}$ L　　③ $6\frac{1}{14}$ L
④ $6\frac{3}{14}$ L　　⑤ $6\frac{5}{14}$ L

12 다음 수의 범위에 포함되는 자연수의 합은 얼마입니까? (　　　)

이상과 미만 활용하기

> 8 이상 14 미만의 수

① 55　　② 57　　③ 63
④ 69　　⑤ 77

13 직육면체와 정육면체에 대한 설명으로 **틀린** 것은 어느 것입니까? (　　　)

직육면체와 정육면체 알아보기

① 직육면체는 면이 6개이다.
② 직육면체는 꼭짓점이 8개이다.
③ 정육면체는 모서리가 12개이다.
④ 직육면체는 정육면체라고 할 수 있다.
⑤ 정육면체의 모서리의 길이는 모두 같다.

17 □ 안에 들어갈 수 있는 자연수 중에서 가장 큰 수는 어느 것입니까? (　　　)

분수의 크기 비교 활용하기

$$\frac{\square}{6} < \frac{4}{7}$$

① 3　　② 4　　③ 5
④ 6　　⑤ 7

18 평균 구하기

인석이네 모둠 친구들의 키를 조사한 표입니다. 인석이네 모둠 친구들의 키의 평균은 몇 cm입니까? (　　　)

인석이네 모둠 친구들의 키

이름	인석	민주	신혜	종욱
키(cm)	149	163	156	160

① 155 cm　　　② 156 cm　　　③ 157 cm
④ 158 cm　　　⑤ 159 cm

19 일이 일어날 가능성 알기

파란색 구슬만 들어 있는 주머니가 있습니다. 이 주머니에서 구슬 1개를 꺼낼 때 노란색 구슬이 나올 가능성을 수로 표현해 보시오.

(　　　　　　　)

20 직사각형의 넓이 활용

화장실 바닥은 가로가 2 m이고, 세로가 1 m인 직사각형 모양입니다. 이 바닥에 가로가 20 cm, 세로가 10 cm인 직사각형 모양의 타일을 붙인다면 필요한 타일은 모두 몇 개입니까? (　　　)

① 50개　　　② 100개　　　③ 150개
④ 200개　　　⑤ 250개

21 덧셈, 뺄셈, 곱셈, 나눗셈이 섞여 있는 식 활용하기

연필 한 자루는 600원이고, 지우개 4개는 2000원입니다. 연필 3자루와 지우개 1개를 사고 10000원을 냈습니다. 거스름돈은 얼마인지 하나의 식으로 나타내어 구하시오.

[식] _____

[답] _____

22 선대칭도형 활용하기

직선 ㄱㄴ을 대칭축으로 하는 선대칭도형을 완성하려고 합니다. 완성할 선대칭도형 전체의 넓이는 몇 cm²입니까? (　　　)

① 117 cm²　　　② 124 cm²　　　③ 171 cm²
④ 234 cm²　　　⑤ 243 cm²

23 반올림 알기

반올림하여 백의 자리까지 나타내면 300이 되는 자연수 중에서 가장 큰 수와 가장 작은 수는 각각 얼마인지 구해 보시오.

가장 큰 수 (　　　　　　　)
가장 작은 수 (　　　　　　　)

24 대분수의 곱셈 활용하기

수 카드 3장을 각각 한 번씩만 사용하여 만들 수 있는 가장 큰 대분수와 가장 작은 대분수의 곱은 얼마입니까? (　　　)

2　3　4

① $12\frac{1}{6}$　　　② $12\frac{5}{6}$　　　③ $12\frac{1}{12}$
④ $12\frac{5}{12}$　　　⑤ $16\frac{1}{6}$

25 (소수)×(소수) 활용하기

0.9를 21번 곱했을 때 소수점 아래 21번째 자리 숫자는 어느 것입니까? (　　　)

① 1　　　② 3　　　③ 5
④ 7　　　⑤ 9

01 우리나라의 영역 알아보기

우리나라의 영역에 대한 설명으로 알맞지 **않은** 것은 무엇입니까? ( )

① 영토는 땅, 영해는 바다, 영공은 하늘에서의 영역이다.
② 우리나라의 영역에는 다른 나라가 함부로 들어올 수 없다.
③ 우리나라의 영토는 한반도와 한반도에 속한 여러 섬이다.
④ 우리나라의 영공은 우리나라 영토 위에 있는 하늘의 범위이다.
⑤ 우리나라의 영해는 영해를 설정하는 기준선으로부터 12해리까지이다.

02 자연환경에 따른 우리 국토의 구분 방법 알아보기

우리 국토를 북부, 중부, 남부 지방으로 구분할 때 중부 지방의 범위는 어디까지입니까? ( )

① 낭림산맥의 북쪽
② 소백산맥의 북쪽
③ 북부 지방의 남쪽
④ 태백산맥과 한강 하류까지
⑤ 휴전선 남쪽으로 소백산맥과 금강 하류까지

03 우리나라 해안의 특징 알아보기

우리나라 해안의 특징으로 알맞은 것은 무엇입니까? ( )

① 동해안 – 해안선이 단조롭다.
② 동해안 – 해안선이 복잡하고 섬이 많다.
③ 서해안 – 길게 뻗은 모래사장이 펼쳐진 곳이 많다.
④ 서해안 – 물이 깨끗하고 파도가 잔잔해 양식업이 발달했다.
⑤ 남해안 – 밀물과 썰물의 차가 커서 갯벌이 발달했다.

04 자연재해가 발생하는 계절 알아보기

여름에 발생하는 자연재해로 알맞게 짝 지어진 것은 무엇입니까? ( )

① 가뭄, 황사
② 폭염, 홍수
③ 폭설, 한파
④ 가뭄, 폭설
⑤ 지진, 산사태

05 우리나라 인구 구성의 변화 알아보기

우리나라의 연령별 인구 구성 비율의 변화를 알맞게 설명한 것은 무엇입니까? ( )

① 우리나라는 1990년에 고령화 사회로 진입했다.
② 저출생·고령 사회의 특징을 잘 보여 주고 있다.
③ 65세 이상의 노년층 인구는 계속 줄어들고 있다.
④ 14세 이하의 유소년층 인구는 계속 증가하고 있다.
⑤ 15~64세의 청장년층 인구는 1970년 이후 크게 줄어들었다.

06 우리나라의 교통 발달 모습 살펴보기

빈칸 ㉠, ㉡에 들어갈 알맞은 말을 쓰시오.

> 1970년에 ㉠ 가 완공되면서 전 국토가 1일 생활권으로 연결되었고, 2004년에 ㉡ 가 개통되면서 반나절 생활권이 가능해졌다.

㉠: ( ), ㉡: ( )

07 인권 신장을 위한 옛날의 제도 알아보기

다음 옛날 제도의 공통점으로 알맞은 것은 무엇입니까? ( )

> • 격쟁   • 신문고 제도   • 상언 제도

① 신분 제도이다.
② 양반을 위한 교육 제도이다.
③ 아픈 백성을 치료해 주려고 만든 제도이다.
④ 백성들에게 토지를 나누어 주고자 만든 제도이다.
⑤ 백성의 원통함이나 억울함을 풀어 주고자 만든 제도이다.

08 인권 보장을 위한 노력 알아보기

장애인이 공공시설을 이용할 수 있도록 공공 편의 시설을 설치하여 운영하는 기관을 두 곳 고르시오. (,)

① 기업
② 국가
③ 학교
④ 시민 단체
⑤ 지방 자치 단체

09 빈칸에 들어갈 알맞은 말을 쓰시오.

> 민지: 우리는 어떻게 초등학교에 입학할 수 있는 거예요?
>
> 어머니: 아이가 태어나면 ☐☐☐을/를 하는 것, 일정한 나이가 되면 학교에 입학하는 것 등이 모두 법으로 정해져 있단다.

(   )

10 인터넷에 영화를 불법으로 올릴 때 일어날 수 있는 문제점을 두 가지 고르시오. (,   )

① 영화관 수가 늘어나게 된다.
② 영화 관람객 수가 늘어나게 된다.
③ 영화를 만드는 사람들이 늘어나게 된다.
④ 돈을 내고 영화를 보는 사람들이 손해를 보는 듯한 상황이 생긴다.
⑤ 영화 만드는 일을 하는 사람들이 돈을 벌 수 있는 기회를 잃어버린다.

11 헌법에 대한 설명으로 알맞지 <u>않은</u> 것은 무엇입니까?

(   )

① 우리나라 최고의 법이다.
② 법 중에서 가장 기본이 되는 법이다.
③ 헌법을 바탕으로 여러 법을 만든다.
④ 헌법의 내용을 새로 정하거나 고칠 때는 국무 회의를 해야 한다.
⑤ 모든 국민이 존중받고 행복한 삶을 살아가는 데 필요한 내용을 담고 있다.

12 일상생활에서 평등권을 보장받는 사례로 알맞은 것은 무엇입니까? (   )

① 구청에 민원을 제기할 수 있다.
② 내 생각을 자유롭게 이야기할 수 있다.
③ 미래에 하고 싶은 직업을 선택할 수 있다.
④ 피부색이나 종교가 다르다고 차별받지 않는다.
⑤ 부모님께서 국회 의원 선거 날에 투표를 하셨다.

13 고구려에 대한 설명으로 알맞지 <u>않은</u> 것은 무엇입니까?

(   )

① 주몽이 졸본에 세운 나라이다.
② 삼국 중 가장 먼저 전성기를 맞았다.
③ 장수왕은 평양 지역으로 수도를 옮겼다.
④ 광개토 대왕은 서쪽으로는 요동 지역을 차지했다.
⑤ 국내성으로 수도를 옮기고 꾸준히 정복 활동을 벌였다.

14 신라의 삼국 통일 과정에 대한 설명으로 알맞지 <u>않은</u> 것은 무엇입니까? (   )

① 문무왕 때 삼국 통일을 이루었다.
② 김춘추는 당과의 동맹을 제안했다.
③ 신라는 당과 함께 가장 먼저 고구려를 멸망시켰다.
④ 김유신은 무열왕과 문무왕을 도와 삼국 통일에 앞장섰다.
⑤ 당이 한반도 전체를 차지하려고 하자 신라는 당과 전쟁을 벌여 승리했다.

15 몽골의 1차 침입 이후 고려가 옮긴 도읍과 옮긴 까닭이 알맞게 짝 지어진 것은 무엇입니까? (   )

① 서경 – 개경에서 멀리 떨어져 있기 때문
② 귀주 – 육지와 바다에서의 교통이 편리하기 때문
③ 제주 – 섬이 커 많은 사람이 지낼 수 있었기 때문
④ 강화도 – 몽골이 바다에서 하는 전투에 약했기 때문
⑤ 진도 – 물살이 매우 빠르고 갯벌이 넓어 몽골군이 침략하기 어렵기 때문

16 금속 활자의 특징으로 알맞은 것은 무엇입니까? (   )

① 잘 갈라지고 휘어진다.
② 제작하는 데 시간이 오래 걸린다.
③ 같은 책을 많이 인쇄하는 데 효율적이었다.
④ 중간에 글자가 틀리면 처음부터 다시 새겨야 한다.
⑤ 판을 새로 짤 수 있어 여러 종류의 책을 만드는 데 효율적이었다.

17 다음 사람들이 고려 말의 문제를 해결하기 위해 주장한 것을 알맞게 선으로 이으시오.

조선의 건국 과정 알아보기

(1) 정몽주 •

(2) 정도전 •

• ㉮ 고려를 지키며 개혁합시다.

• ㉯ 새로운 나라를 세워야 합니다.

18 병자호란이 일어나기 전의 상황으로 알맞지 <u>않은</u> 것은 무엇입니까? (   )

병자호란이 일어난 과정 알아보기

① 후금이 명을 위협했다.
② 광해군을 쫓아내고 인조를 왕으로 세웠다.
③ 조선은 명을 멀리 하고 후금을 가까이 했다.
④ 후금은 명을 돕는 조선을 굴복시키려고 했다.
⑤ 명은 후금을 물리치려고 조선에 군사를 요청했다.

19 정조가 젊은 학자들에게 나랏일과 관련해 여러 학문을 연구하게 하려고 설치한 기관을 쓰시오.

정조의 개혁 정책 알아보기

(   )

20 조선 후기에 『대동여지도』를 만든 실학자는 누구입니까?

실학자들의 활동 알아보기

(   )

① 이익
② 정약용
③ 김정호
④ 홍대용
⑤ 박지원

21 동학 농민군이 조선 정부와 협상해 개혁안을 약속받고 스스로 흩어졌던 까닭은 무엇입니까? (   )

동학 농민 운동 알아보기

① 청과 전쟁을 벌이려고
② 일본군의 도움을 받으려고
③ 외국 군대의 개입을 막으려고
④ 지방 관리의 횡포를 막으려고
⑤ 동학 농민군의 세력을 넓히려고

22 빈칸 ㉠, ㉡에 들어갈 지명이 바르게 짝 지어진 것은 무엇입니까? (   )

나라를 되찾으려는 노력 알아보기

• ┌─㉠─┐ 의 지형을 잘 알고 있던 홍범도는 전투에 유리한 지역으로 대규모의 일본군을 유인해 포위한 후 공격했다.
• 김좌진과 홍범도 등이 이끄는 독립군 부대는 ┌─㉡─┐ 일대에서 일본군을 맞아 싸움에 유리한 지형과 전술을 이용해 일본군과 싸워 크게 승리했다.

구분	㉠	㉡
①	만주	연해주
②	연해주	청산리
③	청산리	봉오동
④	청산리	연해주
⑤	봉오동	청산리

23 일제가 우리의 민족정신을 훼손하고 억압하려고 한 일이 <u>아닌</u> 것은 무엇입니까? (   )

일제가 민족정신을 훼손하려고 한 일 알아보기

① 학교를 모두 없앴다.
② 우리말을 쓰지 못하게 했다.
③ 이름을 일본식으로 바꾸도록 했다.
④ 전국에 세워진 신사에 강제로 참배하게 했다.
⑤ 우리나라가 식민 지배를 받는 것이 당연하다고 생각하도록 우리나라의 역사를 왜곡했다.

24 국제 연합에서 조직한 한국 임시 위원단이 38도선 북쪽으로 들어가지 <u>못한</u> 까닭은 무엇입니까? (   )

대한민국 정부의 수립 과정

① 중국이 개입했기 때문
② 소련이 반대했기 때문
③ 미국과 소련이 반대했기 때문
④ 대한민국 임시 정부가 반대했기 때문
⑤ 남한에서만 총선거를 하기로 결정했기 때문

25 빈칸에 공통으로 들어갈 알맞은 국제기구를 쓰시오.

6·25 전쟁 전개 과정 알아보기

북한군이 남한을 침략하자 [   ]은/는 북한에 침략 행위를 중지할 것을 요구했다. 북한이 이를 거부하자 [   ]은/는 미국을 중심으로 16개국이 참여한 군대를 남한에 파견했다.

(   )

모의 평가 2회

출제 범위: 5학년 전 범위   문항 수: 25문항

점수

정답과 해설 22쪽

실험 계획 세우기

01 다음 탐구 문제로 실험 계획을 세울 때 <u>다르게</u> 해야 할 조건은 무엇입니까? (   )

> 사인펜의 색깔에 따라 잉크에 섞여 있는 색소는 같을까?

① 종이의 색깔
② 사인펜의 색깔
③ 사인펜의 크기
④ 점의 크기와 위치
⑤ 종이가 물에 잠기는 정도

온도가 다른 두 물질이 접촉했을 때 온도 변화 알아보기

02 두 물질이 서로 접촉하고 있을 때 온도가 낮아지는 경우가 <u>아닌</u> 것은 무엇입니까? (   )

① 냉장고에 넣어 둔 음료수의 온도
② 끓고 있는 물에 넣은 생선의 온도
③ 얼음 주머니를 올려놓은 무릎의 온도
④ 차가운 물에 넣고 헹군 삶은 면의 온도
⑤ 얼음이 든 물컵을 감싸고 있는 손의 온도

액체에서 열의 이동 알아보기

03 욕조에 담긴 물의 윗부분이 아랫부분보다 온도가 높은 까닭을 옳게 설명한 것을 두 가지 고르시오. (,   )

① 온도가 높은 물은 위로 올라가기 때문이다.
② 온도가 낮은 물은 위로 올라가기 때문이다.
③ 온도가 높은 물은 아래로 내려가기 때문이다.
④ 온도가 낮은 물은 아래로 내려가기 때문이다.
⑤ 온도에 상관없이 물은 움직이지 않기 때문이다.

기체에서 열의 이동 알아보기

04 다음과 같이 방에 난방 기구를 설치했을 때, 따뜻한 공기의 움직임으로 옳은 것의 기호를 쓰시오.

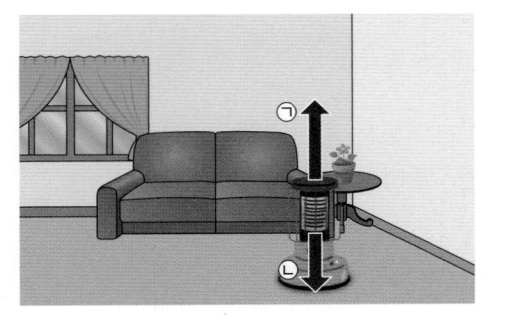

(   )

태양계 행성의 특징 알아보기

05 화성에 대한 설명으로 옳지 <u>않은</u> 것은 무엇입니까? (   )

① 고리가 없다.
② 대기가 거의 없다.
③ 색깔이 붉은색을 띤다.
④ 지구보다 크기가 크다.
⑤ 표면이 암석과 흙으로 이루어져 있다.

태양에서 각 행성까지의 거리 알아보기

06 태양에서 각 행성까지의 거리에 대해 옳게 말한 친구의 이름을 쓰시오.

> • 석주: 행성과 행성 사이의 거리는 일정해.
> • 경일: 태양에서 거리가 멀어질수록 행성 사이의 거리도 멀어져.
> • 인경: 태양에서 거리가 멀어질수록 행성 사이의 거리는 가까워져.

(   )

별자리를 이용해 북극성 찾아보기

07 북두칠성을 이용하여 북극성을 찾는 방법으로 옳은 것은 무엇입니까? (   )

① 북두칠성 주변의 밝은 별을 찾는다.
② 북두칠성의 중간에 있는 두 별을 연결하고, 연장하여 그 거리의 다섯 배만큼 떨어진 곳에서 찾는다.
③ 북두칠성의 국자 모양 윗부분의 두 별을 연결하고, 연장하여 그 거리의 일곱 배만큼 떨어진 곳에서 찾는다.
④ 북두칠성의 국자 모양 끝부분의 두 별을 연결하고, 연장하여 그 거리의 다섯 배만큼 떨어진 곳에서 찾는다.
⑤ 북두칠성의 국자 모양 끝부분의 두 별을 연결하고, 연장하여 그 거리의 일곱 배만큼 떨어진 곳에서 찾는다.

용질이 물에 용해되기 전과 용해된 후의 무게 알아보기

08 설탕 10 g을 물 100 g에 완전히 용해했을 때 설탕물의 무게는 몇 g인지 쓰시오.

(   ) g

물의 온도에 따라 용질이 용해되는 양 알아보기

09 물이 담긴 비커에 백반을 넣고 저어 주었더니 백반이 용해되지 않고 가라앉았습니다. 남은 백반을 모두 용해할 수 있는 방법으로 옳은 것을 다음 보기 에서 골라 기호를 쓰시오.

> **보기**
> ㉠ 백반을 더 넣어 준다.
> ㉡ 백반 용액을 작은 비커에 담는다.
> ㉢ 백반 용액이 든 비커를 알코올램프로 가열한다.
> ㉣ 백반 용액이 든 비커를 얼음이 담겨 있는 그릇에 넣는다.

(   )

10 다음과 같이 백설탕 용액에 떠 있는 메추리알을 바닥에 가라앉게 하는 방법으로 옳은 것은 무엇입니까? (   )

용액의 진하기 비교하기

① 비커를 흔든다.
② 물을 저어 준다.
③ 물을 더 넣는다.
④ 백설탕을 더 넣는다.
⑤ 비커를 얼음물에 담근다.

---

11 다음은 어떤 생물에 대한 설명인지 쓰시오.

균류의 특징 알아보기

> • 스스로 양분을 만들지 못한다.
> • 버섯과 곰팡이가 이 생물에 속한다.
> • 몸 전체가 균사로 이루어져 있고 포자로 번식한다.

(   )

---

12 해캄과 짚신벌레를 비교한 내용으로 옳은 것은 무엇입니까? (   )

해캄과 짚신벌레의 특징 알아보기

	해캄	짚신벌레
①	식물이다.	동물이다.
②	다른 생물을 먹는다.	광합성을 한다.
③	원기둥 모양이다.	짚신과 모양이 비슷하다.
④	감각 기관이 없다.	감각 기관이 있다.
⑤	맨눈으로 관찰하기 어렵다.	맨눈으로 관찰할 수 있다.

---

13 다양한 생물이 우리 생활에 미치는 이로운 영향에 대한 설명으로 옳지 <u>않은</u> 것은 무엇입니까? (   )

다양한 생물이 우리 생활에 미치는 영향 알아보기

① 세균에 의해 감기에 걸린다.
② 곰팡이는 동물의 사체를 분해한다.
③ 세균은 김치를 만드는 데 이용된다.
④ 유산균은 해로운 세균으로부터 건강을 지켜 준다.
⑤ 원생생물은 생물이 사는 데 필요한 산소를 만든다.

---

14 생태계 구성 요소들이 서로 주고받는 영향에 대한 설명으로 옳지 <u>않은</u> 것을 보기 에서 골라 기호를 쓰시오.

생물 요소와 비생물 요소가 주고받는 영향 알아보기

> **보기**
> ㉠ 식물은 물과 공기를 맑고 깨끗하게 한다.
> ㉡ 햇빛은 식물이 양분을 만드는 데 영향을 준다.
> ㉢ 공기가 없으면 생물 요소가 더 이상 살아갈 수 없다.
> ㉣ 생산자가 없어져도 생태계에는 아무런 영향이 없다.

(   )

---

15 다음과 같이 콩나물을 넣은 두 개의 페트병을 햇빛이 잘 드는 곳에 두고 한쪽에만 어둠상자를 덮었습니다. 이 실험에서 다르게 한 조건은 무엇입니까? (   )

햇빛이 콩나물의 자람에 미치는 영향 알아보기

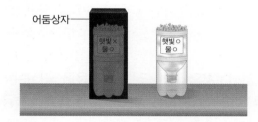

① 콩나물의 수
② 자른 페트병의 크기
③ 콩나물의 길이와 굵기
④ 콩나물에 주는 물의 양
⑤ 콩나물이 받는 햇빛의 양

---

16 생태계 보전을 위해 우리가 실천할 수 있는 방법으로 옳은 것은 무엇입니까? (   )

생태계를 보전할 수 있는 방법 알아보기

① 쓰레기 배출을 줄인다.
② 빨래를 전혀 하지 않는다.
③ 샴푸를 많이 사용하여 머리를 감는다.
④ 짧은 거리는 자동차를 타고 빠르게 이동한다.
⑤ 공장에서 발생하는 매연의 양을 제한하지 않는다.

---

17 집기병에 물과 조각 얼음을 넣었더니 집기병 표면에 물방울이 맺혔습니다. 이러한 변화와 비슷한 자연 현상은 무엇인지 쓰시오.

이슬이 생기는 원리 알아보기

(   )

지면과 수면의 온도 변화 알아보기

18 모래와 물의 온도 변화를 측정하는 실험 방법에 대한 설명으로 옳은 것은 무엇입니까? ( )

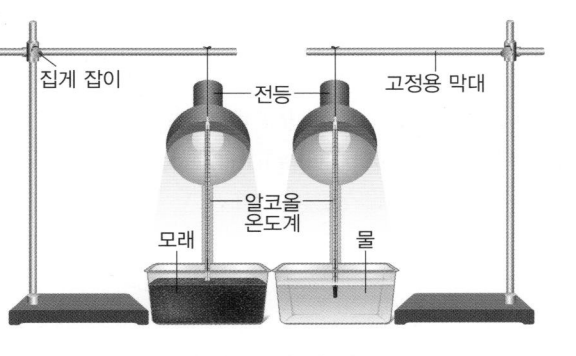

① 온도 측정 간격은 점점 짧게 한다.
② 전등을 켰을 때만 온도를 측정한다.
③ 각각 다른 양의 모래와 물을 담는다.
④ 모래와 물을 담는 그릇의 크기는 다르게 한다.
⑤ 알코올 온도계의 액체샘이 모래와 물에 1 cm 깊이로 꽂히도록 한다.

우리나라의 계절별 날씨 알아보기

19 우리나라의 여름 날씨가 덥고 습한 까닭으로 옳은 것은 무엇입니까? ( )

① 육지로 둘러싸여 있기 때문이다.
② 북쪽에서 불어오는 덥고 습한 바람 때문이다.
③ 남동쪽 바다에서 이동해 오는 공기 덩어리 때문이다.
④ 북서쪽 대륙에서 이동해 오는 공기 덩어리 때문이다.
⑤ 다른 계절에 비해 낮과 밤의 온도 차가 크기 때문이다.

여러 가지 물체의 운동 알아보기

20 여러 가지 물체의 운동에 대한 설명으로 옳지 <u>않은</u> 것은 무엇입니까? ( )

① 치타는 빠르기가 변하는 운동을 한다.
② 자동차는 자전거보다 느리게 운동한다.
③ 자동길은 빠르기가 일정한 운동을 한다.
④ 롤러코스터는 오르막길에서 점점 느려지는 운동을 한다.
⑤ 우리 주변에는 빠르게 운동하는 물체도 있고, 느리게 운동하는 물체도 있다.

여러 교통수단의 빠르기 비교하기

21 다음은 3시간 동안 여러 교통수단이 이동한 거리를 나타낸 그래프입니다. 가장 빠른 교통수단을 찾아 쓰시오.

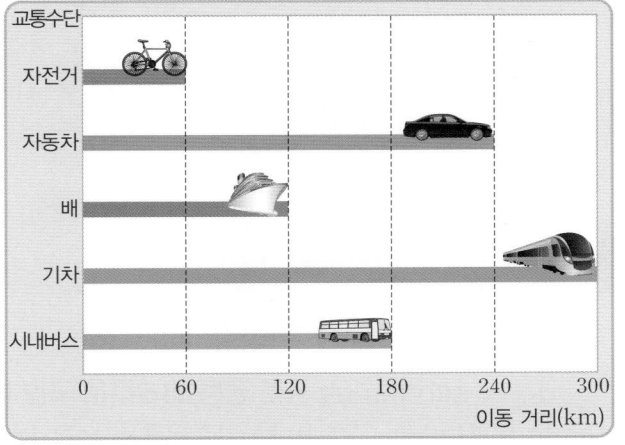

( )

물체의 속력 알아보기

22 가장 느린 물체는 무엇입니까? ( )

① 10초 동안 30 m를 이동하는 물체
② 30초 동안 120 m를 이동하는 물체
③ 100 m를 50초 동안 이동하는 물체
④ 12초 동안 120 m를 이동하는 물체
⑤ 160 m를 20초 동안 이동하는 물체

지시약에 의한 용액의 색깔 변화 알아보기

23 페놀프탈레인 용액을 붉은색으로 변화시키는 용액끼리 옳게 짝 지은 것은 무엇입니까? ( )

① 레몬즙, 석회수
② 식초, 빨랫비누 물
③ 사이다, 유리 세정제
④ 유리 세정제, 빨랫비누 물
⑤ 묽은 염산, 묽은 수산화 나트륨 용액

염기성 용액에 여러 가지 물질을 넣었을 때의 변화 알아보기

24 묽은 수산화 나트륨 용액에 삶은 달걀흰자를 넣고 하루가 지났을 때 나타나는 현상으로 옳은 것은 무엇입니까? ( )

① 기포가 발생한다.
② 아무런 변화가 없다.
③ 용액이 뿌옇게 흐려진다.
④ 용액의 색깔이 푸른색으로 변한다.
⑤ 용액의 색깔이 붉은색으로 변한다.

생활에서 산성 용액과 염기성 용액을 이용하는 예 알아보기

25 속이 쓰릴 때 먹는 제산제를 녹인 물에 페놀프탈레인 용액을 떨어뜨리면 무슨 색깔로 변하는지 쓰시오.

( )

영어

모의 평가 2회

출제 범위: 5학년 전 범위 문항 수: 25문항

점수

정답과 해설 23쪽

1번부터 17번까지는 듣고 답하는 문제입니다. 녹음 내용을 잘 듣고, 물음에 답하기 바랍니다. 내용은 한 번만 들려줍니다.

출신 국가 묻고 답하는 표현 이해하기
01 대화를 듣고, Jenny의 나라 국기로 알맞은 것을 고르시오.
( )

①    ② (영국 국기)   ③

④    ⑤

길 묻고 답하는 표현 이해하기
02 다음을 듣고, 여자아이가 설명하는 장소를 고르시오.
( )

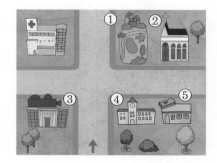

외모 묻고 답하는 표현 이해하기
03 다음을 듣고, 이어질 대답으로 알맞지 <u>않은</u> 것을 고르시오.
( )

① 🎧   ② 🎧   ③ 🎧   ④ 🎧   ⑤ 🎧

사람의 위치 묻고 답하는 표현 이해하기 / 지금 하고 있는 일 묻고 답하는 표현 이해하기
04 대화를 듣고, 엄마가 어디에서 무엇을 하고 있는지 고르시오.
( )

① 욕실에서 손을 씻고 있다.
② 침실에서 책을 읽고 있다.
③ 거실에서 음악을 듣고 있다.
④ 부엌에서 요리를 하고 있다.
⑤ 거실에서 청소를 하고 있다.

좋아하는 활동 말하는 표현 이해하기
05 대화를 듣고, Peter와 Sally가 좋아하는 것이 바르게 짝 지어진 것을 고르시오.
( )

	Peter	Sally
①	테니스 치기	자전거 타기
②	자전거 타기	테니스 치기
③	산책하기	자전거 타기
④	자전거 타기	농구하기
⑤	농구하기	테니스 치기

일과 묻고 답하는 표현 이해하기
06 대화를 듣고, 내용과 일치하는 것을 고르시오. ( )
① 세라는 6시에 저녁을 먹고, 10시에 잠자리에 든다.
② 세라는 6시 30분에 저녁을 먹고, 10시에 잠자리에 든다.
③ 세라는 6시 30분에 저녁을 먹고, 10시 30분에 잠자리에 든다.
④ 세라는 7시 30분에 저녁을 먹고, 10시에 잠자리에 든다.
⑤ 세라는 7시 30분에 저녁을 먹고, 10시 30분에 잠자리에 든다.

가장 좋아하는 것 묻고 답하는 표현 이해하기
07 대화를 듣고, 지수와 민호가 가장 좋아하는 과목이 바르게 짝 지어진 것을 고르시오. ( )

	지수	민호
①	체육	체육
②	국어	체육
③	체육	국어
④	국어	미술
⑤	미술	국어

장소 소개하는 표현 이해하기
08 다음을 듣고, 설명하고 있는 장소를 고르시오. ( )
① 침실   ② 거실   ③ 욕실   ④ 부엌   ⑤ 마당

물건의 주인 묻고 답하는 표현 이해하기
09 다음을 듣고, 이어질 대답으로 알맞은 것을 고르시오.
( )

① 🎧   ② 🎧   ③ 🎧   ④ 🎧   ⑤ 🎧

전화를 하거나 받는 표현 이해하기
10 대화를 듣고, 대화의 마지막에 이어질 말을 고르시오.
( )

① 🎧   ② 🎧   ③ 🎧   ④ 🎧   ⑤ 🎧

외모 묻고 답하는 표현 이해하기

11 그림을 보고, 이어질 대답으로 알맞지 <u>않은</u> 것을 고르시오.
( )

① 🎧   ② 🎧   ③ 🎧   ④ 🎧   ⑤ 🎧

여가 활동 묻고 답하는 표현 이해하기

12 대화를 듣고, 준하가 일요일에 하는 일이 <u>아닌</u> 것을 고르시오.
( )

① 책 읽기   ② 축구하기   ③ 방 청소
④ 숙제하기   ⑤ 텔레비전 보기

허락 요청하고 답하는 표현 이해하기

13 다음을 듣고, 그림에 가장 어울리는 대화를 고르시오.
( )

① 🎧   ② 🎧   ③ 🎧   ④ 🎧   ⑤ 🎧

과거에 한 일 묻고 답하는 표현 이해하기

14 대화를 듣고, 지난 주말에 Bob이 한 일을 고르시오.
( )

① 수영을 했다.   ② 쿠키를 만들었다.
③ 영화를 봤다.   ④ 바닷가에 갔다.
⑤ 캠핑을 갔다.

원하는 것 묻고 답하는 표현 이해하기 / 제안하고 답하는 표현 이해하기

15 대화를 듣고, 두 사람이 할 일을 고르시오. ( )

① 쇼핑   ② 캠핑   ③ 수영
④ 외식   ⑤ 숙제

미래에 할 일 묻고 답하는 표현 이해하기

16 대화를 듣고, Eric이 이번 일요일에 할 일을 고르시오.
( )

① 해변에 갈 것이다.
② 도서관에 갈 것이다.
③ 박물관에 갈 것이다.
④ 할머니를 방문할 것이다.
⑤ 생일 케이크를 만들 것이다.

안부 묻고 답하는 표현 이해하기

17 다음을 듣고, 자연스럽지 <u>않은</u> 대화를 고르시오. ( )

① 🎧   ② 🎧   ③ 🎧   ④ 🎧   ⑤ 🎧

이제 듣기 문제가 모두 끝났습니다. 18번부터는 문제지의 지시에 따라 답하기 바랍니다.

다른 사람의 외모를 표현하는 문장 읽고 이해하기

18 그림에 대한 설명으로 알맞지 <u>않은</u> 것을 고르시오.( )

① She is wearing a skirt.
② She is wearing a jacket.
③ She has long straight hair.
④ She is wearing sunglasses.
⑤ She is wearing a hair band.

장소를 소개하는 글 읽고 이해하기

19 다음을 읽고, 글에 알맞은 제목을 고르시오. ( )

> This is my room.
> There is a bed in my room.
> My toy bear is on the bed.
> There is a desk, too.
> My favorite books are on the desk.
> I like to read books in my room.

① 나의 방 소개   ② 나의 곰 인형 소개
③ 각 가구의 쓰임 소개   ④ 내가 좋아하는 일 소개
⑤ 내가 가장 좋아하는 책의 종류

20

길 안내하는 문장 읽고 이해하기

다음을 읽고, 어느 곳에 가는 방법을 설명한 것인지 고르시오. ( )

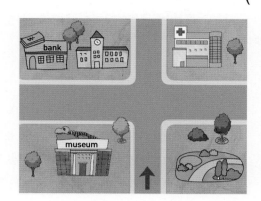

Go straight one block and turn left.
It's on your right. It's next to the bank.

① 학교   ② 은행   ③ 병원
④ 공원   ⑤ 박물관

21

과거에 한 일 묻고 답하는 대화문 완성하기

대화의 빈칸에 알맞은 말을 고르시오. ( )

A: _____
B: I played basketball with my friends.
   It was great.

① Where are you?
② How's it going?
③ What is he doing?
④ What did you do yesterday?
⑤ What will you do this weekend?

22

일과 묻고 답하는 대화문 완성하기

대화의 빈칸에 알맞은 말이 짝 지어진 것을 고르시오. ( )

A: ___ⓐ___ time do you have a piano lesson?
B: I ___ⓑ___ a piano lesson at four thirty.

	ⓐ	ⓑ
①	What	have
②	What	play
③	How	have
④	Where	play
⑤	Where	have

23

제안하고 답하는 대화문 읽고 이해하기

다음을 읽고, 내용과 일치하지 않는 것을 고르시오. ( )

Junho: Let's play soccer, Jinho.
Jinho: Sorry, I don't like to play soccer.
Junho: What do you want to do?
Jinho: I want to watch a movie.
Junho: Let's watch a movie.
Jinho: Sounds good.

① 준호는 축구를 하자고 제안했고 진호는 거절했다.
② 진호는 축구하는 것을 좋아하지 않는다.
③ 진호는 영화를 보고 싶어 한다.
④ 준호와 진호는 영화를 볼 것이다.
⑤ 준호는 내일 축구를 할 것이다.

24

하고 싶은 일을 나타내는 문장 어법에 맞게 고쳐 쓰기

다음 문장을 바르게 고쳐 쓴 것을 고르시오. ( )

i want to be a Cook?

① i want To be a cook?
② i want to be a cook.
③ i want To be a cook?
④ I want to be a cook.
⑤ I want to be a cook?

25

일과를 나타내는 문장 완성하기

다음 카드를 배열하여 문장을 바르게 완성한 것을 고르시오. ( )

| I | go | at |

| school | to | eight |

| . |

① I at school go eight to.
② I at school to eight go.
③ I go eight at to school.
④ I go to school at eight.
⑤ I go to school eight at.

정답과 해설 26쪽

인물의 마음 헤아리기

01 ㉠에는 민재의 어떤 마음이 나타나 있습니까? (   )

> 주민: 우리 아빠께서는 길에서 애들끼리 싸우는 것을 보면 꼭 가서 말리셔야 하고, 누구든 도움이 필요한 사람이 있으면 꼭 도와주셔야 해. 무관심은 나쁜 것이라고 하시면서 말이야.
> 민재: (감탄하며) 우아, 너희 아빠 참 대단하시다.
> 주민: 대단하다고? 글쎄, 처음에 난 모든 사람이 그런 줄 알았어. 나중에 우리 아빠께서 좀 심하시다는 것을 알게 됐지.
> 민재: (궁금하다는 듯이) 그게 싫었니?
> 주민: 응, 솔직히 우리 아빠께서 나한테만 관심을 보여 주셨으면 하는 마음이 컸어. 남을 돕는다고 뛰어다니시다가 정작 나랑 할 일을 하시지 못한 적이 꽤 많았으니까.
> 민재: ㉠그래, 그럴 수도 있겠다.

① 고마운 마음 ② 미안한 마음
③ 공감하는 마음 ④ 사과하는 마음
⑤ 부러워하는 마음

[02~03] 다음 시를 읽고 물음에 답하시오.

> 이러다 지각하겠다 싶을 때, 있는 힘껏 길을 잡아당기면 출렁출렁, 학교가 우리 앞으로 온다
>
> 춥고 배고파 죽겠다 싶을 때, 있는 힘껏 길을 잡아당기면 출렁출렁, 저녁을 차린 우리 집이 버스 정류장 앞으로 온다
>
> 갑자기 니가 보고 싶을 때, 있는 힘껏 길을 잡아당기면 출렁출렁, 그리운 니가 내게 안겨 온다

시에서 겪은 일 파악하기

02 이 시에서 말하는 이가 겪은 일은 무엇입니까? (   )

① 집에 가서 저녁을 차렸다.
② 보고 싶은 친구를 찾아갔다.
③ 춥고 배고파서 집으로 뛰어 갔다.
④ 버스가 늦게 와서 학교에 지각했다.
⑤ 길을 있는 힘껏 잡아당기는 상상을 했다.

말하는 이의 마음 파악하기

03 3연에 나타난 말하는 이의 마음은 어떠합니까? (   )

① 서럽고 쓸쓸하다. ② 선생님께 죄송하다.
③ 불안하고 걱정스럽다. ④ 학교에 빨리 가고 싶다.
⑤ 누군가를 많이 보고 싶어한다.

설명하는 글 이해하기

04 다음 놀이를 할 때 이기는 사람은 누구입니까? (   )

> 1. 가운데에 종을 놓고 과일 카드를 똑같이 나눠 가진다.
> 2. 차례에 맞게 각자 카드를 한 장씩 펼쳐 내려놓는다.
> 3. 펼친 카드 가운데에서 같은 과일이 다섯 개가 되면 재빨리 종을 친다.
> 4. 먼저 종을 친 사람이 바닥에 모인 카드를 모두 가져간다.
> 5. 2~4를 되풀이해서 마지막까지 카드를 가지고 있는 사람이 이긴다.

① 종을 가장 적게 친 사람
② 카드를 가장 빨리 내려놓은 사람
③ 카드를 모두 바닥에 내려놓은 사람
④ 마지막까지 카드를 가지고 있는 사람
⑤ 같은 과일 카드를 다섯 개 가지고 있는 사람

[05~06] 다음 문장을 보고 물음에 답하시오.

> ㉠ 내일 도서관에 갈 거야.
> ㉡ 도둑이 경찰에게 잡았다.
> ㉢ 동생이 누나에게 업혔다.
> ㉣ 할머니께서 맛있는 떡을 주셨다.
> ㉤ 나는 어제 재미있는 동화책을 읽었다.

문장의 호응 관계 살피기

05 ㉠~㉤ 중에서 문장의 호응 관계가 알맞지 않은 것은 무엇입니까? (   )

① ㉠ ② ㉡ ③ ㉢
④ ㉣ ⑤ ㉤

문장 성분 이해하기

06 ㉣에서 목적어를 찾아 쓰시오.

(   )

토의 절차 파악하기

07 다음은 토의 절차 중 어느 단계에 해당합니까? (   )

> 민준: 토의하고 싶은 주제를 자유롭게 이야기해요.
> 예리: 우리 학교 상징을 무엇으로 바꾸면 좋을지 이야기해 봐요.
> 수호: 그래도 학교 생일인데 '개교기념일을 뜻깊게 보내는 방법 찾기'가 좋지 않을까요?

① 의견 모으기 ② 의견 결정하기
③ 의견 마련하기 ④ 의견 수정하기
⑤ 토의 주제 정하기

08 그림과 관련하여 토의할 주제는 무엇입니까? ( )

① 복도를 깨끗하게 하는 방법은 무엇일까?
② 학교에서 소음을 줄이는 방법은 무엇일까?
③ 복도에서 안전하게 생활하는 방법은 무엇일까?
④ 복도에서 넘어지지 않고 뛰는 방법은 무엇일까?
⑤ 조용하고 평화로운 교실을 만드는 방법은 무엇일까?

알맞은 제목 찾기

09 다음 글의 제목으로 알맞은 것은 무엇입니까? ( )

> **가** 인공 지능에 제대로 된 규칙을 부여해 잘 통제하고 활용하면 인류의 삶은 더욱 편리하고 풍요로워질 것입니다. 예를 들어 움직임이 불편한 노인과 장애인들은 무인 자동차로 자유롭게 이동할 수 있습니다. 인류가 인공 지능을 제대로 관리한다면 인공 지능은 인류에게 많은 도움이 될 것입니다.
> **나** 앞으로 인공 지능은 인간의 생활을 이롭게 하는 생활 속 기술로 자리 잡을 것입니다. 인간에게 나쁜 영향을 줄 수 있는 인공 지능은 철저히 통제하고, 인간을 보호하고 도울 수 있는 인공 지능을 활용하면 인공 지능은 인류의 미래를 희망으로 가득하게 만들어 줄 것입니다.

① 인공 지능의 위험성   ② 인공 지능 반대 운동
③ 인공 지능이 하는 일   ④ 인류를 지배할 인공 지능
⑤ 미래의 희망, 인공 지능

기행문의 특성 알기

10 ㉠~㉤을 여정, 견문, 감상으로 나누어 기호를 쓰시오.

> ㉠ 우리는 버스를 타고 담양으로 갔다.
> ㉡ 순천만 습지에서 농게와 짱뚱어를 보았다.
> ㉢ 다음 날 저녁에 들른 곳은 고창 고인돌박물관이다.
> ㉣ 창덕궁이 유네스코 세계 문화유산이 되었다고 한다.
> ㉤ 유리 벽 사이로라도 석굴암을 볼 수 있어 천만다행이라고 생각했다.

(1) 여정	(2) 견문	(3) 감상

낱말의 종류 파악하기

11 밑줄 친 두 낱말의 특징은 무엇입니까? ( )

> 깃대종으로는 설악산의 산양, 내장산의 비단벌레, 속리산의 하늘다람쥐, 지리산의 반달가슴곰이 있습니다.

① 외국에서 들어온 낱말이다.
② 한자가 들어가지 않는 순우리말이다.
③ 뜻이 있는 낱말들을 합해서 만든 낱말이다.
④ 나누면 본디의 뜻이 없어져 더는 나눌 수 없다.
⑤ 뜻을 더해 주는 말과 뜻이 있는 낱말을 합해서 만들었다.

[12~13] 나는 **가**의 경험을 바탕으로 하여 꾸며 쓴 이야기입니다. 글을 읽고 물음에 답하시오.

> **가** 민영: 오늘 비가 와서 3교시 체육 수업은 체육관에서 한대!
> 진주: (다행이다. 그런데 성훈이하고는 다른 편이었으면…….)
> 성훈: 야! 민영이 막아!
> 진주: (자기는 얼마나 잘한다고…….)
> 진주: (공을 막지 못한 성훈이에게 화를 내며) 그것도 못 막냐?
> 성훈: 너도 잘 못 막으면서 왜 나한테만 그래?
>
> **나** 그날 우리 반 친구들은 비 때문에 못 할 줄 알았던 체육을 체육관에서 할 수 있어 기분이 좋았다. 하지만 난 평소에 못마땅하게 여겼던 인국이랑 같은 편을 하고, 체육을 잘하는 민영이와 다른 편을 하여 기분이 별로였다.
> "야! 막아!" / 골키퍼 인국이가 소리쳤다.
> '쳇, 또 먼저 나서네. 자기는 얼마나 잘한다고…….'
> 다행히 내가 공을 뺏어 옆으로 보냈는데 그게 하필 상대편 정훈이 발에 맞은 것이다. '아차!' 하는 순간 내 눈에 보인 건 골대를 향해 가는 공을 뒤에서 쫓아가는 우리 편 골키퍼 인국이었다. / "야! 너 뭐 하는 거야! 그것도 하나 못 막냐?"
> 내가 마음속에 억눌렀던 말을 꺼내며 인국이에게 달려들었다.
> "너도 똑바로 못 막았잖아! 왜 나한테만 화내는 건데?"

겪은 일을 이야기로 쓰는 방법 알기

12 **가**와 비교하여 **나**에서 달라진 점은 무엇입니까?( )

① 등장인물의 이름이 바뀌었다.
② 가장 중요한 사건이 바뀌었다.
③ 갈등이 일어난 원인이 바뀌었다.
④ 새로운 등장인물이 여러 명 나온다.
⑤ 일이 일어난 장소가 드러나지 않는다.

이야기의 흐름 파악하기

13 **나**에서 '나'와 인국이가 싸우는 부분은 이야기의 흐름 중 어디에 해당하는지 ○표 하시오.

(1) 이야기를 시작하는 단계 ( )
(2) 사건이 일어나기 시작하는 단계 ( )
(3) 사건을 해결하고 마무리하는 단계 ( )
(4) 등장인물의 갈등이 꼭대기에 이르는 단계 ( )

설명하는 내용 정리하기

14 설명한 내용을 <u>잘못</u> 정리한 것은 무엇입니까? (　　　)

> **가** 최근 출판하는 책이나 광고, 알림판 따위에서 네모 모양의 표식을 자주 볼 수 있다. 네모 모양 안에 검은 선과 점을 배열했는데, 이것을 정보 무늬라고 한다.
> **나** 정보 무늬는 스마트폰으로 사용할 수 있다. 스마트폰 응용 프로그램으로 정보 무늬를 찍으면 관련 내용이 있는 누리집으로 이동하거나, 관련 사진이나 동영상을 볼 수 있다. 또 정보 무늬에 색깔이나 신기한 그림을 넣어 만들기도 한다.
> **다** 정보 무늬는 누구나 만들 수 있다. 예를 들어 개인 정보를 담은 명함을 만들 수도 있다. 명함에 있는 정보 무늬로 자신의 사진이나 동영상을 보여 주거나 이름이나 연락처를 자동으로 저장할 수 있다.

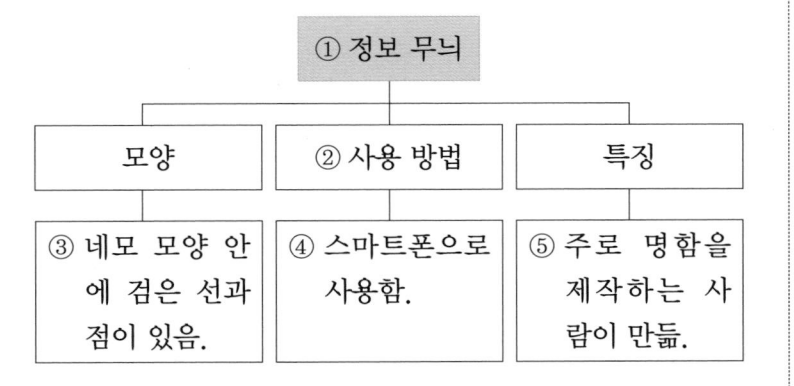

예절을 지키며 누리 소통망에서 대화하기

15 다음 누리 소통망 대화가 예절에 어긋난 까닭은 무엇입니까? (　　　)

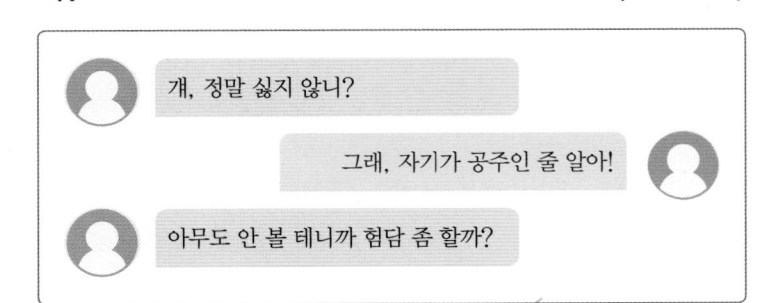

① 고운 말을 쓰지 않았다.
② 혼자서만 너무 많이 말했다.
③ 자신이 할 말만 하고 나갔다.
④ 대화방에 없는 친구를 험담했다.
⑤ 그림말을 지나치게 많이 사용했다

낱말의 뜻 짐작하기

16 ㉠의 뜻을 알맞게 짐작한 것은 무엇입니까? (　　　)

> 한번 ㉠먹은 마음 변하지 말고 열심히 공부하자.

① 어떤 나이가 되다.
② 경기에서 점수를 잃다.
③ 어떤 마음이나 감정을 품다.
④ 어떤 지위나 등급을 차지하다.
⑤ 겁이나 충격 등을 느끼게 되다.

[17~18] 다음 글을 읽고 물음에 답하시오.

> **가** 석빙고는 온도 변화가 적은 반지하 구조로 한쪽이 긴 흙무덤 모양이며, 바깥 공기가 들어오지 않도록 출입구의 동쪽은 담으로 막고 지붕에는 구멍을 뚫었다.
> **나** 천장은 반원형으로 기둥 다섯 개에 장대석이 걸쳐 있고, 장대석을 걸친 곳에는 밖으로 통하는 공기구멍이 세 개가 나 있다. 이 구멍은 아래쪽이 넓고 위쪽은 좁은 직사각형 기둥 모양인데, 이렇게 함으로써 바깥에서 바람이 불 때 빙실 안의 공기가 잘 빠져나온다. 즉, 열로 데워진 공기와 출입구에서 들어오는 바깥의 더운 공기가 지붕의 구멍으로 빠져나가기 때문에 빙실 아래의 찬 공기가 오랫동안 머물 수 있어 얼음이 적게 녹는 것이다. 또한 지붕에는 잔디를 심어 태양열을 차단했고, 내부 바닥 한가운데에 배수로를 5도 경사지게 파서 얼음에서 녹은 물이 밖으로 흘러 나갈 수 있는 구조를 갖추어 과학적이다.

글의 내용 이해하기

17 석빙고가 과학적인 까닭이 <u>아닌</u> 것은 무엇입니까?(　　　)

① 지붕에 잔디를 심어 태양열을 차단했다.
② 장대석으로 기둥을 막아 공기가 안에 머무르도록 했다.
③ 지붕에 구멍이 뚫려 있어 더운 공기가 빠져나가도록 했다.
④ 바깥 공기가 들어오지 않도록 출입구 동쪽을 담으로 막았다.
⑤ 바닥에 배수로를 파서 얼음에서 녹은 물이 밖으로 흘러 나가도록 했다.

지식을 활용해 글 읽기

18 다음은 과학 시간에 '열의 이동'에 대해 배운 내용입니다. 이 글의 내용과 직접적으로 관련 있는 내용의 기호를 쓰시오.

> **열의 이동**
> ㉠ 고체: 열이 고체 물질을 따라 온도가 높은 곳에서 낮은 곳으로 이동함.
> ㉡ 액체: 주위보다 온도가 높은 액체가 위로 올라가고 위에 있던 액체가 아래로 내려오면서 열이 이동함.
> ㉢ 기체: 주위보다 온도가 높은 기체가 위로 올라가고 온도가 낮은 기체가 아래로 내려오면서 열이 이동함.

(　　　　　　　)

보기 자료의 장점 알기

19 의견을 제시할 때 보기 자료를 제시하면 좋은 점을 두 가지 고르시오. (　　, 　　)

① 발표 시간을 늘릴 수 있다.
② 수량이나 변화를 확인하기 쉽다.
③ 정보를 눈으로 한눈에 이해할 수 있다.
④ 의견에 대해 좀 더 자세한 정보를 읽어 볼 수 있다.
⑤ 발표 내용 이외에도 더욱 풍부한 정보를 얻을 수 있다.

[20~21] 다음 글을 읽고 물음에 답하시오.

가 어제저녁에 방에서 컴퓨터를 하는데 졸음이 ___㉠___. 안방으로 가서 가만히 누워 있는데 내 동생 용준이가 나를 툭툭 치며 장난을 걸어왔다. 나는 용준이가 또 덤빌까 봐 용준이 손을 잡고 안 놓아주었다. 그러다가 그만 내 눈에 쇳덩어리(용준이 머리)가 '쿵' 하고 부딪쳤다.

"아야!"

나는 너무 아파서 눈물을 글썽였다. 그랬더니 용준이가 혼날까 봐 따라 울려고 그랬다. 나는 결코 용준이를 아프게 한 적이 없는데도 말이다.

"야, 네가 왜 울어?"

그때였다. 아버지께서 눈을 크게 뜨며

"진윤서, 너 왜 동생 울려?" / 하고 큰소리를 내셨다. 나한테만 뭐라고 하시는 아버지를 이해할 수 없었다.

나 "누나야, 문 열어 봐." / "싫어."

나는 앞으로 용준이와 놀아 주지 않겠다고 다짐했다. 한참 있다가 어머니께서 오셨다. 문을 열어 보라고 하시는데 어머니의 표정이 별로 ___㉡___. 나는 혼이 날까 봐 살짝 문을 열었다.

---

20 '나'는 어떤 일을 겪었습니까? ( )

겪은 일 파악하기

① 동생에게 장난을 쳤다.
② 혼자서 울다가 잠들었다.
③ 동생이 눈을 다쳐서 걱정했다.
④ 동생을 울렸다고 아버지께 혼났다.
⑤ 동생이 '나'의 컴퓨터를 망가뜨렸다.

---

21 ___㉠___ 과 ___㉡___ 에 들어갈 말이 알맞게 짝 지어진 것은 무엇입니까? ( )

문장 성분의 호응이 잘못된 부분 고치기

	㉠	㉡
①	밀려온다	좋았다
②	밀려온다	좋아 보였다
③	밀려왔다	좋아 보였다
④	밀려왔다	좋아 보이지 않았다
⑤	밀려올 것이다	좋아 보이지 않았다

---

22 인터넷 매체 자료의 특징은 무엇입니까? ( )

매체 자료의 특성 알기

① 글과 사진으로만 내용을 전달한다.
② 요즘은 잘 사용하지 않는 매체 자료이다.
③ 잡지와 누리 소통망이 이 매체 자료에 해당한다.
④ 영상이나 소리보다는 자막을 중심으로 내용을 표현한다.
⑤ 인쇄 매체 자료와 영상 매체 자료에서 사용하는 방식을 모두 사용한다.

---

23 다음 대화는 토론 절차 중 어디에 해당하는지 쓰시오.

토론 절차 파악하기

사회자: 지금부터 "학급 임원은 반드시 필요하다."라는 주제로 토론을 시작하겠습니다. 저는 토론의 사회를 맡은 구민재입니다. 먼저 찬성편이 주장을 펼치겠습니다.

찬성편: 저희 찬성편은 두 가지 까닭에서 "학급 임원은 반드시 필요하다."라는 주제에 찬성합니다.

첫째, 실제로 학생 대표가 학교생활에 많은 역할을 합니다. 많은 학생들이 함께 생활하다 보니 학교에는 여러 가지 문제나 불편한 점이 생길 수 있습니다. 이러한 것에 대한 해결은 전교 학생회 회의에서 이루어지는데 학급 임원은 여기에 참여해 우리 반 학생들의 의견을 전달하는 역할을 합니다.

( )

[24~25] 다음 그림을 보고 물음에 답하시오.

---

24 ㉠을 바르게 고쳐 쓴 것은 무엇입니까? ( )

잘못된 표현 고치기

① 나왔다   ② 나왔어
③ 나오셨어요   ④ 나오십니다
⑤ 나왔습니다

---

25 ㉡과 같은 문제점이 드러난 문장은 무엇입니까? ( )

우리말을 잘못 사용한 까닭 알기

① 너는 낄끼빠빠도 모르니?
② 너 때문에 정말 심쿵했어.
③ 할아버지는 킹왕짱이십니다.
④ 휴대 전화가 고장나셨습니다.
⑤ 우리 집 댕댕이는 정말 귀여워.

정답과 해설 27쪽

덧셈, 뺄셈, 곱셈, 나눗셈이 섞여 있는 식의 계산 순서 알기

01 ( )가 없어도 계산 결과가 같은 것은 어느 것입니까?
( )

① $31-(18+3)$ ② $40-(23-5)$

③ $53-(7\times5)$ ④ $72\div(4\times6)$

⑤ $12\times(8+2)$

진분수의 덧셈 계산하기

02 두 수의 합은 얼마입니까? ( )

$\frac{4}{5}$	$\frac{6}{7}$

① $\frac{6}{35}$ ② $\frac{17}{35}$ ③ $\frac{23}{35}$

④ $1\frac{23}{35}$ ⑤ $1\frac{27}{35}$

배수 알기

03 6의 배수가 <u>아닌</u> 수는 어느 것입니까? ( )

① 24   ② 42   ③ 54

④ 72   ⑤ 86

버림하기

04 버림하여 소수 둘째 자리까지 나타낸 수가 나머지와 <u>다른</u> 하나는 어느 것입니까? ( )

① 7.541   ② 7.521   ③ 7.524

④ 7.529   ⑤ 7.527

마름모의 넓이 구하기

05 오른쪽 마름모의 넓이는 몇 cm^2입니까? ( )

5 cm

14 cm

① $60\,cm^2$ ② $70\,cm^2$ ③ $80\,cm^2$

④ $120\,cm^2$ ⑤ $140\,cm^2$

수직선에 나타낸 수의 범위 알기

06 수직선에 나타낸 수의 범위는 어느 것입니까? ( )

43 44 45 46 47 48 49 50 51 52

① 44 이상인 수   ② 44 이상 51 이하인 수

③ 44 이상 51 미만인 수   ④ 44 초과 51 이하인 수

⑤ 44 초과 51 미만인 수

기약분수 활용하기

07 어떤 두 기약분수를 통분하였더니 $\left(\frac{16}{18}, \frac{3}{18}\right)$이었습니다. 통분하기 전의 두 기약분수는 어느 것입니까? ( )

① $\left(\frac{7}{9}, \frac{1}{6}\right)$ ② $\left(\frac{8}{9}, \frac{1}{6}\right)$ ③ $\left(\frac{8}{9}, \frac{5}{6}\right)$

④ $\left(\frac{5}{6}, \frac{5}{9}\right)$ ⑤ $\left(\frac{5}{18}, \frac{1}{6}\right)$

소수와 자연수의 곱셈 계산하기

08 계산 결과가 5보다 큰 것은 어느 것입니까? ( )

① 0.7×5 ② 1.29×2 ③ 0.63×8

④ 3×1.5 ⑤ 7×0.34

분수의 크기 비교하기

09 가장 큰 분수는 어느 것입니까? ( )

① $\frac{1}{2}$ ② $\frac{1}{6}$ ③ $\frac{2}{3}$

④ $\frac{1}{4}$ ⑤ $\frac{4}{7}$

10 곱이 작은 것부터 알파벳을 차례대로 쓰면 어떤 단어가 되는지 쓰시오.

(단위분수)×(단위분수) 계산하기

> G $\frac{1}{6} \times \frac{1}{5}$ B $\frac{1}{8} \times \frac{1}{8}$ I $\frac{1}{9} \times \frac{1}{7}$

(   )

11 오른쪽 직육면체의 전개도를 접었을 때 면 ㅌㅅㅇㅈ과 수직인 면이 <u>아닌</u> 것은 어느 것입니까? (   )

직육면체의 전개도 알아보기

① 면 ㄱㄴㅁㅎ   ② 면 ㄴㄷㄹㅁ   ③ 면 ㅋㅌㅈㅊ
④ 면 ㅍㅂㅅㅌ   ⑤ 면 ㅎㅁㅂㅍ

12 다음과 같이 삼각형과 사각형을 늘어놓을 때 삼각형이 9개이면 사각형은 몇 개입니까? (   )

대응 관계 알아보기

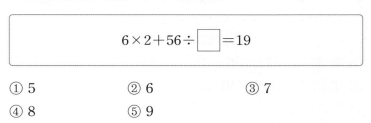

① 7개   ② 8개   ③ 9개
④ 10개   ⑤ 11개

13 □ 안에 알맞은 수는 어느 것입니까? (   )

덧셈, 곱셈, 나눗셈이 섞여 있는 식의 계산 순서 활용하기

> $6 \times 2 + 56 \div \square = 19$

① 5   ② 6   ③ 7
④ 8   ⑤ 9

14 선대칭도형도 되고 점대칭도형도 되는 도형은 어느 것입니까? (   )

선대칭도형과 점대칭도형 알기

①   ②   ③
④   ⑤

15 오른쪽 점대칭도형에서 각 ㄱㄴㄷ의 크기는 몇 도입니까? (   )

점대칭도형의 성질 활용하기

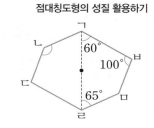

① 60°   ② 65°   ③ 100°
④ 125°   ⑤ 135°

16 오른쪽 평행사변형의 넓이는 몇 m^2입니까? (   )

(소수)×(소수) 활용하기

① 4.25 m^2 ② 4.52 m^2 ③ 4.85 m^2
④ 5.25 m^2 ⑤ 5.52 m^2

17 둘레가 36 cm인 정사각형의 넓이는 몇 cm^2입니까? (   )

정사각형의 둘레와 넓이 구하기

① 25 cm^2 ② 36 cm^2 ③ 49 cm^2
④ 64 cm^2 ⑤ 81 cm^2

18 대응 관계를 식으로 나타내기

어느 음료수 한 개에는 설탕이 약 26 g 들어 있습니다. 음료수의 수를 △(개), 설탕의 양을 ☆(g)이라고 할 때 두 양 사이의 대응 관계를 식으로 나타내시오.

( )

19 일어날 가능성 알기

동건이가 ○, × 퀴즈를 풀고 있습니다. 동건이가 ○라고 답했을 때 정답을 맞힐 가능성을 표현한 것을 두 가지 고르시오. (,)

① 0 　　② $\dfrac{1}{2}$ 　　③ 불가능하다

④ 반반이다 　　⑤ 확실하다

20 직육면체의 성질 활용하기

오른쪽 직육면체의 모든 모서리의 길이의 합은 몇 cm입니까?

( )

8 cm
6 cm
4 cm

① 62 cm 　　② 68 cm 　　③ 72 cm

④ 78 cm 　　⑤ 84 cm

21 최소공배수 활용하기

14로 나누어도 나누어떨어지고, 21로 나누어도 나누어떨어지는 두 자리 수를 두 가지 고르시오. (,)

① 14 　　② 21 　　③ 42

④ 66 　　⑤ 84

22 (자연수)×(분수) 활용하기

64 cm 높이에서 공을 떨어뜨렸습니다. 공은 땅에 닿으면 떨어진 높이의 $\dfrac{3}{4}$만큼 튀어 오릅니다. 공이 땅에 한 번 닿았다가 튀어 올랐을 때의 높이는 몇 cm입니까? ( )

① 36 cm 　　② 48 cm 　　③ 50 cm

④ 62 cm 　　⑤ 74 cm

23 반올림하기

수 카드 4장을 각각 한 번씩만 사용하여 가장 큰 네 자리 수를 만들었습니다. 이 수를 반올림하여 천의 자리까지 나타낸 수는 어느 것입니까? ( )

1 　 7 　 3 　 5

① 2000 　　② 4000 　　③ 5000

④ 7000 　　⑤ 8000

24 평균 활용하기

가와 나 초등학교의 학급 수와 전체 학생 수를 나타낸 표입니다. 학급별 학생 수의 평균이 더 높은 초등학교는 어느 곳인지 구해 보시오.

학급 수와 초등학생 수

가 초등학교		나 초등학교	
8학급	192명	5학급	115명

( )

25 대분수의 뺄셈 활용하기

어떤 수에서 $1\dfrac{2}{3}$를 빼야 할 것을 잘못하여 더했더니 $5\dfrac{1}{4}$이 되었습니다. 바르게 계산하면 얼마인지 구해 보시오.

( )

모의 평가 3회

출제 범위: 5학년 전 범위   문항 수: 25문항

정답과 해설 28쪽

한 나라의 영역 알아보기

01 빈칸에 공통으로 들어갈 알맞은 말을 쓰시오.

> 한 나라의 영역은 그 나라의 [   ]이/가 미치는 범위를 말하며 영토, 영해, 영공으로 이루어진다. 우리 나라의 영역에는 우리 [   ]이/가 미치기 때문에 다른 나라에서 함부로 들어올 수 없다.

( )

우리나라 영토의 끝 알아보기

02 우리나라 영토의 끝이 알맞게 짝 지어진 것은 무엇입니까?

( )

① 북쪽 끝 – 평안북도 용천군 마안도
② 서쪽 끝 – 경상북도 울릉군 독도
③ 동쪽 끝 – 함경북도 온성군 유원진
④ 동쪽 끝 – 인천광역시 강화군 강화도
⑤ 남쪽 끝 – 제주특별자치도 서귀포시 마라도

우리나라 지형의 특징 알아보기

03 우리나라 지형의 특징을 <u>잘못</u> 말한 친구는 누구입니까?

( )

① 정민: 낮은 평야는 서쪽에 발달했어.
② 해수: 우리 국토의 약 70%가 산지야.
③ 경호: 하천 주변의 평야에는 도시가 발달했어.
④ 은영: 큰 하천은 대부분 서쪽에서 동쪽으로 흘러.
⑤ 윤정: 동해안은 해안선이 단조롭고, 서해안과 남해안은 복잡해.

자연재해 대처 방법 알아보기

04 지진이 발생했을 때 행동 요령으로 알맞지 <u>않은</u> 것은 무엇입니까?

( )

① 건물과 떨어진 넓은 공간으로 대피한다.
② 흔들림이 멈추면 전기와 가스를 차단한다.
③ 집 안에서는 탁자 아래로 들어가 몸을 보호한다.
④ 등교 중일 때에는 가방이나 손으로 머리를 보호한다.
⑤ 건물 밖으로 나갈 때는 승강기를 이용해 신속히 대피한다.

우리나라의 산업 발달 모습 살펴보기

05 빈칸에 들어갈 알맞은 산업은 무엇입니까? ( )

> 1960년대 이후 생활에 필요한 물건을 공장에서 대량으로 만들기 시작하면서 생활에 필요한 원료를 배로 수입하거나 완성된 제품을 수출하기에 편리한 남동쪽 해안가에 새로운 [   ] 단지가 형성되었고, 산업의 종류도 다양해졌다.

① 경공업   ② 관광 산업
③ 첨단 산업   ④ 물류 산업
⑤ 중화학 공업

인문 환경의 변화에 따라 달라진 국토의 모습 살펴보기

06 인문 환경의 변화에 따라 달라진 국토의 모습으로 알맞지 <u>않은</u> 것은 무엇입니까? ( )

① 교통의 발달로 다양한 산업이 발달했다.
② 산업이 성장하면서 더욱 많은 도시가 생겨났다.
③ 인구가 많은 지역을 중심으로 교통망이 발달한다.
④ 교통의 발달로 지역 간에 인구 이동이 줄어들었다.
⑤ 도시의 성장으로 더 많은 인구가 이동하면서 교통과 산업은 더욱 발달했다.

인권 신장을 위해 노력했던 옛사람 알아보기

07 신분으로 차별받는 사람들의 인권을 다룬 『홍길동전』을 쓴 사람은 누구입니까? ( )

① 이이   ② 허균
③ 방정환   ④ 정약용
⑤ 홍대용

인권 보호 실천 방법 알아보기

08 인권을 보호하기 위해 어린이들이 실천할 수 있는 방법을 두 가지 고르시오. (,)

① 인권 교육 활동하기
② 낡은 놀이터 바꾸기
③ 인권 개선 편지 쓰기
④ 인권을 존중하는 말 사용하기
⑤ 장애인을 위한 편의 시설 설치하기

법의 역할 알아보기

09 보기 를 법의 역할에 따라 구분하여 기호를 쓰시오.

> 보기
> ㉠ 개인의 정보를 보호해 준다.
> ㉡ 범죄로부터 안전하게 지켜 준다.
> ㉢ 환경 파괴와 오염을 예방해 준다.
> ㉣ 개인의 생명이나 재산을 보호해 준다.

(1) 사회 질서 유지: (　　　　,　　　　)
(2) 개인의 권리 보장: (　　　　,　　　　)

재판에 참여하는 사람 알아보기

10 재판을 할 때 다음과 같은 일을 하는 사람이 알맞게 짝 지어진 것은 무엇입니까?　　(　　　)

> ㉠ 법을 위반한 점에 대해 심판을 요청하는 사람
> ㉡ 재판을 진행하고 법에 따라 판결을 내리는 사람

구분	㉠	㉡
①	검사	판사
②	검사	변호인
③	판사	검사
④	판사	변호인
⑤	변호인	검사

인권 보장을 위한 헌법의 역할 알아보기

11 빈칸에 들어갈 권리로 알맞은 것은 무엇입니까? (　　　)

> 선우: 엄마, 학원은 왜 밤늦게까지 하지 않아요?
> 어머니: 학생들이 늦은 시간까지 학원에 다닌다면 어떤 일이 일어날지 한번 생각해 볼래?
> 선우: 학원이 늦게 끝나면 집에 오는 시간이 늦어질 것 같아요. 그렇게 되면 쉴 수 있는 시간과 잠잘 수 있는 시간도 줄어들 것 같아요.
> 어머니: 헌법은 국민이 □□□□ 권리를 보장하고 있단다. 그래서 늦은 시간에 학원 수업을 하지 못하도록 법으로 제한하고 있는 것이란다.

① 교육받을　　　　② 직업을 가질
③ 정치에 참여할　　④ 건강하게 살아갈
⑤ 자유롭게 살아갈

국민의 기본권 알아보기

12 헌법이 보장하는 기본권에 해당하지 않는 것은 무엇입니까?　　(　　　)

① 납세권　　　　② 자유권
③ 참정권　　　　④ 청구권
⑤ 평등권

고조선의 법을 보고 당시 생활 모습 알아보기

13 다음 고조선의 법 조항으로 알 수 있는 당시 사람들의 생활 모습은 무엇입니까?　　(　　　)

> 사람을 죽인 사람은 사형에 처한다.

① 법이 매우 엄격했다.
② 신분 제도가 있었다.
③ 화폐의 개념이 있었다.
④ 개인의 재산을 인정했다.
⑤ 다양한 종교를 믿고 따랐다.

발해의 성립과 발전 과정 알아보기

14 발해에 대한 설명으로 알맞지 <u>않은</u> 것은 무엇입니까?　　(　　　)

① 불교문화가 발달했다.
② 고구려 유민들로만 이루어졌다.
③ 대조영이 동모산 지역에 세웠다.
④ 고구려의 옛 땅을 대부분 되찾았다.
⑤ 당은 발해를 '해동성국'이라고 불렀다.

고려의 건국과 후삼국 통일 과정 알아보기

15 다음을 일어난 차례대로 기호를 늘어놓은 것은 무엇입니까?　　(　　　)

> ㉠ 고려 건국　　　　㉡ 신라 항복
> ㉢ 후백제 건국　　　㉣ 후고구려 건국

① ㉠ → ㉡ → ㉢ → ㉣
② ㉡ → ㉠ → ㉣ → ㉢
③ ㉢ → ㉣ → ㉢ → ㉠
④ ㉢ → ㉣ → ㉠ → ㉡
⑤ ㉢ → ㉣ → ㉡ → ㉠

고려의 기술과 문화 알아보기

16 다음에서 설명하는 문화유산은 무엇인지 쓰시오.

> • 십여 년간 목판 8만여 장에 불경을 새긴 것임에도, 글자가 고르고 ˙틀린 글자도 거의 없다.
> • 고려의 목판 제조술, 조각술, 인쇄술 등이 매우 뛰어났음을 알 수 있다.

(　　　　　　　　　)

17 조선이 한양을 도읍으로 삼은 까닭으로 알맞지 <u>않은</u> 것은 무엇입니까? ( )

한양의 지리적 이점 알아보기

① 농사짓기에 알맞았기 때문
② 일 년 내내 날씨가 따뜻하기 때문
③ 나라의 중심에 위치하고 있기 때문
④ 한강을 거쳐 물자를 옮기기에 좋았기 때문
⑤ 산으로 둘러싸여 있어 외적의 침입을 막아 내기에 유리했기 때문

18 세종 대에 만들어진 다음 과학 기구가 준 도움을 보기 에서 두 가지 골라 기호를 쓰시오.

세종 대에 이루어 낸 발전 알아보기

> • 혼천의   • 앙부일구   • 자격루

보기
> ㉠ 다양한 책을 만들 수 있게 되었다.
> ㉡ 백성들이 시각을 알 수 있게 되었다.
> ㉢ 무거운 물건을 쉽게 옮길 수 있게 되었다.
> ㉣ 해와 달, 별의 움직임을 관찰할 수 있게 되었다.

(,)

19 수원 화성에 대한 설명으로 알맞지 <u>않은</u> 것은 무엇입니까? ( )

수원 화성 알아보기

① 거중기, 녹로 등을 이용해 건설했다.
② 정조가 상업의 중심지로 삼으려 했다.
③ 유네스코 세계 문화유산으로 등재되었다.
④ 일제 강점기와 6·25 전쟁 때 훼손되어 지금은 남아 있지 않다.
⑤ 수원 화성을 건설하는 데 활용한 설계도와 도구는 『화성성역의궤』에 기록되어 전해져 온다.

20 병인양요에 대한 설명으로 알맞지 <u>않은</u> 것은 무엇입니까? ( )

병인양요 알아보기

① 1866년에 일어났다.
② 프랑스가 통상을 요구하며 강화도를 침략했다.
③ 어재연 장군을 비롯한 많은 사람이 희생되었다.
④ 조선은 강화도로 군대를 보내 전투를 벌여 프랑스군을 물리쳤다.
⑤ 프랑스군은 조선군에 패하고 물러가면서 귀중한 책과 무기, 곡식 등을 약탈해 갔다.

21 갑신정변의 개혁안으로 알맞지 <u>않은</u> 것은 무엇입니까? ( )

갑신정변의 개혁안 알아보기

① 능력에 따라 관리를 임명한다.
② 청에 대한 조공 허례를 폐지한다.
③ 일본에 협력하는 사람을 엄히 벌한다.
④ 부정한 관리를 처벌하고, 백성들이 빚진 쌀을 면제한다.
⑤ 세금 제도를 고쳐 관리의 부정을 막고 국가 살림살이를 튼튼히 한다.

22 빈칸에 공통으로 들어갈 알맞은 말을 쓰시오.

을사늑약 이후 항일 운동 알아보기

> 고종이 강제로 물러나고 대한 제국의 군대가 해산되자, 전국 각지에서 [ ] 운동이 한층 강하게 전개되었다. 일제는 대대적으로 [ ] 운동을 탄압했다.

( )

23 조선어 학회가 민족정신을 지키고자 노력한 일을 두 가지 고르시오. (,)

나라를 되찾으려는 노력 알아보기

① 군사 교육   ② 사전 편찬
③ 학교 건립   ④ 한글 보급
⑤ 우리 역사 소개

24 우리나라 초대 대통령으로 선출된 사람은 누구입니까? ( )

대한민국 정부 수립 과정 알아보기

① 김구   ② 이승만
③ 이기붕   ④ 윤보선
⑤ 여운형

25 1950년 6월 25일, 북한이 남한을 침략한 까닭은 무엇입니까? ( )

6·25 전쟁의 원인 알아보기

① 평화 통일을 이루기 위해
② 남한을 무력으로 통일하기 위해
③ 민주주의 정부를 수립하기 위해
④ 북한의 군사력을 보여 주기 위해
⑤ 한반도에서 미군과 소련군을 철수시키기 위해

모의 평가 3회

출제 범위: 5학년 전 범위 문항 수: 25문항

점수

정답과 해설 29쪽

자료 변환 알아보기

01 실험 결과를 한눈에 보기 쉽게 정리하는 방법이 <u>아닌</u> 것은 무엇입니까? ( )

① 표 ② 도식 ③ 그림
④ 그래프 ⑤ 자세한 설명글

온도의 의미 알아보기

02 온도에 대한 설명으로 옳지 <u>않은</u> 것은 무엇입니까?

( )

① 숫자와 ℃라는 단위로 나타낸다.
② 물질이 차가울수록 온도는 낮다.
③ 사람마다 느끼는 물질의 온도는 모두 같다.
④ 온도계를 사용하면 정확하게 측정할 수 있다.
⑤ 물질의 차갑거나 따뜻한 정도를 나타낸 것이다.

고체에서 열의 이동 알아보기

03 고체에서 열의 이동에 대한 설명으로 옳은 것은 무엇입니까? ( )

① 고체에서의 열의 이동 방법을 대류라고 한다.
② 열은 온도가 높은 곳에서 낮은 곳으로 이동한다.
③ 고체에서 열은 고체 물질이 직접 이동하여 전달한다.
④ 고체 물질의 종류에 상관없이 열이 이동하는 빠르기는 같다.
⑤ 열은 가열한 곳에서 먼 부분부터 가까운 부분으로 이동한다.

기체에서 열의 이동 알아보기

04 공기에서 열의 이동을 이용한 예로 옳은 것을 다음 보기 에서 골라 기호를 쓰시오.

보기
㉠ 난로를 켜서 교실을 따뜻하게 한다.
㉡ 물을 끓이기 위해 주전자를 가열한다.
㉢ 조리 기구를 이용하여 음식을 만든다.

( )

태양계 행성 알아보기

05 태양계 행성에 대한 설명으로 옳지 <u>않은</u> 것을 두 가지 고르시오. (,)

① 여덟 개가 있다.
② 크기가 다양하다.
③ 태양 주위를 돈다.
④ 모두 고리를 가지고 있다.
⑤ 달과 같은 천체를 행성이라고 한다.

행성의 상대적인 크기 알아보기

06 행성의 상대적인 크기에 대한 설명으로 옳은 것은 무엇입니까? ( )

① 행성의 크기는 거의 비슷하다.
② 금성의 크기는 지구 크기의 2배이다.
③ 수성이 가장 작고, 목성이 가장 크다.
④ 지구보다 작은 행성은 금성, 토성이다.
⑤ 지구보다 큰 행성은 화성, 목성, 천왕성, 해왕성이다.

북극성 알아보기

07 밤에 길을 잃었을 때 북극성을 이용하여 방향을 찾을 수 있는 까닭으로 옳은 것은 무엇입니까? ( )

① 북극성은 항상 북쪽에 있기 때문이다.
② 북극성은 다른 별들과 색깔이 다르기 때문이다.
③ 북극성은 다른 별들에 비해 매우 크기 때문이다.
④ 북극성은 시간이 흐를수록 점점 더 밝게 빛나기 때문이다.
⑤ 북극성 주변에는 다른 별이 없어 쉽게 찾을 수 있기 때문이다.

물에 넣은 각설탕이 시간에 따라 변하는 모습 알아보기

08 각설탕이 물에 용해되는 과정에 대한 설명으로 옳지 <u>않은</u> 것은 무엇입니까? ( )

① 각설탕이 조금씩 작아진다.
② 각설탕이 물에 골고루 섞인다.
③ 각설탕이 눈에 보이지 않게 된다.
④ 각설탕이 작은 크기의 설탕으로 나뉜다.
⑤ 각설탕 덩어리가 조금씩 더 크게 변한다.

용질마다 물에 용해되는 양 알아보기

09 다음은 온도가 같은 물 50 mL에 소금, 설탕, 베이킹 소다를 각각 한 숟가락씩 넣고 저었을 때 용해되는 양을 나타낸 실험 결과입니다. 이 실험 결과에 대한 설명으로 옳은 것은 무엇입니까? ( )

○: 다 녹음, △: 다 녹지 않음.

용질	약숟가락으로 넣은 횟수(회)							
	1	2	3	4	5	6	7	8
소금	○	○	○	○	○	○	○	△
설탕	○	○	○	○	○	○	○	○
베이킹 소다	○	△						

① 용질마다 물에 용해되는 양이 다르다.
② 모든 용질이 물에 용해되는 양이 같다.
③ 소금, 설탕, 베이킹 소다 중에 소금이 가장 많이 용해된다.
④ 소금, 설탕, 베이킹 소다 중에 설탕이 가장 조금 용해됩니다.
⑤ 온도가 낮아지면 소금, 설탕, 베이킹 소다가 용해되는 양이 같아진다.

10 용액의 색깔이 가장 진한 것은 무엇입니까? ( )

용액의 진하기 알아보기

① 물 100 mL에 황설탕 30 g을 녹인 용액
② 물 100 mL에 황설탕 50 g을 녹인 용액
③ 물 100 mL에 황설탕 80 g을 녹인 용액
④ 물 100 mL에 백설탕 50 g을 녹인 용액
⑤ 물 100 mL에 백설탕 100 g을 녹인 용액

11 곰팡이에 대한 설명으로 옳지 <u>않은</u> 것의 기호를 쓰시오.

곰팡이의 특징 알아보기

> 곰팡이는 ㉠ 푸른색, 검은색, 하얀색 등 색깔이 다양하고 ㉡ 매우 가느다란 균사가 거미줄처럼 엉켜 있는 모양이다. ㉢ 식물에 속하며, ㉣ 동물이나 식물 등 다른 생물에서 양분을 얻는다.

( )

12 세균이 사는 곳에 대한 설명으로 옳은 것은 무엇입니까?

세균이 사는 곳 알아보기

( )

① 땅속에서만 산다.
② 공기 중에서만 산다.
③ 물속에서는 살지 않는다.
④ 우리 주변 어디에서나 산다.
⑤ 생물의 몸속에서는 살 수 없다.

13 첨단 생명 과학을 활용하는 예로 적절하지 <u>않은</u> 것은 무엇입니까? ( )

첨단 생명 과학의 활용 알아보기

① 생물이 만든 연료로 자동차를 움직인다.
② 곰팡이를 이용하여 만든 약으로 백신을 만든다.
③ 곰팡이, 세균을 활용하여 토양을 깨끗하게 한다.
④ 원생생물을 이용하여 음식물 쓰레기를 분해한다.
⑤ 곰팡이가 생기지 않도록 물건을 건조한 곳에 보관한다.

14 다음은 생물 요소 중 무엇에 대한 설명인지 쓰시오.

양분을 얻는 방법에 따라 생물 요소 분류하기

> • 세균, 버섯, 곰팡이가 있다.
> • 주로 죽은 생물이나 배출물을 분해하여 양분을 얻는다.

( )

15 먹이 사슬과 먹이 그물에 대한 설명으로 옳은 것은 무엇입니까? ( )

먹이 사슬과 먹이 그물의 공통점과 차이점 알아보기

① 먹이 단계의 중간 단계는 식물이다.
② 먹이 사슬에서 하나의 생물은 먹을 수 있는 먹이가 다양하다.
③ 실제 생태계에서의 먹이 관계는 먹이 그물보다 먹이 사슬의 형태로 나타난다.
④ 먹이 사슬은 도토리 → 다람쥐 → 매의 연결과 같이 한 줄의 사슬처럼 연결되어 있는 것이다.
⑤ 먹이 사슬은 먹이 관계가 여러 방향으로 연결되지만, 먹이 그물은 먹이 관계가 한 방향으로만 연결된다.

16 생물이 환경에 적응한 모습에 대한 설명으로 옳지 <u>않은</u> 것은 무엇입니까? ( )

다양한 환경에 적응하는 생물 알아보기

① 밤송이: 건조한 환경에 적응해 가시가 생겼다.
② 공벌레: 오므리는 행동으로 적에게서 몸을 보호한다.
③ 개구리: 춥고 먹을 것이 부족한 겨울이 되면 겨울잠을 잔다.
④ 제비: 따뜻하고 먹이가 많은 지역으로 먼 거리를 날아서 이동한다.
⑤ 대벌레: 나뭇가지와 비슷한 모습이어서 적의 눈에 잘 띄지 않는다.

17 습도에 대한 설명으로 옳은 것은 무엇입니까? ( )

습도 알아보기

① 습도의 단위는 ℃이다.
② 습도는 언제나 일정하다.
③ 공기의 무겁고 가벼운 정도를 말한다.
④ 공기 중에 수증기가 포함된 정도이다.
⑤ 공기 중에 포함된 수증기의 양이 적으면 습도가 높다.

이슬과 안개의 공통점 알아보기

18 다음은 이슬과 안개의 공통점을 설명한 것입니다. ㉠, ㉡에 들어갈 알맞은 말을 쓰시오.

> • 맑은 날 이른 (㉠)에 주로 볼 수 있다.
> • 공기 중 수증기가 (㉡)해 나타나는 현상이다.

㉠ :(   ), ㉡ :(   )

지면과 수면의 하루 동안 온도 변화 알아보기

19 지면과 수면의 하루 동안 온도 변화에 대한 설명으로 옳은 것은 무엇입니까? (   )

① 지면과 수면의 온도는 변하지 않는다.
② 밤에는 지면이 수면보다 천천히 식는다.
③ 낮에는 지면이 수면보다 빠르게 데워진다.
④ 낮과 밤 모두 수면의 온도가 지면의 온도보다 높다.
⑤ 낮과 밤 모두 지면의 온도가 수면의 온도보다 높다.

물체의 운동을 나타내는 방법 알아보기

20 물체의 운동을 나타낼 때 포함되어야 할 요소를 다음 보기 에서 두 가지 골라 기호를 쓰시오.

> **보기**
> ㉠ 이동 방향   ㉡ 이동 거리
> ㉢ 걸린 시간   ㉣ 물체의 크기

(,   )

일정한 거리를 이동한 물체의 빠르기 비교하기

21 다음은 50 m 달리기에서 결승선까지 달리는 데 걸린 시간을 나타낸 것입니다. 이에 대한 설명으로 옳은 것은 무엇입니까? (   )

이름	석주	인경	경일	미주
걸린 시간	8초 45	9초 10	8초 20	9초 05

① 석주가 가장 느리게 달렸다.
② 인경이가 가장 빠르게 달렸다.
③ 미주가 두 번째로 빠르게 달렸다.
④ 미주가 석주보다 더 빠르게 달렸다.
⑤ 걸린 시간이 짧을수록 빨리 달린 것이다.

도로 주변에서 지켜야 할 교통안전 수칙 알아보기

22 우리가 지킬 수 있는 교통안전 수칙으로 옳지 않은 것은 무엇입니까? (   )

① 무단횡단을 하지 않는다.
② 도로에서 공놀이를 하지 않는다.
③ 자전거를 타고 횡단보도를 건넌다.
④ 버스를 기다릴 때 차도로 내려오지 않는다.
⑤ 초록색 신호등이 켜지면 좌우를 살피며 건넌다.

지시약의 성질 알아보기

23 다음 (   ) 안에 들어갈 수 있는 물질이 아닌 것을 두 가지 고르시오. (,   )

> (   )처럼 어떤 용액을 만났을 때에 그 용액의 성질에 따라 눈에 띄는 변화가 나타나는 물질을 지시약이라고 한다.

① 석회수
② 페놀프탈레인 용액
③ 푸른색 리트머스 종이
④ 자주색 양배추 지시약
⑤ 묽은 수산화 나트륨 용액

산성 용액에 여러 가지 물질을 넣었을 때의 변화 알아보기

24 산성 용액에 넣었을 때 기포가 발생하며 녹는 물질을 두 가지 고르시오. (,   )

① 두부   ② 닭 가슴살
③ 달걀 껍데기   ④ 대리석 조각
⑤ 삶은 달걀흰자

산성 용액과 염기성 용액을 섞었을 때의 변화 알아보기

25 산성 용액에 염기성 용액을 조금씩 계속 넣을 때 나타나는 변화로 옳은 것을 두 가지 고르시오. (,   )

① 산성이 점점 강해진다.
② 산성이 점점 약해진다.
③ 염기성이 점점 강해진다.
④ 염기성이 점점 약해진다.
⑤ 아무런 변화가 없다.

영어

모의 평가 3회

출제 범위: 5학년 전 범위   문항 수: 25문항

점수

1번부터 17번까지는 듣고 답하는 문제입니다. 녹음 내용을 잘 듣고, 물음에 답하기 바랍니다. 내용은 한 번만 들려줍니다.

지금 하고 있는 일 묻고 답하는 표현 이해하기

01 다음을 듣고, 그림에 알맞은 대답을 고르시오. (   )

① 🎧   ② 🎧   ③ 🎧   ④ 🎧   ⑤ 🎧

길 묻고 답하는 표현 이해하기

02 대화를 듣고, 은행에 가는 방법을 고르시오. (   )
① 똑바로 가면 병원 옆에 있다.
② 똑바로 가면 병원 앞에 있다.
③ 왼쪽으로 돌면 병원 뒤에 있다.
④ 오른쪽으로 돌면 병원 뒤에 있다.
⑤ 오른쪽으로 돌면 병원 옆에 있다.

안부 묻고 답하는 표현 이해하기

03 다음을 듣고, 이어질 대답으로 알맞은 것을 고르시오.
(   )
① 🎧   ② 🎧   ③ 🎧   ④ 🎧   ⑤ 🎧

가장 좋아하는 것 묻고 답하는 표현 이해하기

04 대화를 듣고, Jenny가 가장 좋아하는 과목을 고르시오.
(   )
① 과학   ② 음악   ③ 국어
④ 사회   ⑤ 체육

지금 하고 있는 일 묻고 답하는 표현 이해하기

05 대화를 듣고, 내용과 일치하지 <u>않는</u> 것을 고르시오.
(   )
① 수미는 거실에 있다.
② 수미는 거실을 청소하고 있다.
③ 수미는 지민이와 이야기하고 있다.
④ 지민이는 욕실에 있다.
⑤ 지민이는 손을 씻고 있다.

전화를 하거나 받는 표현 이해하기

06 대화를 듣고, 대화의 마지막에 이어질 말을 고르시오.
(   )
① Help me.   ② Yes, I can.
③ Who are you?   ④ Yuna is there.
⑤ This is she speaking.

과거에 한 일 묻고 답하는 표현 이해하기

07 대화를 듣고, 지나가 지난 일요일에 한 일을 고르시오.
(   )
① 친구와 영화를 봤다.
② 친구들과 농구를 했다.
③ 공원에서 자전거를 탔다.
④ 엄마를 도와 청소를 했다.
⑤ 엄마, 아빠와 동물원에 갔다.

하루 일과 묻고 답하는 표현 이해하기

08 대화를 듣고, Tony가 숙제를 하는 시각을 고르시오.
(   )
① 4시   ② 5시   ③ 6시   ④ 7시   ⑤ 8시

물건의 주인 묻고 답하는 표현 이해하기

09 대화를 듣고, Kevin의 물건을 고르시오. (   )
① 우산   ② 가방   ③ 바지   ④ 책   ⑤ 자

미래에 할 일 묻고 답하는 표현 이해하기

10 대화를 듣고, 보미가 이번 여름에 할 일을 고르시오.
(   )
① 글을 쓸 것이다.
② 캠핑을 갈 것이다.
③ 해변에 갈 것이다.
④ 수영을 배울 것이다.
⑤ 삼촌을 방문할 것이다.

외모 묻고 답하는 표현 이해하기

11 대화를 듣고, 내용과 일치하는 것을 고르시오. (   )
① Ben은 키가 작다.
② Ben은 생머리이다.
③ Ben은 안경을 쓰고 있다.
④ Ben은 검은색 셔츠를 입고 있다.
⑤ Ben은 파란색 바지를 입고 있다.

일과 나타내는 표현 이해하기

12 다음을 듣고, 그림에 대한 설명으로 알맞은 것을 고르시오.
( )

① 🎧　② 🎧　③ 🎧　④ 🎧　⑤ 🎧

장래희망 묻고 답하는 표현 이해하기

13 대화를 듣고, 미나의 장래 희망을 고르시오. ( )

① 가수　　　② 화가　　　③ 미술 선생님
④ 음악 선생님　⑤ 피아노 연주자

허락 요청하고 답하는 표현 이해하기

14 대화를 듣고, 진호가 지금 영화를 볼 수 없는 이유를 고르시오.
( )

① 청소를 해야 해서
② 숙제를 해야 해서
③ 동생을 돌봐야 해서
④ 저녁을 먹어야 해서
⑤ 할머니 댁을 가야 해서

원하는 것 묻고 답하는 표현 이해하기

15 대화를 듣고, 수민이가 하고 싶은 것을 고르시오. ( )

① 쇼핑하러 가기
② 낚시하러 가기
③ 캠핑하러 가기
④ 좋아하는 배우의 영화 보기
⑤ 좋아하는 가수의 콘서트 가기

여가 활동 묻고 답하는 표현 이해하기

16 대화를 듣고, 민수가 일요일에 하는 것을 고르시오.
( )

① 캠핑을 간다.　　② 영화를 본다.
③ 숙제를 한다.　　④ 야구를 한다.
⑤ 책을 읽는다.

미래에 할 일 묻고 답하는 표현 이해하기

17 다음을 듣고, 자연스럽지 않은 대화를 고르시오. ( )

① 🎧　② 🎧　③ 🎧　④ 🎧　⑤ 🎧

이제 듣기 문제가 모두 끝났습니다. 18번부터는 문제지의 지시에 따라 답하기 바랍니다.

장소 소개하는 문장 이해하기

18 그림에 대한 설명으로 알맞지 않은 것을 고르시오.
( )

① This is the kitchen.
② You can cook here.
③ You can wash the dishes here.
④ There is a sink here.
⑤ There are two chairs here.

외모 묻고 답하는 문장 완성하기

19 그림을 보고, 대화의 빈칸에 알맞은 말이 짝 지어진 것을 고르시오. ( )

A: What does she look like?
B: She has ___ⓐ___ hair.
　　She is wearing green ___ⓑ___.

	ⓐ	ⓑ
①	long	pants
②	long	shoes
③	short	pants
④	short	shoes
⑤	curly	pants

20 다음을 읽고, 글에 알맞은 제목을 고르시오. (　　　)

일과를 소개하는 글 읽고 이해하기

> I get up at seven in the morning.
> I have breakfast at seven thirty.
> I go to school at eight.
> I come home at three in the afternoon.
> I do my homework at four.
> I have dinner at six.
> I go to bed at ten.

① 나의 학교 생활　　　② 나의 하루 일과
③ 나의 식사 시간　　　④ 나의 방학 계획
⑤ 나의 방과후 활동

21 다음 대화의 빈칸에 공통으로 들어갈 것을 고르시오. (　　　)

하고 싶은 일을 묻고 답하는 대화문 완성하기

> A: What you want _____ do?
> B: I want _____ go swimming.

① at　　② to　　③ in　　④ on　　⑤ for

22 다음 물음에 대답으로 알맞은 것을 고르시오. (　　　)

미래에 할 일 묻고 답하는 대화문 완성하기

> What will you do this Sunday?

① I watched a movie.
② I like to play baseball.
③ I'm cleaning the room.
④ I play soccer on Sundays.
⑤ I'll go to the science museum.

23 다음을 읽고, 내용과 일치하지 **않는** 것을 고르시오. (　　　)

가장 좋아하는 과목을 묻고 답하는 글 읽고 이해하기

> Sam : What did you do last weekend?
> Sujin: I went to the piano concert.
> 　　　　It was wonderful.
> Sam : Do you like to play the piano?
> Sujin: Yes, I like to play the piano.
> Sam : Is music your favorite subject?
> Sujin: No, my favorite subject is art.
> 　　　　I want to be an artist.

① 수진이는 지난 주말에 피아노 연주회에 갔다.
② 피아노 연주회는 멋졌다.
③ 수진이는 피아노 치는 것을 좋아한다.
④ 수진이가 가장 좋아하는 과목은 음악이다.
⑤ 수진이의 장래 희망은 미술가이다.

24 다음 문장을 바르게 고쳐 쓴 것을 고르시오. (　　　)

누구의 것인지 묻는 문장을 어법에 맞게 고쳐 쓰기

> whose book is this!

① whose book is this.
② whose book is this!
③ Whose book is this?
④ Whose Book is this?
⑤ Whose book is This!

25 다음 카드를 배열하여 문장을 바르게 완성한 것을 고르시오. (　　　)

사람의 위치를 나타내는 문장 완성하기

She	the	in
bathroom	is	.

① She is the in bathroom.
② She in is the bathroom.
③ She is the bathroom in.
④ She the bathroom is in.
⑤ She is in the bathroom.

핵심 14 단원

시중에 판매 중인 유채색등 가려 색 부분이 말려 사용하는 채점용 OMR 답안지를 사용할 수 있게 하였습니다.

실전 모의고사

실전 문제

출제 범위: 5학년 전 범위 문항 수: 25문항

• 문제지의 문항 수(25문항)와 면수(4면)를 확인하시오.
• OMR 답안지에 학교, 반, 이름을 정확히 쓰시오.

[01~02] 다음 글을 읽고 물음에 답하시오.

동욱: 정인아, 무슨 걱정이 있니?
정인: (다소 힘없는 듯한 목소리로) 아니, 아무 일도 없는데.
동욱: (궁금해하며) 그러지 말고 말해 봐. 무슨 일인데? 다른 사람한테 절대로 말하지 않을게.
정인: 음, 사실은 체육 시간에 뒤 구르기가 잘 안돼. 그래서 모둠끼리 여러 가지 동작을 꾸밀 때 방해가 되는 것 같아.
동욱: (큰 소리로) 뭐, 네가 뒤 구르기를 못한다고? 그럼 선생님이나 친구들에게 도와 달라고 하면 되지, 뭘 그렇게 걱정해.
정인: (당황하며) 어떻게 그러니?
동욱: 그럼 내가 말해 줄까?
정인: (황급히 큰 소리로) 아냐, 그러지 마! 내가 알아서 할게. 넌 그냥 못 들은 걸로 해.
동욱: 네가 말을 못 하면 내가 말해 줄게.
정인: (화를 내며) 아냐. 내가 알아서 한다고.
동욱: (멋쩍어하며) 도와준다는데 왜 화를 내고 그러니?

01 정인이는 무엇을 고민하고 있습니까? (   )

① 동욱이가 고민을 말하라고 재촉한다.
② 선생님께서 모둠을 바꿔 주시지 않는다.
③ 모둠 활동을 할 때 친구들이 방해를 한다.
④ 체육 시간에 뒤 구르기 동작이 잘 안된다.
⑤ 체육 시간에 모둠끼리 꾸밀 동작이 어렵다.

02 정인이가 화를 낸 까닭은 무엇입니까? (   )

① 동욱이가 정인이의 고민을 비웃어서
② 동욱이가 정인이의 말투를 따라해서
③ 동욱이가 다른 사람에게만 고민을 말해서
④ 동욱이가 도움이 되지 않는 해결 방법을 강요해서
⑤ 동욱이가 정인이의 고민과 관련 없는 해결 방법을 말해서

03 상대를 배려하며 조언하는 방법으로 알맞지 않은 것은 무엇입니까? (   )

① 상대에게 도움이 되는 내용을 말한다.
② 상대에게 진심이 전해지도록 노력한다.
③ 상대의 고민이 별것 아니라고 말해 준다.
④ 상대에게 고민을 말하도록 강요하지 않는다.
⑤ 상대가 고민을 편안하게 말할 수 있도록 잘 듣는다.

[04~05] 다음 글을 읽고 물음에 답하시오.

사람들은 다양한 목적으로 탑을 세웁니다. 종교나 군사 목적으로 탑을 만들 뿐만 아니라 무엇인가를 기념하려고 탑을 짓습니다. 세계 여러 도시에 있는 유명한 탑을 알아봅시다.

이탈리아 토스카나주에는 피사의 사탑이 있습니다. 피사의 사탑은 종교 목적으로 만들어졌습니다. 55미터 높이로 세운 이 탑은 완성한 뒤 조금씩 한쪽으로 기울기 시작해 현재 모습이 되었습니다. 그 아슬아슬한 모습은 눈길을 많이 끕니다.

프랑스 파리에는 에펠 탑이 있습니다. 에펠 탑은 1889년에 프랑스 혁명 100주년을 기념해 세웠습니다. 에펠 탑의 높이는 324미터이고, 해마다 세계 여러 나라에서 수백만 관광객이 찾을 만큼 유명합니다. 현재는 파리뿐만 아니라 프랑스 전체를 상징하는 건축물이기도 합니다.

중국 상하이에는 높이가 468미터인 동방명주 탑이 있습니다. 이 탑은 1994년에 방송을 송신하려고 세웠습니다. 동방명주 탑은 높은 기둥을 중심축으로 하여 구슬 세 개를 꿰어 놓은 것 같은 독특한 외형 때문에 '동양의 진주'라고 불립니다.

04 에펠 탑에 대한 설명으로 알맞은 것은 무엇입니까? (   )

① 군사 목적으로 만든 탑이다.
② 이탈리아 토스카나주에 있다.
③ 프랑스 혁명 100주년을 기념해 세웠다.
④ 구슬 세 개를 꿰어 놓은 것 같은 모양이다.
⑤ 탑을 완성한 뒤 조금씩 한쪽으로 기울기 시작했다.

05 이 글의 설명 방법은 무엇입니까? (   )

① 대조   ② 분류   ③ 분석
④ 비교   ⑤ 열거

06 다음 문장을 꼭 있어야 하는 부분만 남기고 줄여 쓴 것은 무엇입니까? (   )

예쁜 꽃이 들판에 피었습니다.

① 예쁜 꽃.
② 꽃이 피었습니다.
③ 들판에 피었습니다.
④ 예쁜 꽃이 피었습니다.
⑤ 꽃이 들판에 피었습니다.

실전 문제

[07~08] 다음 글을 읽고 물음에 답하시오.

> **가** 일상생활에서 규칙과 질서를 잘 지키는 일이 중요한 것처럼, 글을 쓸 때에도 다른 사람에게 피해를 주지 않으려면 규범을 지켜야 한다. 글을 쓸 때 남의 글을 베껴 자신이 쓴 글인 양 속이는 사람이 있다. 그리고 진실이 아닌 내용을 진실인 것처럼 거짓으로 꾸며 글을 쓰는 사람도 있다. 또 읽는 사람이 크게 상처를 받을 수 있는 내용의 글을 함부로 쓰는 사람도 있다. 이것은 모두 ㉠글쓰기 과정에서 지켜야 할 규범과 예의를 지키지 않은 경우이다. 이처럼 글을 쓰는 과정에서 지켜야 하는 여러 가지 규범을 쓰기 윤리라고 한다. 글을 쓸 때 흔히 글만 잘 쓰면 된다고 생각하기 쉽지만 아무리 잘 쓴 글이라고 하더라도 쓰기 윤리에 벗어난 글이라면 아무 소용이 없다.
>
> **나** 쓰기 윤리를 지키지 않으면 다른 사람에게 물질이나 정신 피해를 줄 수 있다. 글을 쓰려고 어떤 자료를 이용하는 경우, 자신이 직접 쓴 부분과 자료에서 인용한 부분을 명확하게 구분하지 않으면 표절이 될 수 있다. 너무도 뚜렷하게 의도가 있는 표절이면 저작권자에게 피해를 준다.

07 ㉠의 예가 <u>아닌</u> 것은 무엇입니까? ( )

① 글의 내용을 조작하여 썼다.
② 진실이 아닌 내용을 진실인 것처럼 썼다.
③ 인용한 부분을 명확하게 나타내지 않았다.
④ 읽는 사람이 상처받을 수 있는 내용을 썼다.
⑤ 다른 글을 베끼지 않고 모든 내용을 직접 썼다.

08 이 글에 나타난 글쓴이의 주장은 무엇입니까? ( )

① 쓰기 윤리를 지키자.
② 저작권은 무시해도 된다.
③ 법을 어긴 사람을 처벌하자.
④ 다른 사람의 자료를 인용하지 말자.
⑤ 쓰기 윤리와 문화 발전은 관련이 없다.

09 토의를 할 때 의견 모으기 단계에서 하는 일이 <u>아닌</u> 것은 무엇입니까? ( )

① 각 의견의 장단점을 찾는다.
② 친구들과 의견을 주고받는다.
③ 기준에 따라 의견이 알맞은지 판단한다.
④ 의견이 알맞은지 판단할 기준을 세운다.
⑤ 토의하고 싶은 주제를 자유롭게 이야기한다.

10 서윤이가 여행하며 다녀온 곳을 모두 기억하는 까닭은 무엇입니까? ( )

> 현석: 서윤아, 너도 지난해 방학 때 제주도 여행 다녀오지 않았어?
> 서윤: 응, 여행하면서 세계 자연 유산을 많이 알 수 있었어.
> 현석: 어디어디 다녀왔는데?
> 서윤: 한라산, 거문오름, 만장굴, 성산 일출봉을 다녀왔어.
> 현석: 서윤아, 너는 지난해에 갔다 왔는데 그게 다 기억나?
> 서윤: 그럼, 그때 찍은 사진과 함께 글로 남겨 놓았더니 여행을 기억하기 좋더라.

① 여행을 올해 다녀와서
② 제주도에 오랫동안 지내서
③ 현석이와 여행을 함께 다녀와서
④ 여행하면서 본 것을 영상으로 찍어 두어서
⑤ 여행하면서 찍은 사진과 함께 글로 남겨 놓아서

[11~12] 다음 글을 읽고 물음에 답하시오.

> 지표종은 그 지역의 환경이 얼마나 깨끗한지 측정할 수 있는 종을 말합니다. 예를 들어 오래전 탄광에서 일하던 광부들은 카나리아를 이용해 몸에 해로운 유독 가스를 측정했습니다. 공기가 좋은 곳에서 사는 카나리아는 산소가 부족하면 숨을 쉬기가 힘들어 노래를 멈춘답니다. 그래서 광부들은 카나리아가 노래를 부르는 동안에는 안심하고 일을 할 수 있었습니다.
>
> 또한 바로 떠서 먹을 수 있을 정도로 깨끗한 1급수에는 어름치, 열목어 등이 살고, 약간의 처리 과정을 거치면 마실 수 있는 2급수에는 은어, ㉠피라미가 삽니다. 물이 흐리고 마실 수 없어 공업용수로 주로 사용하는 3급수에는 ㉡물벼룩, ㉢짚신벌레 등이 살며, 4급수에는 ㉣물곰팡이, ㉤실지렁이 등이 살 수 있습니다. 이렇게 지표종으로 물의 등급을 알 수 있답니다.

11 이 글의 내용으로 알맞은 것은 무엇입니까? ( )

① 물곰팡이나 실지렁이는 3급수에 산다.
② 카나리아는 우리나라의 대표적인 지표종이다.
③ 광부들은 산소가 부족한 곳에서도 숨을 잘 쉰다.
④ 1급수는 바로 떠서 먹을 수 있을 정도로 깨끗하다.
⑤ 더러워서 생물이 살 수 없는 물은 4급수로 분류한다.

12 ㉠~㉤ 중에서 낱말의 종류가 나머지와 <u>다른</u> 것은 무엇입니까? ( )

① ㉠ ② ㉡ ③ ㉢
④ ㉣ ⑤ ㉤

13 다음 상황에 필요한 자료를 찾는 방법으로 알맞지 <u>않은</u> 것은 무엇입니까? ( )

> 미술 시간에 교통질서 지키기 광고를 그리기로 했다.

① 책에서 교통안전을 다룬 내용을 찾아본다.
② 신문에서 교통사고를 다룬 기사를 찾아본다.
③ 텔레비전에서 교통질서에 대한 광고를 찾아본다.
④ 인터넷에서 교통질서 지키기 광고지를 검색해 본다.
⑤ 마을 안내 책자에서 동네를 지나는 버스 노선을 찾아본다.

14 겪은 일을 이야기로 쓸 때, 가장 먼저 하는 일은 무엇입니까? ( )

① 주제와 제목을 정한다.
② 어떤 등장인물이 필요한지 생각한다.
③ 이야기로 쓰고 싶은 경험을 떠올린다.
④ 이야기의 흐름대로 사건과 배경을 정리한다.
⑤ 이야기를 완성하고 어울리는 그림을 그린다.

[15~16] 다음 대화를 읽고 물음에 답하시오.

> 명준: 지난번 질서 지키기 그림 대회에서 내가 그린 그림이 뽑히지 않아서 무척 서운했어.
> 지윤: ㉠ 네가 그림을 못 그렸겠지. 그러니까 할 수 없잖아?
> 명준: (화내는 목소리로) 너는 친구에게 어떻게 그런 말을 하니?
> 지윤: 그냥 내 생각을 말한 건데, 왜?
> 명준: (화내는 목소리로) 생각을 말한 것뿐이라고?

15 이 대화에 나타난 지윤이의 태도는 어떠합니까? ( )

① 잘못 들어서 여러 번 질문했다.
② 대화를 하다가 상대의 말을 끊었다.
③ 상대가 말을 하지 못하게 끊임없이 말했다.
④ 바쁘다고 말하며 이야기를 들어 주지 않았다.
⑤ 상대의 기분을 생각하지 않고 자신의 생각만 말했다.

16 지윤이가 명준이와 공감하는 대화를 하려면 ㉠을 어떻게 바꾸어야 합니까? ( )

① 그게 그렇게 중요한 일이니?
② 불평은 그만하고 결과를 받아들여야지.
③ 나는 지난번에 뽑혔는데, 별거 아니더라.
④ 네가 내 마음을 몰라 주어서 정말 속상하다.
⑤ 그랬구나. 내가 너였어도 많이 서운했을 것 같아.

[17~18] 다음 대화를 읽고 물음에 답하시오.

> **가** 성규: 날이 갈수록 심해지는 미세 먼지에 어떻게 대처해야 할까요?
> 혜미: 마스크를 쓰고 생활합니다. 마스크가 몸에 해로운 미세 먼지를 막아 주기 때문입니다.
> 로운: 학교 곳곳에 공기 청정기를 설치합니다. 공기 청정기가 공기를 깨끗하게 해 줄 것입니다.
> **나** 이슬: 만약 의견을 실천한다면 어떤 결과가 따를까요? 의견대로 실천했을 때 일어날 문제점을 예측해 봅시다.
> 아라: 공기 청정기를 설치하는 데 비용이 많이 들 수 있습니다.
> 준호: 미세 먼지 마스크는 일회용이라 쓰레기 문제가 일어날 수 있습니다.

17 혜미의 의견에 대한 문제점을 말한 사람은 누구입니까? ( )

① 로운   ② 성규   ③ 이슬
④ 아라   ⑤ 준호

18 **나** 부분은 의견을 조정하는 과정 중 어떤 단계에 해당합니까? ( )

① 결과 예측하기   ② 문제 파악하기
③ 반응 살펴보기   ④ 결정한 의견 발표하기
⑤ 의견 실천에 필요한 조건 따지기

19 다음 글을 고쳐 쓰기 위한 의견으로 알맞지 <u>않은</u> 것은 무엇입니까? ( )

> 처음 발끝이 닿은 장소는 2층 '한글이 걸어온 길' 상설 전시실이었다. 전시실 이름처럼 '한글이 걸어온 길'을 주제로 마련한 상설 전시실은 총 3부로 구성되었다. 1부 주제는 '새로 스물여덟 자를 만드니'로, 세종 25년 한글이 그 모습을 드러내던 때를 살펴볼 수 있었고, 2부 주제는 '쉽게 익혀서 편히 쓰니'이며, 마지막으로 3부 주제는 '세상에 널리 퍼져 나아가니'이다. 상설 전시실의 이름이 한글의 역사를 잘 말해 주는 것 같았다.

① 지금은 체험에 비해 감상이 부족해 보인다.
② 문장 중간중간에 글쓴이가 본 것을 써 주면 좋겠다.
③ '발끝이 닿은 장소'보다 '발길이 닿은 장소'가 더 자연스럽다.
④ 상설 전시실이라는 낱말의 뜻이 어려워 보이므로 뜻을 설명해 주면 좋겠다.
⑤ 한글을 설명할 때 4학년 때 배운 『훈민정음해례본』 내용도 함께 설명하면 읽는 사람이 이해하기 쉬울 것이다.

20 밑줄 친 부분을 알맞게 고친 것은 무엇입니까? ( )

> 나는 친구가 거짓말을 한 것이 결코 바른 행동이라고 <u>생각한다.</u>

① 생각했다　　　② 생각하고 싶다
③ 생각하고 있다　④ 생각할 것이다
⑤ 생각하지 않는다

21 다음은 영상 매체 자료의 줄거리입니다. 이 자료에 사용한 음악이 주는 효과는 무엇입니까? ( )

> 김득신은 열 살에 처음 글을 배우기 시작했다. 김득신은 정삼품 부제학을 지낸 김치의 아들로 태어났다. 주변에서는 우둔한 김득신을 포기하라고 했다. 하지만 김득신의 아버지는 공부를 포기하지 않는 김득신을 대견스럽게 여겼다. 김득신은 스무 살에 처음으로 작문을 했다. 김득신의 아버지는 공부란 꼭 과거를 보기 위한 것만이 아니니 더욱 노력하라고 김득신을 격려했다.

사용한 음악	잔잔하고 차분한 음악

① 춤을 추고 싶은 생각이 들게 한다.
② 묵묵히 노력하는 인물의 모습이 더욱 강조된다.
③ 실망하고 기죽은 김득신의 마음에 공감하게 한다.
④ 우스꽝스러우면서도 안타까운 김득신의 모습이 강조된다.
⑤ 꾸준히 노력해서 자신의 한계를 극복한 김득신의 삶을 돌아보는 느낌을 준다.

[22~23] 다음 대화를 읽고 물음에 답하시오.

> 찬성편: 반대편은 학급 임원을 뽑는 기준이 올바르지 않은 까닭을 근거로 들었습니다. 하지만 반대편에서 첫 번째 자료로 제시한 설문 조사 결과는 다른 학교를 조사한 것입니다. 따라서 우리 학교의 상황과 설문 조사 결과가 반드시 같다고는 볼 수 없습니다. 우리 학교 사정을 고려해서 근거를 말씀해 주셔야 하지 않을까요?
> 반대편: 네. 저희가 다른 학교에서 조사한 결과를 활용한 것은 맞습니다. 그러나 그 자료는 학급 임원을 뽑는 기준에 문제가 있다고 생각하는 학생이 많다는 점을 보여 드리려는 자료입니다. 여기 우리 학교 선생님을 면담한 결과를 보여 드리겠습니다. 그 선생님께서는 "봉사 정신이 뛰어나거나 모범적인 행동을 보이는 학생보다는 인기가 많은 학생이 학급 임원이 되는 경우가 종종 있다."라고 말씀하셨습니다. 이러한 점을 모두 고려해 학생 대표로서의 학급 임원이 필요한지 의문입니다.

22 찬성편은 반대편에서 첫 번째 자료로 제시한 설문 조사 결과에 어떤 문제가 있다고 하였습니까? ( )

① 출처가 명확하지 않다.
② 다른 학교를 조사한 결과이다.
③ 너무 오래 전에 조사한 자료이다.
④ 정확한 수치가 드러나 있지 않다.
⑤ 전문가를 대상으로 한 설문 조사가 아니다.

23 대화의 내용으로 보아, 반대편의 주장은 무엇이겠습니까? ( )

① 학급 임원이 반드시 필요하지는 않다.
② 학급 임원을 일 년에 한 번만 뽑아야 한다.
③ 인기가 많은 학생이 학급 임원을 해야 한다.
④ 학급 임원을 해야 모범 정신을 기를 수 있다.
⑤ 한 사람이 학급 임원을 여러 번 해서는 안 된다.

24 밑줄 친 낱말의 뜻을 짐작할 수 있는 부분은 무엇입니까? ( )

> 귀가 어두워 무슨 말을 해도 제대로 알아듣지 못하는 만화 주인공 '사오정'을 아시나요? 만화 주인공 사오정과 비슷한 사람이 우리 주변에 많이 생겨나고 있습니다. 사오정이 <u>뜬금없는</u> 말로 우리에게 재미와 웃음을 주지만 요즘에 사오정들은 귀 건강을 위협받는 아주 위험한 상황에 놓여 있습니다.

① 귀가 어두워
② 제대로 알아듣지 못하는
③ 많이 생겨나고 있습니다
④ 우리에게 재미와 웃음을 주지만
⑤ 귀 건강을 위협받는

25 ㉠~㉢에 대한 설명이 알맞은 것은 무엇입니까? ( )

> ㉠ 이거 레알?
> ㉡ 휴대 전화가 다 팔리셨습니다.
> ㉢ 요즘 젊은 분들은 엘레강스하게 스타일하세요.

① ㉠과 ㉡에는 같은 문제점이 나타나 있다.
② ㉠은 '이거 리얼?'과 같이 고쳐 써야 한다.
③ ㉡은 '휴대 전화께서 다 팔리셨어요.'라고 해야 한다.
④ ㉢에서 '엘레강스'와 '스타일'은 우리말이 없어서 바꾸어 쓸 수 없다.
⑤ ㉢과 같은 표현을 사용하는 까닭은 외국어를 쓰면 고급스러워 보인다는 편견 때문이다.

> ♣ 수고하셨습니다. ♣
> 답안지에 답을 정확히 표기하였는지 확인하시오.

실전 문제

출제 범위: 5학년 전 범위   문항 수: 25문항

점수

- 문제지의 문항 수(25문항)와 면수(3면)를 확인하시오.
- OMR 답안지에 학교, 반, 이름을 정확히 쓰시오.

01 두 수의 곱은 얼마입니까?   (   )

$$\frac{7}{8} \qquad 3$$

① $1\frac{3}{8}$ ② $1\frac{5}{8}$ ③ $2\frac{3}{8}$

④ $2\frac{5}{8}$ ⑤ $3\frac{1}{8}$

02 기약분수가 <u>아닌</u> 것은 어느 것입니까?   (   )

① $\frac{3}{11}$ ② $\frac{13}{21}$ ③ $\frac{7}{35}$

④ $\frac{2}{45}$ ⑤ $\frac{49}{50}$

03 오른쪽 직육면체의 겨냥도에 대한 설명으로 <u>틀린</u> 것은 어느 것입니까?   (   )

① 보이는 면은 3개이다.
② 보이는 꼭짓점은 1개이다.
③ 보이는 모서리는 9개이다.
④ 보이지 않는 면은 3개이다.
⑤ 보이지 않는 모서리는 3개이다.

04 계산 순서에 맞게 기호를 쓰시오.

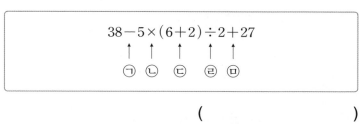

(   )

05 두 수의 최소공배수가 가장 작은 것은 어느 것입니까?   (   )

① (5, 8) ② (9, 15) ③ (12, 16)
④ (7, 6) ⑤ (8, 14)

06 $\frac{11}{12}$과 $\frac{7}{9}$을 통분할 때 공통분모가 될 수 있는 수는 어느 것입니까?   (   )

① 9 ② 12 ③ 24
④ 48 ⑤ 72

07 자두 36개를 남김없이 똑같이 봉지에 나누어 담으려고 합니다. 한 봉지에 담을 수 있는 자두의 수가 <u>아닌</u> 것은 어느 것입니까?   (   )

① 3개 ② 4개 ③ 9개
④ 12개 ⑤ 24개

08 밥을 짓기 위해 쌀 $\frac{3}{4}$ kg과 콩 $\frac{3}{5}$ kg을 섞었습니다. 밥을 짓기 위해 사용한 쌀과 콩은 모두 몇 kg인지 구해 보시오.

(   )

09 ○와 □ 사이의 대응 관계를 식으로 나타낸 것은 어느 것입니까?
( )

□	2	3	4	5	6
○	4	9	16	25	36

① □=○+2 ② ○=□×2 ③ ○=□×□
④ □÷○=2 ⑤ □+○=6

10 송곳니 수와 바퀴 수 사이의 대응 관계를 잘못 설명한 것을 두 가지 고르시오.
(,)
① 송곳니 수는 바퀴 수의 배이다.
② 바퀴 수는 송곳니 수의 배이다.
③ 바퀴 수는 송곳니 수보다 4 더 많다.
④ 송곳니 수는 바퀴 수보다 4 더 많다.
⑤ 바퀴 수를 4로 나누면 송곳니 수와 같다.

11 $\frac{1}{8}$이 25개인 수와 $\frac{1}{3}$이 23개인 수의 차는 얼마입니까?
( )
① $\frac{1}{24}$ ② $\frac{5}{24}$ ③ $\frac{7}{24}$ ④ $\frac{3}{8}$ ⑤ $\frac{17}{24}$

12 두 선대칭도형 가와 나의 대칭축의 개수의 차는 몇 개입니까?
( )

① 1개 ② 2개 ③ 3개 ④ 4개 ⑤ 5개

13 정육면체의 전개도를 접었더니 면 ㉮가 윗면이 되었습니다. 다른 면 밑면이 되는 어느 것입니까?
( )

14 오른쪽 직사각형의 넓이는 몇 cm² 입니까?
( )
① $5\frac{3}{5}$ cm² ② $5\frac{5}{6}$ cm² ③ $6\frac{3}{5}$ cm² ④ $6\frac{5}{6}$ cm² ⑤ $7\frac{3}{5}$ cm²

15 오른쪽 점대칭도형을 보고 ㉠과 ㉡에 알맞은 수를 차례대로 나타낸 것은 어느 것입니까?
( )
① 10, 70 ② 10, 100 ③ 14, 70 ④ 14, 100 ⑤ 14, 80

16 폭이 15 cm이고 넓이가 180 cm²인 직사각형이 있습니다. 이 직사각형의 둘레의 길이는 몇 cm입니까?
( )
① 18 cm ② 24 cm ③ 28 cm ④ 32 cm ⑤ 36 cm

17 어떤 수에 1000을 곱하였더니 7319.4가 되었습니다. 어떤 수는 얼마인지 구해 보시오.

(   )

18 오른쪽 평행사변형의 둘레가 44 cm일 때 □ 안에 알맞은 수는 얼마입니까? (   )

① 6   ② 7   ③ 9
④ 18   ⑤ 31

19 일이 일어날 가능성이 1인 경우는 어느 것입니까?

(   )

① 12월에 31일이 있을 가능성
② 1시에서 1시간 후가 3시일 가능성
③ 대기 번호표의 번호가 짝수일 가능성
④ 월요일 다음 날이 토요일이 될 가능성
⑤ 주사위를 던졌을 때 눈의 수가 1일 가능성

20 하루의 $\frac{5}{8}$ 는 몇 시간입니까? (   )

① 13시간   ② 14시간   ③ 15시간
④ 16시간   ⑤ 17시간

21 다음과 같이 약속을 할 때 8◎12의 값은 얼마입니까?

(   )

가◎나＝가×3－나÷2

① 12   ② 18   ③ 24
④ 36   ⑤ 42

22 민석이는 저금통에 동전을 145760원 모았습니다. 이 돈을 만 원짜리 지폐로 바꾼다면 최대 얼마까지 바꿀 수 있는지 구해 보시오.

(   )

23 ■÷2.8＝18.2에서 ■는 얼마입니까? (   )

① 50.96   ② 51.86   ③ 51.96
④ 52.46   ⑤ 52.86

24 연재의 국어, 수학, 사회, 과학 점수를 모두 더하면 328점이고 영어 점수는 87점입니다. 연재의 국어, 수학, 사회, 과학, 영어 다섯 과목 점수의 평균은 몇 점입니까?(   )

① 83점   ② 84점   ③ 85점
④ 86점   ⑤ 87점

25 두 수의 범위에 모두 포함되는 자연수 중에서 가장 큰 수는 얼마입니까?

(   )

• 10 초과 19 이하인 수
• 14 이상 23 미만인 수

① 10   ② 12   ③ 14
④ 19   ⑤ 23

♣ 수고하셨습니다. ♣
답안지에 답을 정확히 표기하였는지 확인하시오.

실전 문제

사회

출제 범위: 5학년 전 범위　문항 수: 25문항

점수

- 문제지의 문항 수(25문항)와 면수(3면)를 확인하시오.
- OMR 답안지에 학교, 반, 이름을 정확히 쓰시오.

01 우리나라의 영역에 대한 설명으로 알맞지 <u>않은</u> 것은 무엇입니까? (　　　)

① 우리나라의 영토는 한반도와 한반도에 속한 섬이다.
② 우리나라의 영역에는 다른 나라가 함부로 들어올 수 없다.
③ 우리나라의 영공은 우리나라 영토와 영해 위에 있는 하늘의 범위이다.
④ 우리나라의 영해는 영해를 설정하는 기준선으로부터 12해리까지이다.
⑤ 동해안은 가장 바깥에 위치한 섬들을 직선으로 그은 선을 기준으로 영해를 정한다.

02 다음에서 설명하는 것은 무엇인지 쓰시오.

- 나라를 효율적으로 관리하려고 나눈 지역을 말한다.
- 서울특별시, 강원특별자치도, 대구광역시와 같이 어떤 지역의 명칭을 의미한다.

(　　　　　)

03 다양한 지형을 이용한 모습으로 알맞은 것은 무엇입니까? (　　　)

① 높은 산지에서 논농사를 짓는다.
② 하천 상류에 다목적 댐을 건설한다.
③ 평지에 눈썰매장이나 삼림욕장을 만든다.
④ 하천 중·하류 주변 평야에는 스키장을 만든다.
⑤ 높은 산지에는 옛날부터 많은 사람이 모여들어 큰 도시들이 발달했다.

04 우리나라 기후의 특징으로 알맞지 <u>않은</u> 것은 무엇입니까? (　　　)

① 겨울에는 춥고 눈이 내린다.
② 여름에는 덥고 비가 많이 온다.
③ 계절별로 기온의 차이가 거의 없다.
④ 중위도에 위치해 사계절이 나타난다.
⑤ 봄과 가을은 온화하며 여름과 겨울보다 기간이 짧다.

05 보기 를 인구가 늘어나는 지역과 인구가 줄어드는 지역에서 나타나는 문제로 구분하여 기호를 쓰시오.

보기
㉠ 교통 혼잡	㉡ 환경 오염
㉢ 일손 부족	㉣ 주택 부족
㉤ 교육 시설 부족	㉥ 의료 시설 부족

(1) 인구가 늘어나는 지역: (　　,　　,　　)
(2) 인구가 줄어드는 지역: (　　,　　,　　)

06 대도시의 지속적인 성장과 더불어 포항, 울산, 마산, 창원 등이 새로운 공업 도시로 성장한 때는 언제입니까? (　　　)

① 1960년대　　② 1970년대
③ 1980년대　　④ 1990년대
⑤ 2000년대

07 다음 인물들의 공통점으로 알맞은 것은 무엇입니까? (　　　)

| • 허균 | • 방정환 |
| • 테레사 수녀 | • 마틴 루서 킹 |

① 노벨 평화상을 수상했다.
② 경제 발전을 위해 노력했다.
③ 인권 신장을 위해 노력했다.
④ 민주주의의 발전을 위해 노력했다.
⑤ 신분 제도를 없애기 위해 노력했다.

08 인권 보장을 위한 우리 사회의 노력이 잘못 짝 지어진 것은 무엇입니까? (　　　)

① 국가 – 사회 보장 제도 시행
② 시민 단체 – 점자 안내도 설치
③ 학교 – 다문화 이해 교육 실시
④ 국가 – 공공장소에 승강기 설치
⑤ 지방 자치 단체 – 점자 블록 설치

09 법에 대한 설명으로 알맞지 <u>않은</u> 것은 무엇입니까?
( )

① 법을 어겼을 때 제재를 받는다.
② 한 번 만들어진 법은 바꿀 수 없다.
③ 국가가 만든 강제성이 있는 규칙이다.
④ 일상생활의 많은 일이 법으로 정해져 있다.
⑤ 사람들이 사회생활에서 지켜야 할 행동 기준이다.

10 법을 준수해야 하는 까닭으로 알맞지 <u>않은</u> 것은 무엇입니까?
( )

① 개인의 권리를 제대로 보장받기 위해서이다.
② 법을 지키면 세금을 내지 않아도 되기 때문이다.
③ 법을 어기면 다른 사람의 권리를 침해하기 때문이다.
④ 법을 지키지 않으면 사회 질서가 유지될 수 없기 때문이다.
⑤ 법을 지키지 않으면 사람들 간의 갈등이 일어날 수 있기 때문이다.

11 다음과 같은 인터넷 게임 셧다운제에 대한 입장을 찬성과 반대로 구분하여 보기 에서 찾아 기호를 쓰시오.

> 인터넷 게임 셧다운제는 16세 미만의 청소년이 오전 0시부터 오전 6시까지 인터넷 게임을 할 수 없게 금지하는 제도이다.

보기
㉠ 인터넷 게임 중독을 막기 위해서이다.
㉡ 인터넷 게임은 개인의 여가 활동이기 때문이다.
㉢ 청소년이 건강하게 성장할 권리를 보호하기 위해서이다.
㉣ 청소년이 자유롭게 행동할 수 있는 권리를 침해해서는 안 되기 때문이다.

(1) 찬성: (,)
(2) 반대: (,)

12 헌법에 나타난 기본권과 의무를 조사하는 방법으로 알맞은 것을 두 가지 고르시오. (,)

① 사전 살펴보기
② 국가유산청 견학하기
③ 시민 단체 활동에 참여하기
④ 관련 분야 전문가와 면담하기
⑤ 헌법 관련 누리집에서 내용 검색하기

13 신라의 성립과 발전 과정에 대한 설명으로 알맞지 <u>않은</u> 것은 무엇입니까? ( )

① 박혁거세가 세웠다.
② 삼국 중 가장 늦게 전성기를 맞았다.
③ 대가야를 흡수하고 가야 연맹을 소멸시켰다.
④ 5세기 초 고구려와 손을 잡고 백제에 맞섰다.
⑤ 한강 유역을 놓고 백제와 전쟁을 벌였으나 신라가 승리하여 한강 유역을 차지했다.

14 오늘날 전해지는 금속 활자 인쇄본 중 가장 오래되었다고 알려진 것은 무엇입니까? ( )

① 삼국유사   ② 경국대전
③ 초조대장경   ④ 직지심체요절
⑤ 무구정광대다라니경

15 고려를 세운 왕건이 펼친 정책으로 알맞은 것은 무엇입니까? ( )

① 유교를 장려했다.
② 북쪽으로 영토를 넓혀 나갔다.
③ 정치를 안정시키기 위해 호족을 멀리했다.
④ 나라의 경제를 안정시키려고 세금을 늘렸다.
⑤ 거란이 발해를 멸망시키자 발해 유민을 받아들이지 않았다.

16 몽골의 침입과 고려의 대응 모습으로 알맞지 <u>않은</u> 것은 무엇입니까? ( )

① 고려와 거란의 관계를 끊으려고 고려를 침입했다.
② 귀주성, 처인성, 충주성 등에서 몽골군을 물리쳤다.
③ 삼별초는 근거지를 강화도, 진도, 탐라로 옮겨 가며 끝까지 저항했다.
④ 고려의 왕과 일부 신하는 전쟁을 멈추는 조건으로 개경으로 돌아왔다.
⑤ 오랜 전쟁으로 국토가 황폐해졌으며, 수많이 사람이 죽거나 몽골에 포로로 끌려갔다.

실전 문제

17 빈칸에 들어갈 알맞은 말을 쓰시오.

> 조선은 ☐ 정치 이념을 내세우며 세운 나라로
> 서 백성을 나라의 근본으로 삼았다. 이에 따라 왕과 관
> 리들은 백성을 위한 정치를 하려고 노력했다.

( )

18 병자호란에 대한 설명으로 알맞지 <u>않은</u> 것은 무엇입니까?
( )
① 청에게 강화도가 함락되었다.
② 인조는 삼전도에서 청 태종에게 항복했다.
③ 인조는 남한산성으로 피신하여 청에 맞서 싸웠다.
④ 전쟁이 끝나고 조선과 청은 형제의 관계를 맺었다.
⑤ 소현 세자와 봉림 대군을 비롯한 많은 대신과 백성이
청에 인질로 끌려갔다.

19 다음 서민 문화 중 종류가 나머지와 <u>다른</u> 하나는 무엇입니까?
( )
① 심청전   ② 춘향전
③ 금오신화   ④ 홍길동전
⑤ 장화홍련전

20 다음은 병인양요와 신미양요 이후 흥선 대원군이 세운 비석
의 내용입니다. 이 비석의 이름을 쓰시오.

> "외세가 침범했는데 싸우지 않는 것은 곧 나라를 팔
> 아먹는 것이다."

( )

21 동학 농민군이 스스로 흩어졌다가 다시 일어나게 된 까닭은
무엇입니까? ( )
① 조선 정부가 개혁안을 거부했기 때문
② 조선에서의 청의 영향력이 커졌기 때문
③ 지방 관리의 횡포가 여전히 심했기 때문
④ 조선에서 러시아와 일본이 전쟁을 벌였기 때문
⑤ 일본이 조선의 정치에 더욱 심하게 간섭했기 때문

22 대한 제국에 대한 설명으로 알맞지 <u>않은</u> 것은 무엇입니까?
( )
① 공장과 회사 설립을 지원했다.
② 학교를 세워 인재를 양성했다.
③ 국민의 권리를 제대로 보장했다.
④ 외국에 유학생을 보내 기술을 습득하게 했다.
⑤ 고종이 환구단에서 황제로 즉위했으며, 대한 제국을
선포했다.

23 3·1 운동 전후로 이루어졌던 나라를 되찾으려는 노력으로
알맞지 <u>않은</u> 것은 무엇입니까? ( )
① 중국 상하이에 대한민국 임시 정부를 세웠다.
② 대한민국 임시 정부는 한국광복군을 만들었다.
③ 김좌진과 홍범도의 부대가 힘을 합쳐 청산리에서 일본
군을 크게 무찔렀다.
④ 윤봉길은 홍커우 공원에서 일본 왕의 생일을 기념하는
행사장에 폭탄을 던졌다.
⑤ 홍범도가 이끈 봉오동 전투는 우리 민족이 독립 전쟁
에서 거둔 가장 큰 승리였다.

24 광복을 맞이한 후의 모습으로 알맞은 것을 두 가지 고르시
오. (,)
① 학교에서는 여전히 일본말을 사용했다.
② 한국광복군은 일본과의 전쟁을 준비했다.
③ 제2차 세계 대전에서 연합국이 승리했다.
④ 대한민국 임시 정부는 건국의 원칙을 발표했다.
⑤ 해외에서 활동하던 많은 독립운동가들이 고국으로 돌
아왔다.

25 6·25 전쟁 때 국군과 국제 연합군이 압록강까지 진격하다가
다시 후퇴하게 된 원인은 무엇입니까? ( )
① 중국군의 개입
② 정전 협정 체결
③ 남한에 국제연합군 파견
④ 소련이 북한에 무기 공급
⑤ 국군과 국제연합군의 인천 상륙 작전

> ♣ 수고하셨습니다. ♣
> 답안지에 답을 정확히 표기하였는지 확인하시오.

실전 문제

출제 범위: 5학년 전 범위　문항 수: 25문항

점수

- 문제지의 문항 수(25문항)와 면수(3면)를 확인하시오.
- OMR 답안지에 학교, 반, 이름을 정확히 쓰시오.

01 다음 탐구 과정 중 가장 나중에 이루어지는 과정을 보기 에서 골라 기호를 쓰시오.

> 보기
> ㉠ 탐구 문제 정하기　　㉡ 결론 내리기
> ㉢ 실험하기　　㉣ 실험 계획 세우기

(　　　　　　)

02 다음과 같이 차가운 물이 담긴 음료수 캔을 따뜻한 물이 담긴 비커에 넣고 1분 간격으로 온도를 측정하였습니다. (　　) 안에 들어갈 알맞은 말을 쓰시오.

> 차가운 물의 온도는 높아지고, 따뜻한 물의 온도는 낮아진다. 시간이 지나면 결국 두 물의 온도는 (　　　).

(　　　　　　)

03 오른쪽과 같이 열 변색 붙임딱지를 붙인 구리판의 한 꼭짓점을 가열할 때, 붙임딱지의 색깔이 변하는 방향을 화살표로 옳게 나타낸 것은 무엇입니까?(단, ●: 가열 위치)

(　　　　)

① 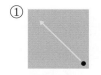　② 　③

④ 　⑤

04 여름철 실내에 냉방 기구를 설치하려고 합니다. 냉방 기구를 설치하기에 적합한 장소의 기호를 쓰시오.

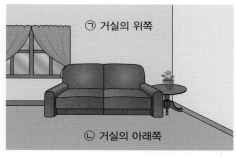

(　　　　　　)

05 다음 (　　) 안에 공통으로 들어갈 알맞은 말을 쓰시오.

> 식물이 양분을 만드는 데 (　　　　)이/가 필요하고, 우리는 (　　　　)을/를 이용해 전기를 만든다. 또한 (　　　　)은/는 우리가 살아가는 데 필요한 대부분의 에너지를 공급한다.

(　　　　　　)

06 상대적인 크기가 비슷한 행성끼리 옳게 짝 지은 것은 무엇입니까?　　　　　　(　　　)

① 지구, 목성　② 지구, 금성　③ 목성, 금성
④ 수성, 해왕성　⑤ 천왕성, 토성

07 다음 (가), (나) 별자리를 이용하여 북극성을 찾는 방법으로 옳은 것을 두 가지 고르시오.　　(　　,　　)

① ㉠과 ㉢의 한가운데에 북극성이 있다.
② ㉣에서 ㉠과 ㉡을 연결한 거리만큼 떨어진 곳에 북극성이 있다.
③ ㉠과 ㉡을 연결하고, 연장하여 그 거리의 다섯 배만큼 떨어진 곳에 북극성이 있다.
④ ㉠과 ㉣을 연결하고, 연장하여 그 거리의 다섯 배만큼 떨어진 곳에 북극성이 있다.
⑤ ㉢과 ㉣을 연결하고, 연장하여 그 거리의 다섯 배만큼 떨어진 곳에 북극성이 있다.

08 우리 생활에서 볼 수 있는 용액이 <u>아닌</u> 것은 무엇입니까?
(　　　)

① 식초　　　② 손 세정제　　　③ 이온 음료
④ 미숫가루 물　⑤ 유리 세정제

09 온도가 같은 물 50 mL에 소금, 설탕, 베이킹 소다를 각각 한 숟가락씩 넣고 유리 막대로 저어 용해되는 양을 비교할 때 같게 해야 할 조건이 <u>아닌</u> 것은 무엇입니까? (　　　)

① 물의 양　　　　　　② 물의 온도
③ 용질의 종류　　　　④ 비커의 크기
⑤ 한 숟가락의 양

10 다음은 진하기가 다른 설탕물에 방울토마토를 넣은 모습입니다. 이 실험에 대한 설명으로 옳지 <u>않은</u> 것은 무엇입니까?
(　　　)

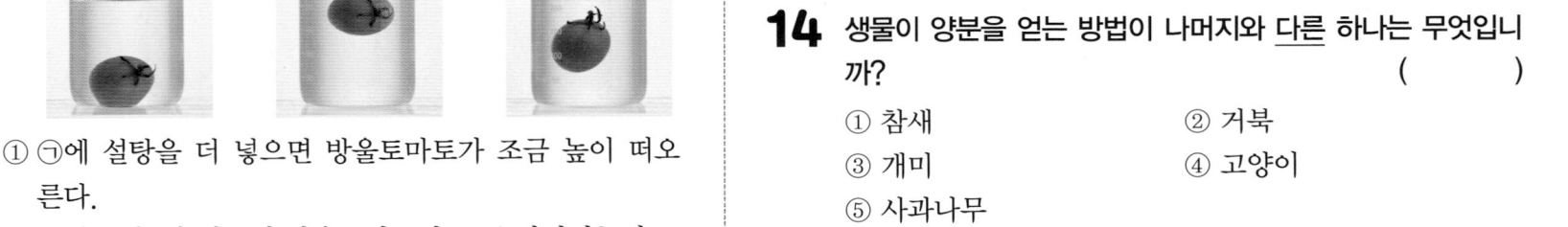

① ㉠에 설탕을 더 넣으면 방울토마토가 조금 높이 떠오른다.
② ㉡에 물을 더 넣으면 방울토마토가 조금 가라앉는다.
③ ㉡에 설탕을 더 넣으면 방울토마토가 조금 가라앉는다.
④ ㉢에 물을 더 넣으면 방울토마토가 조금 가라앉는다.
⑤ ㉢에 설탕을 더 넣으면 방울토마토가 조금 높이 떠오른다.

11 버섯과 곰팡이에 대한 설명으로 옳은 것은 무엇입니까?
(　　　)

① 생물이 아니다.
② 자라지 않는다.
③ 식물로 구분한다.
④ 너무 작아서 맨눈으로 관찰하기 어렵다.
⑤ 축축한 환경에서 잘 자라고 주로 여름철에 많이 볼 수 있다.

12 다음은 짚신벌레 영구 표본을 광학 현미경으로 관찰하는 과정을 순서 없이 나타낸 것입니다. 순서에 맞게 기호를 쓰시오.

> ㉠ 회전판을 돌려 배율이 가장 낮은 대물렌즈가 중앙에 오도록 한다.
> ㉡ 조동 나사로 재물대를 천천히 내리면서 접안렌즈로 짚신벌레를 찾고, 미동 나사로 짚신벌레가 뚜렷하게 보이도록 조절한다.
> ㉢ 전원을 켜고 조리개로 빛의 양을 조절한 뒤에 영구 표본을 재물대의 가운데에 고정한다.
> ㉣ 조동 나사로 재물대를 올려 영구 표본과 대물렌즈의 거리를 최대한 가깝게 한다.
> ㉤ 짚신벌레를 관찰한 결과를 그림과 글로 나타낸다.

(　　　)→(　　　)→(　　　)→(　　　)→(　　　)

13 세균이나 곰팡이가 지구상에서 없어질 경우 우리 생활에 미치는 영향을 <u>잘못</u> 예상한 것은 무엇입니까? (　　　)

① 생물에게서 질병이 모두 사라질 것이다.
② 지구 생태계에 큰 문제가 발생할 것이다.
③ 지구 전체가 죽은 생물들로 뒤덮일 것이다.
④ 동물들은 음식을 잘 소화하지 못할 것이다.
⑤ 사람의 질병을 치료하는 데 문제가 발생할 것이다.

14 생물이 양분을 얻는 방법이 나머지와 <u>다른</u> 하나는 무엇입니까? (　　　)

① 참새　　　　　　② 거북
③ 개미　　　　　　④ 고양이
⑤ 사과나무

15 다음 생물들을 먹이 관계에 맞게 기호를 쓰시오.

▲ 매　　　　　　▲ 나방 애벌레
▲ 옥수수　　　　　▲ 참새

(　　　)→(　　　)→(　　　)→(　　　)

16 적응에 대한 설명으로 옳은 것은 무엇입니까? (　　　)

① 생태계에서 모든 생물을 말한다.
② 생물에 영향을 주지 않는 비생물 요소를 말한다.
③ 생물이 서로 영향을 주고받으며 살아가는 것이다.
④ 생물과 비생물이 서로 영향을 주고받는 모든 활동이다.
⑤ 특정한 서식지에서 오랜 기간에 걸쳐 살아남기에 유리한 생물의 특징이 자손에게 전달되는 것이다.

17 건조한 날에 습도를 조절하는 방법으로 옳은 것을 [보기]에서 두 가지 골라 기호를 쓰시오.

> [보기]
> ㉠ 제습제를 사용한다.
> ㉡ 가습기를 사용한다.
> ㉢ 마른 숯을 실내에 놓아둔다.
> ㉣ 실내에 젖은 수건을 걸어 둔다.

(,)

18 비에 대한 설명으로 옳은 것은 무엇입니까? ( )

① 안개 속 물방울에서 증발이 일어난 것이다.
② 수증기가 지표면 가까이에서 응결해 떠 있는 것이다.
③ 구름 속 물방울들이 커지고 무거워져 떨어지는 것이다.
④ 차가워진 나뭇가지에 수증기가 응결해 물방울이 맺힌 것이다.
⑤ 구름 속 얼음 알갱이의 크기가 커지면서 무거워져 녹지 않은 채로 떨어지는 것이다.

19 다음은 우리나라의 계절별 날씨에 영향을 주는 공기 덩어리의 모습입니다. 여름에 우리나라로 이동해 오는 공기 덩어리의 기호를 쓰시오.

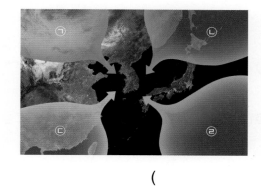

( )

20 물체의 운동에 대한 설명으로 옳지 <u>않은</u> 것은 무엇입니까?
( )

① 롤러코스터는 빠르기가 변하는 운동을 한다.
② 물체의 운동은 걸린 시간과 이동 거리로 나타낸다.
③ 일정한 거리를 이동하는 데 짧은 시간이 걸릴수록 빠른 물체이다.
④ 일정한 시간 동안 짧은 거리를 이동한 물체일수록 빠른 물체이다.
⑤ 시간이 지남에 따라 물체의 위치가 변할 때 물체가 운동한다고 한다.

21 자전거를 타고 20초 동안 160 m를 달렸습니다. 이 자전거의 속력은 얼마입니까? ( )

① 2 m/s   ② 8 m/s
③ 10 m/s   ④ 20 m/s
⑤ 140 m/s

22 사람들이 교통 안전사고가 일어나지 않도록 하기 위하여 노력하는 모습과 거리가 <u>먼</u> 것은 무엇입니까? ( )

① 안전띠는 항상 매야 한다.
② 도로에 과속 방지 턱을 설치한다.
③ 교통 표지판을 설치하여 규칙을 알려준다.
④ 자동차에 에어백과 같은 안전장치를 설치한다.
⑤ 학교 근처 도로에서는 자동차가 빠르게 지나가게 한다.

23 불투명한 용액끼리 바르게 짝 지은 것은 무엇입니까?
( )

① 식초, 레몬즙
② 레몬즙, 빨랫비누 물
③ 유리 세정제, 사이다
④ 묽은 염산, 묽은 수산화 나트륨 용액
⑤ 빨랫비누 물, 묽은 수산화 나트륨 용액

24 페놀프탈레인 용액이 붉은색으로 변하는 용액에 두부를 넣으면 어떻게 됩니까? ( )

① 기포가 발생한다.
② 아무런 변화가 없다.
③ 용액이 점점 투명해진다.
④ 두부가 검은색으로 변한다.
⑤ 두부가 녹아서 흐물흐물해진다.

25 우리 생활에서 산성 용액을 이용하는 경우를 두 가지 고르시오. (,)

① 표백제로 욕실 청소를 한다.
② 속이 쓰릴 때 제산제를 먹는다.
③ 변기를 청소할 때 변기용 세제를 사용한다.
④ 하수구가 막혔을 때 하수구 세정제를 사용한다.
⑤ 생선을 손질한 도마를 닦을 때 식초를 사용한다.

> ♣ 수고하셨습니다. ♣
> 답안지에 답을 정확히 표기하였는지 확인하시오.

실전 문제

출제 범위: 5학년 전 범위 문항 수: 25문항

점수

- 문제지의 문항 수(25문항)와 면수(3면)를 확인하시오.
- OMR 답안지에 학교, 반, 이름을 정확히 쓰시오.

1번부터 17번까지는 듣고 답하는 문제입니다. 녹음 내용을 잘 듣고, 물음에 답하기 바랍니다. 내용은 한 번만 들려줍니다.

01 다음을 듣고, 이어질 대답으로 알맞은 것을 고르시오. ( )

① 🎧 ② 🎧 ③ 🎧 ④ 🎧 ⑤ 🎧

02 다음을 듣고, 이어질 대답으로 알맞지 <u>않은</u> 것을 고르시오. ( )

① 🎧 ② 🎧 ③ 🎧 ④ 🎧 ⑤ 🎧

03 대화를 듣고, Tony가 어디에서 무엇을 하고 있는지 고르시오. ( )

① 방에서 숙제를 하고 있다.
② 방에서 그림을 그리고 있다.
③ 부엌에서 피자를 만들고 있다.
④ 거실에서 텔레비전을 보고 있다.
⑤ 욕실에서 신발을 세탁하고 있다.

04 대화를 듣고, 지나가 집에 오는 시각을 고르시오. ( )

① 3시 ② 3시 30분 ③ 4시
④ 4시 30분 ⑤ 5시

05 대화를 듣고, 두 사람이 할 것을 고르시오. ( )

① 배드민턴 ② 농구 ③ 야구
④ 탁구 ⑤ 테니스

06 대화를 듣고, 진수와 수지가 좋아하는 과목이 짝 지어진 것을 고르시오. ( )

	진수	수지
①	수학	과학
②	수학	수학
③	과학	수학
④	과학	음악
⑤	음악	과학

07 다음을 듣고, 설명하고 있는 장소를 고르시오. ( )

① garden ② library ③ kitchen
④ bedroom ⑤ bathroom

08 다음을 듣고, 그림에 알맞은 대답을 고르시오. ( )

① 🎧 ② 🎧 ③ 🎧 ④ 🎧 ⑤ 🎧

09 대화를 듣고, 미나가 일요일에 하는 일을 고르시오. ( )

① 아빠와 등산을 간다.
② 아빠와 요리를 한다.
③ 엄마와 쿠키를 만든다.
④ 친구들과 자전거를 탄다.
⑤ 엄마와 함께 자원봉사를 간다.

10 다음을 듣고, 표지판을 바르게 설명한 것을 고르시오.
( )

① 🎧　② 🎧　③ 🎧　④ 🎧　⑤ 🎧

11 대화를 듣고, Jessy가 하고 싶은 것을 고르시오. ( )
① 뉴욕 여행하기
② 해변에서 그림 그리기
③ 바다에서 수영하기
④ 할머니 댁 방문하기
⑤ 해변에서 산책하기

12 대화를 듣고, 남자아이가 아빠에게 허락받은 일을 고르시오.
( )
① 세수하기　　　　② 숙제하기
③ 쿠키 먹기　　　　④ 방 청소하기
⑤ 텔레비전 보기

13 대화를 듣고, 지민이가 내일 할 일을 고르시오. ( )
① 엄마를 도울 것이다.
② 도서관에 갈 것이다.
③ 박물관에 갈 것이다.
④ 집을 청소할 것이다.
⑤ 지나를 도와줄 것이다.

14 대화를 듣고, 하준이가 좋아하는 것을 고르시오. ( )
① 수영　　　　② 야구　　　　③ 농구
④ 컴퓨터 게임　　⑤ 축구

15 대화를 듣고, 두 사람의 장래희망이 바르게 짝 지어진 것을 고르시오. ( )

	민주	Jim
①	요리사	미술가
②	비행기 조종사	미술가
③	미술가	비행기 조종사
④	미술가	요리사
⑤	비행기 조종사	요리사

16 다음을 듣고, 그림에 대한 설명으로 알맞지 <u>않은</u> 것을 고르시오.
( )

① 🎧　② 🎧　③ 🎧　④ 🎧　⑤ 🎧

17 다음을 듣고, 자연스러운 대화를 고르시오. ( )
① 🎧　② 🎧　③ 🎧　④ 🎧　⑤ 🎧

> 이제 듣기 문제가 모두 끝났습니다. 18번부터는 문제지의 지시에 따라 답하기 바랍니다.

18 그림에 대한 설명으로 알맞지 <u>않은</u> 것을 고르시오.
( )

① There is a table.
② There are four chairs.
③ There is a vase on the table.
④ There are two cups on the table.
⑤ There is a cat on a chair.

19 다음을 읽고, 글의 목적으로 가장 알맞은 것을 고르시오.
( )

> Hi, I'm Jenny.
> I'm from Canada.
> I'm twelve years old.
> My favorite subject is math.
> I want to be a good friend to you.

① Jenny의 자기소개
② Jenny의 출신 국가 소개
③ Jenny가 좋아하는 과목 소개
④ Jenny가 좋아하는 친구 소개
⑤ 좋은 친구가 되는 Jenny만의 방법 소개

20 다음 물음에 대답으로 알맞은 것을 고르시오. ( )

> What do you do on weekends?

① I'm a photographer.
② I go camping with my family.
③ I went camping with my family.
④ I will go camping with my family.
⑤ I like to go camping with my family.

21 대화의 빈칸에 알맞은 말이 짝 지어진 것을 고르시오.
( )

> A: What did you do last Sunday?
> B: I ____ⓐ____ to the park with my mom.
>   What about you?
> A: I ____ⓑ____ soccer with my friends.

	ⓐ	ⓑ
①	go	played
②	go	play
③	went	played
④	went	play
⑤	will go	will play

22 대화의 빈칸에 알맞지 <u>않은</u> 것을 고르시오. ( )

> A: What will you do _____?
> B: I will go to the art museum.

① tomorrow   ② this Sunday
③ last Saturday   ④ this weekend
⑤ this afternoon

23 대화를 읽고, 내용과 일치하지 <u>않는</u> 것을 고르시오.
( )

> Minsu: I like to play basketball.
>   How about you?
> Jina : I don't like to play basketball.
>   I like to ride a bike.
>   Let's ride a bike in the park.
> Minsu: Sorry, I can't.
>   I have a violin lesson.

① 민수는 농구하는 것을 좋아한다.
② 지나는 농구하는 것을 좋아하지 않는다.
③ 지나는 자전거 타는 것을 좋아한다.
④ 민수와 지나는 자전거를 탈 것이다.
⑤ 민수는 바이올린 수업이 있다.

24 다음 문장을 바르게 고쳐 쓴 것을 고르시오. ( )

> can I use your pencil.

① can i use your pencil.
② can I use your pencil?
③ Can i use your pencil.
④ Can I use your pencil.
⑤ Can I use your pencil?

25 다음 카드를 배열하여 문장을 바르게 완성한 것을 고르시오.
( )

He	coat	wearing
a	is	.

① He is a coat wearing.
② He wearing is a coat.
③ He is wearing a coat.
④ He a coat is wearing.
⑤ He is a wearing coat.

> ♣ 수고하셨습니다. ♣
> 답안지에 답을 정확히 표기하였는지 확인하시오.

실전 문제 OMR 답안지

답안지 작성 방법

1. 학교, 반, 이름 항목에는 한글로 학교명과 반, 이름을 기입합니다.
2. 컴퓨터용 사인펜을 사용하여 각 문제의 정답을 ㅣ보기ㅣ와 같이 바르게 표기합니다.

ㅣ보기ㅣ 바른 표기: ▮

잘못된 표기: ▯, ☑, ▯

3. 한 번 표기한 것은 고칠 수 없으며, 답안지를 긁거나 구기지 않습니다.

✂ 잘라서 사용하세요.

학교	
반	
이름	
확인	

보기와 같이 객관식의 경우 해당 번호에 표기하고 주관식의 경우 해당 답란에 답을 써야 합니다.

보기	번호	답란				
	1	①	②	▮	④	⑤
	2	①	②	③	④	▮
	3	주관식 답을 씁니다.				
	4	▮	②	③	④	⑤
	5	주관식 답을 씁니다.				

국어   점수:

1	① ② ③ ④ ⑤	10	① ② ③ ④ ⑤	19	① ② ③ ④ ⑤
2	① ② ③ ④ ⑤	11	① ② ③ ④ ⑤	20	① ② ③ ④ ⑤
3	① ② ③ ④ ⑤	12	① ② ③ ④ ⑤	21	① ② ③ ④ ⑤
4	① ② ③ ④ ⑤	13	① ② ③ ④ ⑤	22	① ② ③ ④ ⑤
5	① ② ③ ④ ⑤	14	① ② ③ ④ ⑤	23	① ② ③ ④ ⑤
6	① ② ③ ④ ⑤	15	① ② ③ ④ ⑤	24	① ② ③ ④ ⑤
7	① ② ③ ④ ⑤	16	① ② ③ ④ ⑤	25	① ② ③ ④ ⑤
8	① ② ③ ④ ⑤	17	① ② ③ ④ ⑤		
9	① ② ③ ④ ⑤	18	① ② ③ ④ ⑤		

✂

학교	
반	
이름	
확인	

보기와 같이 객관식의 경우 해당 번호에 표기하고 주관식의 경우 해당 답란에 답을 써야 합니다.

보기	번호	답란				
	1	①	②	▮	④	⑤
	2	①	②	③	④	▮
	3	주관식 답을 씁니다.				
	4	▮	②	③	④	⑤
	5	주관식 답을 씁니다.				

수학   점수:

1	① ② ③ ④ ⑤	10	① ② ③ ④ ⑤	19	① ② ③ ④ ⑤
2	① ② ③ ④ ⑤	11	① ② ③ ④ ⑤	20	① ② ③ ④ ⑤
3	① ② ③ ④ ⑤	12	① ② ③ ④ ⑤	21	
4		13	① ② ③ ④ ⑤	22	
5	① ② ③ ④ ⑤	14	① ② ③ ④ ⑤	23	① ② ③ ④ ⑤
6	① ② ③ ④ ⑤	15	① ② ③ ④ ⑤	24	① ② ③ ④ ⑤
7	① ② ③ ④ ⑤	16	① ② ③ ④ ⑤	25	① ② ③ ④ ⑤
8		17			
9	① ② ③ ④ ⑤	18	① ② ③ ④ ⑤		

✂

실전 문제 OMR 답안지

사회

학교	
반	
이름	
확인	

보기와 같이 객관식의 경우 해당 번호에 표기하고 주관식의 경우 해당 답란에 답을 써야 합니다.

	번호	답란				
보기	1	①	②	●	④	⑤
	2	①	②	③	④	●
	3	주관식 답을 씁니다.				
	4	●	②	③	④	⑤
	5	주관식 답을 씁니다.				

점수:

1	① ② ③ ④ ⑤	10	① ② ③ ④ ⑤	19	① ② ③ ④ ⑤
2		11		20	
3	① ② ③ ④ ⑤	12	① ② ③ ④ ⑤	21	① ② ③ ④ ⑤
4	① ② ③ ④ ⑤	13	① ② ③ ④ ⑤	22	① ② ③ ④ ⑤
5		14	① ② ③ ④ ⑤	23	① ② ③ ④ ⑤
6	① ② ③ ④ ⑤	15	① ② ③ ④ ⑤	24	① ② ③ ④ ⑤
7	① ② ③ ④ ⑤	16	① ② ③ ④ ⑤	25	① ② ③ ④ ⑤
8	① ② ③ ④ ⑤	17			
9	① ② ③ ④ ⑤	18	① ② ③ ④ ⑤		

과학

학교	
반	
이름	
확인	

보기와 같이 객관식의 경우 해당 번호에 표기하고 주관식의 경우 해당 답란에 답을 써야 합니다.

	번호	답란				
보기	1	①	②	●	④	⑤
	2	①	②	③	④	●
	3	주관식 답을 씁니다.				
	4	●	②	③	④	⑤
	5	주관식 답을 씁니다.				

점수:

1		10	① ② ③ ④ ⑤	19	
2		11	① ② ③ ④ ⑤	20	① ② ③ ④ ⑤
3	① ② ③ ④ ⑤	12		21	① ② ③ ④ ⑤
4		13	① ② ③ ④ ⑤	22	① ② ③ ④ ⑤
5		14	① ② ③ ④ ⑤	23	① ② ③ ④ ⑤
6	① ② ③ ④ ⑤	15		24	① ② ③ ④ ⑤
7	① ② ③ ④ ⑤	16	① ② ③ ④ ⑤	25	① ② ③ ④ ⑤
8	① ② ③ ④ ⑤	17			
9	① ② ③ ④ ⑤	18	① ② ③ ④ ⑤		

영어

학교	
반	
이름	
확인	

보기와 같이 객관식의 경우 해당 번호에 표기하고 주관식의 경우 해당 답란에 답을 써야 합니다.

	번호	답란				
보기	1	①	②	●	④	⑤
	2	①	②	③	④	●
	3	주관식 답을 씁니다.				
	4	●	②	③	④	⑤
	5	주관식 답을 씁니다.				

점수:

1	① ② ③ ④ ⑤	10	① ② ③ ④ ⑤	19	① ② ③ ④ ⑤
2	① ② ③ ④ ⑤	11	① ② ③ ④ ⑤	20	① ② ③ ④ ⑤
3	① ② ③ ④ ⑤	12	① ② ③ ④ ⑤	21	① ② ③ ④ ⑤
4	① ② ③ ④ ⑤	13	① ② ③ ④ ⑤	22	① ② ③ ④ ⑤
5	① ② ③ ④ ⑤	14	① ② ③ ④ ⑤	23	① ② ③ ④ ⑤
6	① ② ③ ④ ⑤	15	① ② ③ ④ ⑤	24	① ② ③ ④ ⑤
7	① ② ③ ④ ⑤	16	① ② ③ ④ ⑤	25	① ② ③ ④ ⑤
8	① ② ③ ④ ⑤	17	① ② ③ ④ ⑤		
9	① ② ③ ④ ⑤	18	① ② ③ ④ ⑤		

모의 평가

수학 2회

84~86쪽

01 ③ 02 ② 03 ④ 04 ④ 05 ④ 06 ⑤
07 ② 08 ② 09 ③ 10 ②, ③ 11 ② 12 ③
13 ④ 14 ② 15 5명 16 ① 17 ① 18 ③
19 ② 20 ②
21 식: 10000-(600×3+2000÷4)=7700,
답: 7700원 22 ④ 23 349, 250 24 ② 25 ⑤

01 $\frac{4}{7} \times \overset{3}{21} = 12$

02 ① 18÷4=4…2   ② 42÷7=6
③ 54÷8=6…6   ④ 24÷9=2…6
⑤ 36÷5=7…1

04 두 수의 공약수는 두 수의 최대공약수의 약수
와 같으므로 최대공약수 21의 약수를 구하면
1, 3, 7, 21입니다.

06 ① $\frac{4}{5} \to \frac{16}{20}$, $\frac{5}{10} = \frac{11}{20}$
② $\frac{1}{2} = \frac{10}{20}$, $\frac{3}{10} = \frac{7}{20}$
③ $\frac{7}{10} = \frac{5}{10}$, $\frac{2}{10} = \frac{4}{20}$
④ $\frac{3}{4} = \frac{15}{20}$, $\frac{6}{10} = \frac{9}{20}$
⑤ $\frac{2}{5} = \frac{4}{10}$, $\frac{3}{10} = \frac{1}{10} = \frac{2}{20}$

07 직육면체의 겨냥도에서 보이지 않는 꼭짓점은
세 개의 면과 선으로 된 모서리가 만나는 꼭짓점
입니다.

08 ① 0.3×7=2.1   ② 2.5×4=10
③ 3.4×6=20.4   ④ 12×3.2=38.4
⑤ 18×2.8=50.4

09 (사다리꼴의 넓이)
=((윗변)+(아랫변))×(높이)÷2
=(8+20)×9÷2=126 (cm²)

10 모둠(◎)이 하나씩 늘어날 때마다 학생 수(△)는
5명씩 늘어나므로 △=◎×5 또는 ◎=△÷5
로 나타낼 수 있습니다.

12 8 이상 14 미만인 자연수는 8과 같거나 크고
14보다 작은 자연수이므로 8, 9, 10, 11, 12,
13입니다.
→8+9+10+11+12+13=63

14 파리의 시각은 서울의 시각보다
오전 3시→오전 3시=8(시간) 더 느립니다.
따라서 서울의 시각이 오후 5시이면 파리의 시
각은 오후 5시-8시간=오전 9시입니다.

16 (사용한 빨간색 페인트의 양과 파란색 페인트의 양)
$= 3\frac{2}{7} + 2\frac{1}{2} = 3\frac{4}{14} + 2\frac{7}{14} = 5\frac{11}{14}$ (L)

17 $\frac{\square}{6} < \frac{4}{7} \to \frac{\square \times 7}{6 \times 7} < \frac{4 \times 6}{7 \times 6} \to \frac{\square \times 7}{42} < \frac{24}{42}$
□×7<24이므로 □ 안에 들어갈 수 있는 수
중에서 가장 큰 수는 3입니다.

19 파란색 구슬만 들어 있는 주머니에서 노란색
구슬을 꺼낼 것은 불가능하므로 수로 표현하
면 0입니다.

20 2 m=200 cm, 1 m=100 cm이므로
타일로 가로는 200÷20=10(개),
세로로 100÷10=10(개) 놓을 수 있습니다.
→(필요한 타일 수)=10×10=100(개)

22 완성할 선대칭도형은 전체의 넓이는 주어진 도형
의 넓이의 2배입니다.
(완성할 선대칭도형 전체의 넓이)
=(주어진 도형의 넓이)×2
=(13×9)×2=117×2=234 (cm²)

24 만들 수 있는 가장 큰 대분수: $4\frac{2}{3}$
만들 수 있는 가장 작은 대분수: $2\frac{3}{4}$
$\to 4\frac{2}{3} \times 2\frac{3}{4} = \frac{14}{3} \times \frac{11}{4} = \frac{77}{6} = 12\frac{5}{6}$

25 0.9
0.9×0.9=0.81
0.9×0.9×0.9=0.81×0.9=0.729
곱의 소수점 아래 끝자리 숫자는 9, 1이 반복됩니
다.
따라서 소수점 아래 21번째 자리 숫자는 9, 짝수 번째
는 1이므로 21번째 자리 숫자는 9입니다.

사회 2회

87~89쪽

01 ④ 02 ⑤ 03 ① 04 ② 05 ② 06 ②
부 고속 국도 ㄴ 고속 철도
09 중앙 선고 10 ④, ⑤ 11 ④ 12 ④ 13 ②
14 ③ 15 ④ 16 ⑤ 17 ①-㉠ ⑵-㉡ 18 ③
19 규장각 20 ③ 21 ③ 22 ⑤ 23 ① 24 ②
25 국제 연합

01 우리나라의 영공은 우리나라 영토와 영해 위에
있는 하늘의 범위입니다.

02 북부 지방은 지금의 북한 지역을 말하고, 중부
지방은 휴전선 남쪽에서 소백산맥과 금강 하류
까지이며, 남부 지방은 중부 지방의 남쪽 지역
을 의미합니다.

03 해안으로 바다와 맞닿은 육지 부분으로 경치가
아름다운 곳이 많아 사람들이 즐겨 찾습니다.
오답풀이 ②와 ④는 남해안, ③은 동해안, ⑤는
서해안의 특징입니다.

04 여름에 주로 발생하는 자연재해는 폭염, 태풍,
홍수 등입니다.

05 우리나라는 2000년에 고령화 사회
로 진입했습니다. ③ 65세 이상의 노년층 인구
는 계속 증가하고 있습니다. ④ 14세 이하의 유
소년층 인구는 계속 줄어들고 있습니다. ⑤
15~64세의 청장년층 인구는 1970년 이후 증가
하다가 줄어들고 있습니다.

06 통화, 통신 등 사람들이 일상생활을 할 때 활동
하는 범위를 생활권이라고 합니다.

07 지하, 신문고 제도, 상언 제도는 모두 억울한
일을 당했을 때 임금에게 호소할 수 있었던 제
도입니다.

08 국가와 지방 자치 단체에서는 장애인이 안전하
고 편리하게 공공시설을 이용할 수 있도록 공
공 편의 시설을 설치하여 운영합니다.

09 일상생활에 영향을 미치는 것을 정해져 영화 제
인터넷이 많은 일이 범으로 정해져 있습니다.

10 인터넷의 영향력을 불법으로 울리는 것은 영화 제

---

11 헌법은 국가를 운영하는 데 가장 중요하고 기
본적인 내용을 담고 있으므로 헌법의 내용을
새로 정하거나 고칠 때는 국민 투표를 해야 합
니다.

12 오답풀이 ①은 청구권, ②와 ③은 자유권, ⑤는
참정권을 보장받는 사례입니다.

13 백제(4세기), 고구려(5세기), 신라(6세기) 순으
로 전성기를 맞았습니다.

14 신라는 당과 함께 백제와 고구려를 차례로 멸
망시켰습니다.

15 몽골의 1차 침입 이후 고려는 도읍을 개경에서
강화도로 옮기고 몽골과 싸웠습니다.

16 이 밖에도 금속 활자는 금속으로 만들어서 섬
세 미묘지지 않고 보관이 쉬웠습니다.

17 정약용은 고령을 유리하면서 개발하려고 했고,
정도전은 고령을 대신해 이성계를 중심으로 새
로운 나라를 세우고자 했습니다.

18 조선은 명을 가까이 하고 주음을 멸리했습니다.

19 규장각은 학자들이 학문을 연구하고 나라의 정
치를 의논하던 왕실의 도서관이었습니다.

20 실학자 김정호는 「대동여지도」는 조선 시대의
여러 지도들 중에서 가장 정확하고 상세하다고
평가받습니다.

21 동학 농민군은 청과 일본 등 외국 군대의 개입
을 막으려고 조선 정부와 협상을 해 개혁안을 약
속받고 스스로 흩어졌습니다.

22 봉오동 전투에서 승리한 독립군은 일본군을 이
길 수 있다는 자신감을 가지게 되었고, 청산리
대첩은 독립군이 거둔 가장 큰 승리였습니다.

23 일제는 우리 민족을 일본인처럼 만들고, 우리
의 민족정신을 없애려고 했습니다.

24 소련은 미국과 전체의 달라 한반도에서 미군과
소련군을 철수하려는 방안을 제시하며, 38도선
북쪽으로 위험인이 들어오지 못하게 북한을
막다.

25 국제 연합이 파견한 국제 연합군은 북한군과
치열하게 전투를 벌였습니다.

정답과 해설 **20**

정답과 해설 **21**

과학 2회

90~92쪽

01 ② 02 ② 03 ①,④ 04 ① 05 ④ 06 점
07 ④ 08 ⑩ 09 ④ 10 ③ 11 근육
12 ③ 13 ① 14 ② 15 ⑤ 16 ① 17 이슬
18 ⑤ 19 ③ 20 ② 21 가저 22 ③ 23 ④
24 ③ 25 분홍색

01 사인펜에 설탕이 섞여 있는 생물을 얻는 것은 다양한 생물이 사인펜의 생활을 따라 하는 것이므로 사인펜의 생활을 따라 하기는 해로운 것은 아닙니다.

02 온도가 다른 두 물질이 접촉하였을 때 온도가 높은 물질은 온도가 낮아지고, 온도가 낮은 물질은 온도가 높아집니다.

03 참고 있는 물에 넣으면 생선의 싱싱함을 더 오래 유지할 수 있습니다.

04 난방 기구 주변의 따뜻한 공기는 위로 올라갑니다.

05 온도가 높은 물이 위로 올라가고 차가운 물이 아래로 밀려 내려갑니다.

06 태양에서 거리가 멀어질수록 행성 사이의 거리는 멀어집니다.

07 부드러운 성질의 극자 모양 끝부분의 두 팔을 연결하고, 연장하여 그 거리의 단서 배열로 가장 멀리 있는 별이 북극성입니다.

08 부드러운 물에 녹이기 전 설탕의 무게와 녹인 후의 무게는 같습니다.

09 설탕을 물에 녹일수록 설탕의 무게가 설탕물의 무게가 됩니다.

10 매주 같은 온도가 높을수록 설탕이 많이 녹습니다.

11 근육은 뼈 주변에 붙어 있고 근육이 뼈를 움직이게 합니다.

12 해결과 검은 진흙밭에는 모두 원생생물입니다. 점심 식사 기관이 있고 크기가 작아 맨눈으로 관찰하기 어려우며, 해캄은 맨눈으로 관찰하기 쉽습니다.

13 새끼는 어미에 의해 강가에 걸리는 것은 다양한 생물이 우리 생활에 해로운 소비입니다.

14 생산자인 식물이 없어진다면 식물을 먹는 소비자는 먹이가 없어지므로 결국 죽게 될 것입니다.

15 햇빛이 콩나물의 자람에 미치는 영향을 알아보기 위한 실험이므로 콩나물이 받는 햇빛의 양만 다르게 하고 조건은 모두 같게 합니다.

16 생태계 보전을 위해서는 냉장고 자주 열지 않고, 샤워 사용을 줄이는 거리는 걸어다니는 것입니다.

17 장기에 표면에 맺힌 물방울은 공기 중의 수증기가 응결한 것으로, 자연에 있던 수증기가 응결하는 현상과 비슷합니다.

18 일정한 시간 간격으로 온도를 측정하고 서리가 내려진 정도를 잴 때 온도 변화도 측정할 수 있습니다.

19 우리나라의 여름 남쪽에 부는 바람처럼 바다에서 이동해 오는 따뜻하고 습한 공기 덩어리의 영향을 받아 덥고 습합니다.

20 자동차는 자전거보다 빠르게 운동합니다.

21 걷는 시간 동안 가장 긴 거리를 이동한 교통수단이 가장 빠른 것입니다. 따라서 기차가 가장 빠르고 자전거가 가장 느립니다.

오답풀이 ①은 3 m/s, ②는 4 m/s, ③은 2 m/s, ④는 10 m/s, ⑤는 8 m/s입니다.

22 속력은 (이동 거리)÷(걸린 시간)으로 구하며, 속력이 작은 물체가 더 느립니다.

23 베들폼불레인 용액은 염기성 용액에서 붉은색, 산성 용액은 노란색으로 변합니다. 묽은 수산화 나트륨 용액은 염기성 용액이므로 베들폼불레인 용액이 붉은색으로 변합니다.

24 해캄과 검산발에는 모두 원생생물입니다. 점심 식사 기관이 있고 크기가 작아 맨눈으로 관찰하기 어려우며, 해캄은 맨눈으로 관찰하기 쉽습니다.

25 제산제는 염기성으로 산성인 위액의 성질을 약하게 만듭니다.

국어 2회

80~83쪽

01 ① 02 ② 03 개 04 ②,⑤ 05 ③
06 ③,⑤ 07 ⑤ 08 ③① 09 ④ 10 ④
11 ② 12 ⑤ 13 ① 14 ① 15 ②
16 ④ 17 ③ 18 ②× 19 ③ 20 ④
21 ③ 22 ② 23 교실 24 ③ 25 (4)×

01 실수로 친구의 발을 밟은 경험은 이 시의 내용과 관련이 없습니다.

02 수업에는 자신이 두 명이면 하나는 학원에 가고 하나는 마음껏 놀 수 있을 것이라고 생각했습니다.

03 주인공 세계에서는 개(강아지)인 딸심이와 사람이 수업이가 대화를 할 수 있지만, 현실 세계에서는 개와 사람이 대화할 수 없습니다.

04 이 글은 '똑똑이가'와 대화하는 문장이 있어야 하는 부분입니다.

05 '매콤한'은 '똑똑이를 자세하게 꾸며 주는' 말입니다.

오답풀이 '결코', '전혀', '빨로'와 같은 말은 부정적인 낱말입니다.

06 글을 요약할 때는 각 문단의 중심 문장을 찾아야 합니다. ③과 ⑤는 중심 문장이 아니므로 글을 요약할 때 필요하지 않습니다.

07 ⑤ 인싸에 대하여는, 하나의 낱말로 대답할 수 없는 질문은 ⑤은 인정인데, ⑥은 사람이 다 대답할 수 없습니다.

08 학교 앞 어린이 보호 구역에서 가지고 있습니다. ⑥은 인정인데, ⑥은 사람이 다 대답할 수 없습니다.

09 어린이 보호 구역은 어린이의 보호 구역으로 제한하고 사고로 모습을 읽은 사진으로 교통사고로 모습을 읽은 사진으로 교통사고 도로 표지판 테두리를 빨간색이므로 보호자가 대비하였습니다.

10 ⑤은 여행만에서 어떤 장소를 방문해 본 것이나 여행경험과 관련 있는 문장입니다.

11 청자의 새가 집고 푸른색 일맞이 붉으속 일맞이 붉으속 나는 구슬이 비 죽음과 생이 집고 일맞기 물방기 비 때문에 '비색'이라 불렀습니다.

12 ①, ③, ④는 필요한 내용만 찾아 읽을 수 있기 방법이므로 지문이의 상향에는 맞지 않습니다.

13 '꽃'은 '점을 내는', 또는 '빛 익은 미해 중요한 일을 이루는 것'을 말합니다.

14 결은 일을 이야기하며 아이를 지어서도 쓸 수 있습니다.

15 연산 중년다리가는 아름으로 공작하며 아이를 지어서도 쓸 수 있습니다.

16 한가지에 늘어있으므로 농사일이 바쁘지 않은 농한기에 만들어진 것을 말할 때 도움이 되지 않습니다.

오답풀이 ⑤은 중단러가는 농사일이 바쁘지 않은 농한기에 만들어진 것을 말할 때 도움이 되지 않습니다.

17 아이는 우산이가 너무 많이 공작하며 아름 많고 대화하는 모습으로 방이는 상황과 관련이 없습니다.

18 (2)는 운소이가 대화하는 모습으로 방이는 상황과 관련이 없습니다.

19 '결교', '전혀', '빨로'와 같은 말은 부정적인 낱말입니다.

20 사건의 시간적·공간적 배경이나 어떤 일이 있었는지 설명하는 상황으로 글쓴이가 설명한 말입니다.

21 ⑤는 인쇄 매체 자료로, 영상과 자료로, 신문, 잡지의 성격이 비슷합니다. ⑥는 영상, 연속극과 성격이 비슷합니다.

22 지문이는 자신의 의견에 맞춘 근거를 제시한 것이 아니라 자신의 의견과 상반된 것이 아니라 자신의 의견과 상반된 주장이므로 정당한 근거를 제시한 것이 아닙니다.

23 시간내가 배경은 '교실'인 시간, 공간인 것입니다.

24 금지의 형태으로 금지의 형태으로 일맞지 않습니다.

25 발표자에 어떤 내용을 정리하는 것은 청자의 상황과 일치하지 않습니다.

풀이

18 그림의 남자아이는 자전거를 타고 있으므로 '그는 자전거를 타고 있다.'라는 뜻의 ① He is riding a bike.가 알맞습니다.
② 그는 책을 읽고 있다.
③ 그는 바이올린을 연주하고 있다.
④ 그는 그림을 그리고 있다.
⑤ 그는 그의 방을 청소하고 있다.

19 내가 가장 좋아하는 계절은 여름이다.
내 생일은 여름에 있다.
나는 바다에서 수영하는 것을 좋아한다.
나는 더운 날씨에 아이스크림 먹는 것을 좋아한다.
나는 여름날이 좋다!

20 A: 그 여자는 어떻게 생겼니?
B: 그녀는 머리가 짧아.
   그녀는 초록색 셔츠를 입고 있어.

다른 사람의 외모에 대해 물을 때는 What does he[she] look like?라고 합니다. 따라서 빈칸에 알맞은 것은 ② What입니다.

21 A: 학교는 어디에 있니?
B: 똑바로 한 블록 가서 오른쪽으로 돌아.
   그것은 네 왼쪽에 있을 거야.

'똑바로'는 straight, '오른쪽'은 right, '왼쪽'은 left입니다.

22 A: 너는 몇 시에 일어나니, Kate?
B: 나는 8시에 일어나.
A: 너는 몇 시에 학교에 가니?
B: 나는 8시 30분에 학교에 가.
A: 너는 몇 시에 숙제를 하니?
B: 나는 4시에 숙제를 해.

23 Kate는 8시에 일어나서 8시 30분에 학교에 가고 4시에 숙제를 합니다.

민수: 주말은 어땠니, 수지야?
수지: 좋았어.
민수: 무엇을 했니?
수지: 나는 나주에 계신 할머니를 방문했어.
민수: 너는 이번 토요일에 무엇을 할 거니?
수지: 나는 이번 토요일에 미술관에 갈 거야.

주말이 어땠는지 묻는 민수의 말에 많이 수지는 좋았다고 대답했습니다.
오답 풀이 ② 수지는 할머니 댁을 방문했습니다.
③ 수지의 할머니가 나주에 계십니다.
④ 수지가 미술 작품 보는 것을 좋아하는지는 대화에서 알 수 없습니다.
⑤ 수지는 이번 토요일에 미술관에 갈 것입니다.

24 이곳은 주방입니다.

문장의 첫 글자는 대문자로 쓰므로 this를 This로 고쳐야 합니다. 또, 문장이 끝났고 묻거나 느낌표를 나타내는 문장이 아니므로 .(마침표) . (쉼표를) .(마침표로) 고쳐야 합니다.

25 나는 중국어를 배우고 싶다.

하고 싶은 일을 문장으로 나타낼 때는 「I want to + 동사」로 행동을 나타낼 때는 「I want to + 동사」로 표현합니다. 그러므로 ③ I want to learn Chinese.가 알맞습니다.

영어 2회

01 ③	02 ①	03 ⑤	04 ③	05 ②
06 ②	07 ③	08 ④	09 ③	10 ①
11 ②	12 ②	13 ①	14 ①	15 ①
16 ②	17 ⑤	18 ③	19 ①	20 ①
21 ④	22 ①	23 ⑤	24 ④	25 ④

93~95쪽

듣기 대본

01 B: Where are you from, Jenny?
G: I'm from the U.S.A.

풀이 남자아이가 '넌 어디에서 왔니?'라고 물었고, Jenny가 '나는 미국에서 왔어.'라고 대답했으므로 앞뒤 알맞은 국가는 미국 국가인 ③입니다.

02 G: Go straight one block and turn right.
It's on your left. It's next to the church.

풀이 똑바로 한 블록을 가서 오른쪽으로 돌면 왼쪽에 있고 교회 옆에 있는 것은 것은 공원입니다.

03 G: What does he look like?
B: ① He is tall.
② He has short black hair.
③ He is wearing glasses.
④ He is wearing a blue shirt.
⑤ He likes to play baseball.

04 B: Where are you, Mom?
W: I'm in the living room.
B: What are you doing?
W: I'm listening to music.

풀이 엄마가 거실에 있다고 했고, 무엇을 하고 있냐는 질문에 음악을 듣고 있다고 했습니다.

05 G: I like to play tennis. How about you, Peter?
B: I don't like to play tennis.
I like to ride a bike.
How about you, Sally?
G: I like to ride a bike, too.
B: That's good. Let's ride a bike.
G: Sounds good.

풀이 Sally는 테니스 치는 것과 자전거 타는 것을 좋아하고 Peter는 자전거 타는 것을 좋아한다고 했습니다.

06 B: What time do you have dinner, Sera?
G: I have dinner at six thirty.
B: What time do you go to bed?
G: I go to bed at ten o'clock.

풀이 6시 30분에 먹는다고 대답했고, 몇 시에 잠자리에 드는지 묻는 많에 10시 정각에 잠자리에 든다고 대답했습니다.

07 B: What's your favorite subject, Jisu?
G: My favorite subject is P.E.
What about you, Minho?
B: My favorite subject is Korean.

풀이 지수는 체육을 가장 좋아한다고 했습니다.

08 M: This is the kitchen.
There is a stove and a sink.
You can cook and wash the dishes here.

풀이 요리용 레인지와 싱크대가 있고, 요리를 할 수 있으며, 설거지를 할 수 있는 것은 '부엌'입니다.

09 G: Whose coat is this?
B: ① Yes, it's mine.
② It's on the sofa.
③ This coat is Mina's.
④ No, it's not my coat.
⑤ It's ten thousand won.

풀이 '이것은 누구의 코트니?'라고 물었으므로 ③ '이 코트는 미나의 것이야.'가 알맞습니다.

모의평가

오답풀이 ④ Whose ~로 묻는 문장의 답으로는 Yes나 No로 답하지 않습니다.

10
G: Hello?
B: Hello. This is Minsu. Can I speak to Yuri?
G: ① Speaking.
② It's mine.
③ Yes, please.
④ My name is Yuri.
⑤ This is my friend, Yuri.

풀이 전화 대화의 마지막에 '유리와 통화할 수 있을까요?'라고 했으므로 전화 대화에서 '전화 받았습니다.'라는 의미인 ① Speaking.이 이어질 말로 알맞습니다.

11
G: What does Julie look like?
B: ① She has long straight hair.
② She is wearing a skirt.
③ She is wearing glasses.
④ She is wearing a scarf.
⑤ She is wearing a T-shirt.

풀이 Julie는 긴 생머리에 안경을 쓰고, 스카프를 두르고, 티셔츠와 바지를 입고 있으므로 ① She has long straight hair.가 알맞습니다.

12
G: What do you do on Sundays, Junha?
B: I read a book and watch TV at home. I do my homework and clean my room, too.

풀이 일요일에 무엇을 하는지 묻는 말에 '나는 집에서 책 읽기, 텔레비전 보기, 숙제 하기, 방 청소를 한다고 대답했습니다. 그러므로 '축구하기가 균형이 일요일에 하는 일이 아닙니다.

13
① B: Can I ride a bike here?
G: No, you can't.
② B: Can I ride a bike here?
G: Yes, you can.
③ B: Can you ride a bike?
G: Yes, I can.
④ B: Is this your bike?
G: Yes, it's mine.
⑤ B: Let's ride a bike.
G: Okay.

14
G: What did you do?
B: I swam in the pool.

풀이 지난 주말에 무엇을 했는지 묻는 말에 Bob은 수영장에서 수영을 했다고 대답했습니다.

15
W: What do you want to do?
G: I want to go shopping. I want to buy a T-shirt.
W: Let's go shopping.
G: Okay. Thanks, Mom.

풀이 엄마가 여자아이에게 무엇을 하고 싶은지 묻자 여자아이는 쇼핑을 하러 가서 티셔츠를 사고 싶다고 말했습니다. 이에 엄마가 쇼핑하러 가자고 제안하자 여자아이는 좋다고 했으므로...

16
G: What will you do this Sunday, Eric?
B: I'll go to the library. What about you, Sue?
G: I'll go to the beach.

오답풀이 ① 해변에 갈 것이라고 대답한 사람은 Sue입니다.

17
① G: What does she look like?
B: She has long hair.
② G: This is Cathy. Can I speak to Bill?
B: Speaking.
③ B: How was your summer vacation?
G: It was wonderful.

10
G: Hello?
B: Hello. This is Tom.
G: Hi, Tom.
B: I have a present for you. Where are you, Minju?
G: I'm in my classroom.
B: Okay. I'll come there.

풀이 Tom이 민주에게 선물을 주기 위해 어디에 있는지 물었고, 민주는 자신의 반 교실에 있다고 답했으므로 ⑤ 아빠와 집 청소를 한 사람은 남자아이입니다.

11
B: Is this your pencil, Bomi?
G: Yes, it's mine. Thank you.
B: Whose ruler is this?
G: It's not mine. It's Paul's.

오답풀이 ② '이것은 내 것이 아니야, Paul의 것이야.'라는 말로 보미는 자루의 자인지 묻는 물음에 대답하였으므로...

12
G: What does your mom look like, Mina?
B: She has short curly hair. She is wearing glasses.

풀이 엄마가 어떻게 생겼는지 묻는 물음에 보미는 짧은 곱슬머리에 안경을 쓰고 있다고 답했습니다.

13
B: What do you do on Saturdays?
G: ① I go to the library with my sister.
② I'm washing my hands.
③ I watched a movie.
④ I can play basketball.
⑤ I'll visit my grandma.

풀이 토요일에 무엇을 하는지 묻는 말에 해당하는 ① '나는 누나와 도서관에 가.'가 알맞습니다.

14
B: What did you do yesterday, Jina?
G: I went shopping with my friend. What about you?

풀이 그는 어떻게 생겼니?'라고 외모를 답하는 것은 어색합니다.

15
B: What will you do this Saturday, Yuna?
G: I will go fishing with my dad. What about you?
B: I cleaned the house with my dad.

오답풀이 ① 이번 토요일에 아빠와 집 청소를 할 것이라고 답한 사람은 남자아이입니다.

16
G: What do you want to do, Tom?
B: I want to make pizza.
G: She has short curly hair.
B: I want to eat some pizza. What about you, Tom?

풀이 무엇을 하고 싶은지 묻는 Tom의 말에 미나는 피자를 먹고 싶다고 답했으므로 ③ 피자를 만들고 싶다고 한 사람은 Tom입니다.

17
① G: Can I sit here?
B: Sure.
② G: How's it going?
B: Not bad.
③ G: What's your favorite subject?
B: My favorite subject is math.
④ G: Where is the hospital?
B: Go straight. It's next to the bank.
⑤ G: What does he look like?
B: He likes to watch TV.

풀이 그는 어떻게 생겼니?'라고 외모를 묻는 물음에 답하는 것은 어색합니다.

모의평가

영어 1회

01 ③	02 ④	03 ②	04 ②	05 ③
06 ④	07 ③	08 ③	09 ③	10 ③
11 ③	12 ⑤	13 ①	14 ③	15 ④
16 ①	17 ⑤	18 ①	19 ③	20 ②
21 ⑤	22 ④	23 ④	24 ④	25 ③

듣기 대본

01 B: Where are you from?
G: ① I'm from Korea.
② I'm from Canada.
③ I'm from the U.K.
④ I'm from China.
⑤ I'm from Japan.
풀이 남자아이가 '너는 어디에서 왔니?'라고 물었고, 여자아이가 영국에서 왔다고 대답했으므로 영국을 나타내는 것이 알맞습니다.

02 W: ① Go straight one block and turn right.
② Turn right and turn left.
③ Go straight two blocks and turn right.
④ Go straight one block and turn left.
⑤ Turn left and go straight.
풀이 공원으로 한 블록을 가서 왼쪽으로 돌면 있습니다.

03 B: Mom, what are you doing?
W: I'm cooking in the kitchen.
풀이 엄마에게 무엇을 하고 있는지 묻자, 엄마는 부엌에서 요리를 하고 있다고 대답했습니다.

04 G: ① I'm Jenny. Who is Junho?
② This is Jenny. Can I speak to Junho?
③ I'm Jenny. Are you Junho?
④ This is my friend, Junho.
⑤ This is Jenny. Who are you?
풀이 전화 대화에서 자신을 밝힐 때는 「This is + 이름」이라고 합니다. 준호와 통화할 수 있냐고 물을 때는 Can[May] I speak to Junho? 라고 한다고 합니다.

05 G: Let's play tennis.
B: Sorry, I don't like to play tennis.
Let's ride a bike.
G: Sounds fun.
풀이 테니스를 치자는 여자아이의 말에 남자아이는 테니스 치는 것을 좋아하지 않는다고 했고, 자전거를 타자고 제안했습니다. 여자아이는 재미있을 것 같다며 제안을 받아들였습니다.

06 B: I like to watch movies.
How about you?
G: I like to watch movies, too.
Let's watch a movie.
B: Sounds great.
풀이 남자아이는 영화 보는 것을 좋아한다면서 여자아이는 어떤지 물었고 여자아이도 영화 보는 것을 좋아한다고 대답했습니다.

07 B: What time do you get up, Mina?
G: I get up at seven o'clock.
B: What time do you have breakfast?
G: I have breakfast at seven thirty.
풀이 몇 시에 일어나는지 묻는 말에 미나는 7시 정각에 일어난다고 대답했습니다.
오답 풀이 ④ 7시 30분에는 아침 식사를 한다고 했습니다.

08 G: We have English class today.
My favorite subject is English.
What's your favorite subject, Minho?
B: My favorite subject is music.
풀이 무슨 과목을 가장 좋아하는지 묻는 말에 민호는 음악을 가장 좋아한다고 대답했습니다.
오답 풀이 ① 영어는 여자아이가 가장 좋아하는 과목입니다.

09 M: There is a big sofa.
You can sit on the sofa here.
You can watch TV, too.
풀이 소파에 앉을 수 있고 텔레비전을 볼 수 있는 곳은 '거실'입니다.

④ G: What time do you have breakfast?
B: I have breakfast at eight o'clock.
⑤ G: How's it going?
B: I'm going to the museum.
풀이 How's it going? 은 안부를 묻는 것이고 '나는 박물관에 가고 있어.'라고 대답하는 것은 어색합니다. 안부를 묻는 말에 답할 때는 Very well. / Not bad. 등으로 합니다.

22 A: 너는 몇 시에 피아노 수업이 있니?
B: 나는 4시 30분에 피아노 수업에 가.
풀이 '몇 시에 ~을 하니?'라고 물을 때는 'What time do you + 행동을 나타내는 말?'이라고 합니다. 따라서 빈칸에 What이 알맞습니다. 피아노 수업이 있다라는 뜻의 표현은 have a piano lesson이고 임과를 나타낼 때는 행동을 나타내는 말을 현재형으로 쓰므로 빈칸에는 have가 알맞습니다.

23 준호: 우리 축구하자, 진호.
진호: 미안하지만, 나는 축구하는 것을 좋아하지 않아.
준호: 너는 무엇을 하고 싶니?
진호: 나는 영화를 보고 싶어.
준호: 우리 영화 보자.
진호: 좋아.
풀이 준호가 내일 축구를 할 것인지는 대화에서 알 수 없습니다.

24 나는 요리사가 되고 싶다.
풀이 '나는'을 뜻하는 주어는 언제나 대문자로 쓰므로 I를 대문자로 써야 합니다. Cook은 문장의 첫 단어가 아니므로 cook으로 고쳐야 합니다. 또, 문는 문장이 아니므로 ?(물음표)를 .(마침표)로 고쳐야 합니다.

25 나는 8시에 학교에 간다.
풀이 일과를 나타낼 때는 「I + 행동을 나타내는 말」로 표현합니다. 따라서 ④ I go to school at eight이 알맞습니다.

18 풀이 그림의 여자는 짧은 곱슬머리이고 머리띠를 하고 재킷과 치마를 입고 있습니다. 따라서 ③ '그녀는 긴 생머리이다.'는 그림에 대한 설명으로 알맞지 않습니다.
① 그녀는 치마를 입고 있다.
② 그녀는 재킷을 입고 있다.
③ 그녀는 선글라스를 쓰고 있다.
④ 그녀는 머리띠를 하고 있다.

19 이곳은 내 방이다.
내 방에는 침대가 하나 있다.
내 곰 인형은 침대 위에 있다.
책상도 있다.
내가 가장 좋아하는 책들이 책상 위에 있다.
나는 내 방에서 책을 읽는 것을 좋아한다.

20 독으로 한 블록 가서 왼쪽으로 도세요.
그것은 당신의 오른쪽에 있어요.
그것은 은행 옆에 있어요.

21 A: 너는 어제 무엇을 했니?
B: 나는 친구들과 농구를 했어. 아주 좋았어.
풀이 빈칸의 물음에 대한 답이 과거에 한 일이므로

국어 3회

96~99쪽

01 ③	02 ⑤	03 ⑤	04 ④	05 ②
06 떨림	07 ⑤	08 ③		
09 ⑤	10 (1) ①, (2) ②, (ㄹ)(3) ①			
11 ③	12 ①	13 (4) ①	14 ⑤	15 ④
16 ③	17 ②	18 ⑤	19 ②, ③	
20 ④	21 ④	22 ⑤	23 주장 펼치기	
24 ⑤	25 ③			

01 한 주민이는 남을 돕는다가 자신과 할 일을 하지 못한 적이 많은 아빠에 대한 서운한 마음을 털어놓았고, 민재는 그 마음을 공감해 주었습니다.

02 말하는 이는 지각했다고 설을 배고플 때, 그런 사람이 보고 싶은 한 것을 잡는다가 상상을 하였습니다.

03 3연에는 말하는 이가 누군가를 보고 싶어 하고 그리워하는 상황이 나타나 있습니다.

04 글은 과일 네 개가 바닥에 펼쳐지면 종을 자 카드를 가져옵니다. 이 과정을 반복하면 지막까지 카드를 가지고 있는 사람이 이깁니다.

05 ⓛ은 동작을 당하는 주어와 자연스러운 주어가 호응이 않았지 경우입니다. 자연스러운 문장이 되려면 '도둑이 경찰에게 잡혔다.'와 같이 써야 합니다.

06 '할머니께서는 주어, '맛있는' 목적어, '국었다' 에는 '떨림으로 호응하는 '좋이 보이지 않았다'를 써야 합니다.

07 토의 주제를 정하기 위해 대화하고 한 친 구가 남아 있는 상품이 나타나 있습니다.

08 그림에는 토론에서 뛰어나는 친구들과 한 구의 활용하는 상품이 인물의 중 친명합니다.

09 글쓴이는 인공 지능을 활용하면 인류의 미래를 희망적으로 가득하게 만들 것임이라고 주장하고 있습니다.

10 ⓛ은 여행가서 보고 들은 것이, ⓑ는 여행 하면서 느낀 것이 드러난 낱말입니다.

11 그러나 느낀 점이 드러난 부분이 없습니다.

15 두 사람은 누리 소통망에서 친구의 험담을 했습니다. 친구가 없는 대화방에서 친구를 나쁘게 말하면 안 됩니다.

12 사진이나 검은 그대로 드러났지만 나에서는 등장인물의 이름을 바꾸어 썼습니다.

13 '나'와 인국이가 새로운 부분은 등장인물의 간 등에서도 누구나 이르는 단계입니다.

14 글에서는 공기가를 정보 무리를 만들 수 있다고 설명하였습니다.

16 뒤에 '마음'이라는 검을 진달하는 낱말이 '떨대가 쓰였으니는 검을 진달하는 낱말이.

17 검대서블 공기구를 세 개가 나 있습니다. 공기구름은 공기구름이 넓고 위쪽은 중 지사건행 기는 모양으로 만들어서 이동했거나는 검 탐이 불 때 비로 안이 공기가 집 빠져나가는 검 이 입니다.

18 생물이 내부에서 공기가 이동할 수 있어 보기 자료도 정보를 느으로 직접 확인할 수 명했으므로 기계이 관련된 내용을 골라야 합니다.

19 '나는 동창의 먼저 장난을 질었는데 동생들을 평탄고 아버지게 혼이 났습니다.

20 ④와 ⑤는 읽기 자료의 장점입니다. [오답풀이] ⑤는 읽기 자료의 장점입니다.

21 ㉠에는 '어제저녁'과 '먼대로라'를, ㉡ 에는 '멀꼬만'의 호응하는 '좋이 보이지 않았다'를 쎄야 합니다.

22 [오답풀이] ⓛ은 인쇄 매체 자료에 대한 설명이 고, 잡지는 인쇄 매체 자료입니다. 인터넷 매체 자료에는 누리 소통망, 휴대 전화 문자 메시지 등이 있습니다.

23 토론을 시작한다고 사회자의 말과 자기편의 주장과 근거를 제시하는 친성편의 발을 통해 '구 장펼치기' 단계라는 검을 쓰지 않을 수 있습니다.

24 ⓛ은 영어와 우리말을 섞어 쓰지 않습니다.

25 ㉠과 ②는 사람들이 널리 표준을 써 만든 신조어입니다. ⑥는 금성에 썼고, ④는 금성이 경 도록 비슷한 검을 이용해 만든 신조어입니다.

과학 1회

74~76쪽

01 ②	02 ④	03 ③, ⑤	04 ㉠ 위 ㉡ 아래
05 ①	06 ②	07 ⑤	08 ③
09 ⑤	10 ㉡		
11 ②	12 ②	13 ④	14 ③
15 ④	16 토양		
17 수증기	18 ④	19 ②	20 ④
21 ①	22 ③	23 ④	24 ①
25 ⑤			

01 탐구 문제를 정할 때에는 실험을 통해 검증할 수 있는 문제인지 정해야 합니다.

02 온도가 다른 두 물질이 접촉하면 따뜻한 물질은 온도가 낮아지고 차가운 물질은 온도가 높아집니다. 두 물질의 온도는 같아지며, 이 지나면 두 물질의 온도는 같아집니다.

03 구리판에서 차가운 부분보다 온도가 높은 물질의 온도가 낮아지는 부분으로 열이 이동합니다. [오답풀이] 얼음 온도가 높은 물질에서 낮은 물질로 이동한다.

04 액체에서는 주변보다 온도가 높아진 물질이 위로 올라가고 위에 있던 물질은 아래로 밀려 내려옵니다.

05 태양은 지구 생물이 살아가기에 적당한 온도를 만드는 데 영향을 주며, 식물이 양분을 만드는 데에도 필요합니다.

06 [오답풀이] 토성은 지구보다 크기가 큽니다.

07 금성은 밝고 노랗게 보입니다. 태양, 지구, 달과 비교했을 때 지구로부터 거리가 가깝습니다.

08 소금이 물에 용해되어도 소금과 물의 무게를 합한 값과 용해된 후의 소금물의 무게는 같습니다.

09 일정량의 물에 용해되는 용질의 양은 용질마다 다릅니다.

10 생강차는 맛과 향을 내는 용질이 물에 용해된 용액입니다. [오답풀이] 흙탕물은 용질이 녹지 않으므로 용액이 아닙니다.

11 곰팡이는 식물이 아니며 뿌리, 줄기, 잎과 같은 모양이 없습니다.

12 소나리자는 식물과 같은 생김새뿐만 아니라 다른 식물처럼 모두 생김새를 합니다.

13 다양한 물질을 만드는 데에는 곰팡이가 단순하다니다. 진행을 만드는 세균으로 인 땅이 세균은 일으키 것부도 해로운 해로운 것도 한 것입니다.

14 소비자는 식물과 같은 생산자만 먹다 다른 생물을 먹이로 하며 생명을 유지하는 동물입니다.

15 생산자가 없다면 먹이를 얻지 못해 생물은 죽게 됩니다.

16 자기가 우리집 주변에 공기 중의 수 기가 응결해 수리와 관계가 맺어지 남니다. 공기 중의 수증기가 표현된 정도 승다는 입니다.

17 쓰레기, 농약 등은 일상에 심각한 악취가 남니다.

18 낮에는 지면과 수면의 온도 차이가 더 는 더 차며, 공기가 이동하는 데 열을 밤에 낮 공기가 바닷쪽으로 바람이 붑니다.

19 여름에는 남동쪽 바다에서 불어오는 공기 영향으로 덥고 습합니다.

20 이동한 공기 덩어리가 지날 때 공기 당이 바다 위로 이동하면 네 성질 것 하는 데 이동하지 않고 머물면 공기 성질이 더 빨리 바뀝니다.

21 50 m 달리기와 같이 일정한 거리를 이동하는 데 걸린 시간을 측정하는 빠르기 비교에서는 걸린 시간이 짧을수록 더 빠릅니다.

22 [오답풀이] 인도에는 비스듬히 하지 않으니, 차의 빠르기를 비교하지 않습니다.

23 식초, 레몬즙, 우리 세정제, 빨랫비누 물은 색을 신호조가 산호를 사이며, 붉은 색 산성 용액으로 변합니다.

24 산성 용액으로 구멍할 수 있는 투명한 용액에는 붉은 용액수를 용이 지어쓰는 산성이 안해지 하며, 도로 용액이 되면 소리를을 풀어 나오는 산성의 성질이 점점 산성을 뿐이 한 피해를 줄일 수 있습니다.

25 이산화 탄소에는 붉은 용액으로 용이 지어쓰는 산성을 뿐이 있습니다.

수학 3회

100~102쪽

01 ③	02 ④	03 ⑤	04 ①	05 ②	06 ③
07 ②	08 ③	09 ③	10 BIG	11 ⑤	12 ④
13 ④	14 ④	15 ⑤	16 ①	17 ⑤	
18 ☆=△×26 또는 △=☆÷26				19 ②,④	
20 ③,⑤	21 ③,⑤	22 ②	23 ⑤		
24 가 초등학교	25 $1\frac{11}{12}$				

04 ① 7.541 → 7.54 ② 7.521 → 7.52
③ 7.524 → 7.52 ④ 7.529 → 7.52
⑤ 7.52? → 7.52

05 (다른 대각선의 길이)=5×2=10(cm)
(마름모의 넓이)
=(한 대각선의 길이)×(다른 대각선의 길이)÷2
=14×10÷2=70(cm²)

06 44를 점 ●으로 나타내고 51을 점 ○으로 나타
낸 후 두 수 사이에 선을 그었으므로 44 이상
51 미만인 수입니다.

07 18과 16의 최대공약수는 2이고, 18과 3의 최대
공약수는 30으로 통분하기 전의 두 기약분수는
$\left(\frac{16÷2}{18÷2}, \frac{3÷3}{18÷3}\right) \rightarrow \left(\frac{8}{9}, \frac{1}{6}\right)$입니다.

10 G: $\frac{1}{6}\times\frac{1}{5}=\frac{1}{30}$, B: $\frac{1}{8}\times\frac{1}{8}=\frac{1}{64}$,
I: $\frac{1}{9}\times\frac{1}{7}=\frac{1}{63}$
작은 수부터 나열하면 $\frac{1}{64}$, $\frac{1}{63}$, $\frac{1}{30}$ 입니다.
따라서 작은 수부터 작은 부분을 차례대로
쓰면 BIG가 됩니다.

11 면 ㅌㅇㅈㅊ과 수직인 면이 아닌 면은 면 ㅌㅇㅈ
과 평행한 면이므로 면 ㄱㅁㅂㄷ입니다.

12 사각형은 삼각형보다 1개 더 많으므로 삼각형
이 9개이면 사각형은 9+1=10(개)입니다.

13 6×2+56÷□=19, 12+56÷□=19,
56÷□=19-12, 56÷□=7, □=8

14 ① 선대칭도형 ② 점대칭도형 ③ 선대칭도형
④ 선대칭도형, 점대칭도형 ⑤ 선대칭도형

15 대응각의 크기는 같고 사각형의 네 각의 크기
의 합은 360°이므로
(각 ㄱㄴㄷ)=(각 ㄹㅁㅂ)
=360°-60°-65°-100°=135°

16 (평행사변형의 넓이)=(밑변)×(높이)
=2.5×1.7=4.25(m²)

17 (정사각형의 한 변의 길이)=36÷4=9(cm)
(정사각형의 넓이)=9×9=81(cm²)

18 음료수의 수 (가)가 한 개씩 늘어날수록 설탕의
양(☆)은 26씩 늘어나므로 ☆=△×26 또는
△=☆÷26입니다.

20 길이가 8cm, 6cm, 4cm인 모서리가 각각 4개
있습니다.
(직육면체의 모든 모서리의 길이의 합)
=(8+6+4)×4=72(cm)

21 7)14 21 ... 최소공배수: 7×2×3=42
   2   3
14로 나누어도 나누어떨어지고, 21로 나누어도
나누어떨어지는 두 자리 수는 42의 배수 중에
서 두 자리 수인 42, 84입니다.

22 (튀어 올라온 공의 높이)
$=64 \times \frac{3}{4} = 48$(cm)

23 수 카드로 만들 수 있는 가장 큰 네 자리 수는
7531입니다. 이 수를 반올림하여 천의 자리까
지 나타내면 8000입니다.

24 학급별 학생 수의 평균을 각각 구하면
가 초등학교: $\frac{192}{8}$=24(명)
나 초등학교: $\frac{115}{5}$=23(명)
24>23이므로 학급별 학생 수의 평균이 더 높
은 쪽이 초등학교가 가 초등학교입니다.

25 어떤 수를 □라고 하면 □+1$\frac{2}{3}$=5$\frac{1}{4}$ 이므로
□=5$\frac{1}{4}$-1$\frac{2}{3}$=5$\frac{3}{12}$-1$\frac{8}{12}$
=4$\frac{15}{12}$-1$\frac{8}{12}$=3$\frac{7}{12}$.
바른 계산: 3$\frac{7}{12}$-1$\frac{2}{3}$=2$\frac{19}{12}$-1$\frac{8}{12}$=1$\frac{11}{12}$

사회 1회

71~73쪽

01 ②	02 ④	03 ③	04 ①,④	05 ④	06 저
출산율, 고령	07 ④	08 ①	09 ②	10 ①,②	
11 ⑤	12 ①	13 (1)-ⓒ (2)-ⓐ (3)-ⓑ (4)-ⓓ			
14 ④	15 ①	16 ②	17 ②	18 ③	19 ③
20 ①,③	21 실향	22 ④	23 모스크바 3국 외상		
회의	24 ①,ⓒ	25 ④			

01 우리나라는 삼면이 바다로 둘러싸이고 한 면은
육지에 이어진 반도입니다.

02 오답풀이 ① 금강의 서쪽에 있어서 '호서'라 함
니다. ② 경기해의 서쪽에 있어서 '해서'라고 합
니다. ③ 조령 고개의 남쪽에 있어서 '영남'이라
합니다. ⑤ 철령관을 기준으로 서쪽 지방을 관
서, 북쪽 지방을 '관북'이라고 합니다.

03 우리가 살고 있는 땅은 생김새가 다양합니다.
오답풀이 ①과 ④는 평야, ②와 ⑤는 해안의 특
징입니다.

04 차가운 북서풍을 막아 주는 태백산맥과 수심이
깊은 동해의 영향으로 동해안의 겨울 기온은 서
해안보다 높습니다.

05 비가 많이 오는 지역에서는 집이 물에 잠기는
것을 막으려고 집터를 주변보다 높여서 터돋움
집을 짓기도 했고, 눈이 많이 들어오는 것을 막으려고 우
데기라는 외벽을 설치합니다.

06 14세 이하의 유소년층 인구도 계속해서 줄어들
고, 65세 이상의 노년층 인구는 늘어나는 저출
산·고령 사회입니다.

07 14세 이하의 유소년층 인구는 줄어들고, 노년
층 인구가 늘어나는 고령화 사회가 되었습니다.

08 모든 사람은 나와 똑같은 권리가 있으므로 다른
사람의 권리를 존중하는 태도가 중요합니다.

09 사생활 침해, 편견이나 차별, 사이버 폭력을 포
함한 학교 폭력은 상대방의 인권을 존중하지
않는 대표적인 사례입니다.

10 법은 도덕과 달리 이것을 어겼을 때 제재를 받습니다.

11 「식품 위생법」은 국민의 건강 증진을 목적으로
하는 법입니다.

12 헌법은 가장 기본이 되는 법이며, 국민의 기본
권을 보장해 줍니다.

13 의무를 실천하는 일은 나뿐만 아니라 다른 사람
의 기본권을 보장해 줄 수 있는 바탕이 됩니다.

14 우리 역사 속 최초의 국가인 고조선은 건국 이
야기에도 여러 의미가 담겨져 있습니다.

15 신라는 진흥왕 때 백제와 전쟁을 벌여 한강 유
역을 차지했습니다.

16 여러 호족 중에서 세력을 키운 견훤은 후백제
를 세우고, 궁예가 후고구려를 세웠습니다.

17 2차 침입 이후 거란은 고려에 군사, 교통 면에
서 중요한 곳이던 강동 6주를 돌려 달라고 요구
했습니다.

18 권문세족(원의 힘을 이용해 성장한 계층 등이
숙한 고려 후기 지배 세력)의 횡포로 백성의 생
활이 어려워졌습니다.

19 세종은 백성들이 글을 몰라 어려움을 겪자, 이
를 덜어 주려고 일부 신하들의 반대에도 우리
글을 만들었습니다.

20 오답풀이 ②, ④, ⑤는 정조가 실시한 개혁 정책
입니다.

21 실학자들은 백성의 생활을 안정시키고 나라의
힘을 기를 수 있는 방법을 연구했습니다.

22 고종의 완강한 거부 움직임으로 일제의 특사로
이토 히로부미는 궁궐을 포위한 상태에서 외교
권을 빼앗는 조약을 강제로 체결했습니다.

23 한반도 분단과 분단하여 생겨난 다른 나라들의
갈등이 있었습니다.

24 모스크바 3국 외상 회의에서 한반도에 임시 정
부를 수립하고, 정부가 수립되기 전에 최대 5년
간 신탁 통치를 실시한다는 내용이 결정되었습
니다.

25 6·25 전쟁 중에 국군과 국제 연합군 연합작전으로
라 ... 많은 민간인이 다치거나 죽었습니다.

사회 3회　103~105쪽

정답 01 주권 02 ⑤ 03 ④ 04 ⑤ 05 ⑤ 06 ④
07 ② 08 ③,④ 09 ⑴,⑷ 10 ①
11 ④ 12 ① 13 ① 14 ② 15 ④ 16 팔만대
17 ② 18 ㉡ 19 ④ 20 ③ 21 ③
22 의병 23 ②,④ 24 ② 25 ②

01 다른 나라의 간섭 없이 중요한 일을 스스로 결정하는 권리를 주권이라고 합니다.

02 어린이날은 어린이에 대한 애정과 옹호의 정신이 깃들어 있으며, 우리 연호의 뜻이 아니기까지인지 아는 것이 중요합니다.

03 오답 풀이 | ① 북부 끝 경상남도 울릉군 독도, ② 서쪽 끝 평안북도 용천군 마안도, ③ 동쪽 끝 경상북도 울릉군 독도

04 겨울 방소로 나갈 때는 체온을 이용해 신속히 대피합니다.

05 중화학 공업은 비교적 무거운 물건을 만드는 데에 큰 하천이 필요하며, 입지 선정에 제약을 많이 받습니다.

06 교통의 발달은 지역 간에 인구 이동이 더욱 활발해지는 상황을 만드는 산업입니다.

07 『홍길동전』에는 신분이 천하다는 이유로 능력을 펼칠 기회조차 주지 않는 사회 제도를 비판하고 있습니다.

08 인권 개선 편지 쓰기, 인권을 존중하는 말 사용하기 등 작은 일부터 실천하면 내 주변의 다른 사람의 인권도 지킬 수 있습니다.

09 우리 사회는 개인의 권리를 보장하고 안정된 사회 질서를 유지하려고 법을 만들었으며, 제가 발생했을 때도 법에 따라 해결합니다.

10 헌법은 개인의 가진 인권을 분명하게 확인하고 이를 보장해 주는 역할을 합니다.

11 헌법은 개인이 가진 인권을 분명하게 확인하고 이를 보장해 주는 역할을 말합니다.

12 기본권이란 헌법으로 보장되는 국민의 기본적인 권리를 말합니다.

13 사람을 죽인 사람은 사형에 처한 것으로 보아 큰 죄는 법으로 엄격하게 대소평을을 알 수 있습니다.

14 대조영은 고구려 유민들과 말갈족을 이끌고 스스로 고왕이라 칭하며 동모산 지역에 발해를 세웠습니다.

15 '㉢ 후백제 견훤(900) → ㉡ 고려 건국(918) → ㉣ 후고구려 견훤(901) → ㉠ 신라 항복(935)' 순으로 일어났습니다.

16 팔만대장경은 현재 유네스코 세계 기록 유산으로 등재되어 있으며 이를 보관하는 장경판 전도 유네스코 세계 문화유산으로 등재되어 있습니다.

17 한양은 한강을 가져 물자를 옮기고 생활에 이용해 조선을 정주는고 정착한 도시였습니다.

18 장보고는 해상 무역을 주도하고, 중국·일본과 해외 무역을 관장했습니다.

19 임진왜란 당시와 6·25 전쟁 때 해손도 수원 화성은 『화성성역의궤』를 참고해 복원되었습니다.

20 ㉢ 미국이 균형을 이끌고 통상을 요구하는 강화도 조약을 체결한 신미양요에 대한 설명입니다.

21 ㉢은 경복궁과 동학 농민군의 봉기를 계기로 청일 전쟁으로 맞은 방지에 사회 제도를 개혁하고자 한일제의 생각이 생겨나 맞게 해결했습니다.

22 임제의 탄압으로부터 우리글의 가치를 알리고자 한글 신문을 이어 갔습니다.

23 조선의 독립은 우리글의 실천력을 편찬하기 위한 활동을 이어 갔습니다.

24 제헌 국회 의원들은 이승만을 초대 대통령으로 선출했습니다.

25 1950년 6월 25일에 북한군은 남침을 무력으로 통일하고자 38도선 전 지역에 걸쳐 남침을 시작했습니다.

수학 1회　68~70쪽

정답 01 ② 02 ③ 03 ⑤ 04 ③ 05 ② 06 ①
07 ④ 08 ② 09 ③ 10 예 문어 다리의 수는
11 ④ 12 ②,④ 13 ⑤
14 ③ 15 ① 16 ② 17 ③ 18 9000원
19 ④ 20 10 1/2 kg 21 ⑥ 22 ② 23 ①
24 96 25 20점

01 19−7+8=12+8=20

02 도형을 여러 방향으로 정의 보면서 완전히 겹치는 도형을 찾습니다.

03 27과 72의 최대공약수인 9로 약분하면 기약분수가 됩니다.

04 ( )가 있는 식은 ( )을 먼저 계산합니다.

05 6, 12, 18, 24, 30, ⋯은 6의 배수입니다.
따라서 13번째 수는 6×13=78입니다.

06 수직선에 나타내 수의 범위는 26 초과 31 미만의 정수로 27부터 31까지인 수입니다.

07 ① 6의 약수: 1, 2, 3, 6 → 4개
　② 10의 약수: 1, 2, 5, 10 → 4개
　③ 14의 약수: 1, 2, 7, 14 → 4개
　④ 17의 약수: 1, 17 → 2개
　⑤ 25의 약수: 1, 5, 25 → 3개

08 ① $\frac{2}{5} + \frac{3}{7} = \frac{14}{35} + \frac{15}{35} = \frac{29}{35}$
　② $\frac{1}{4} + \frac{1}{6} = \frac{3}{12} + \frac{2}{12} = \frac{5}{12}$
　③ $\frac{4}{9} + \frac{5}{18} = \frac{8}{18} + \frac{5}{18} = \frac{13}{18}$
　④ $\frac{1}{3} + \frac{4}{9} = \frac{3}{9} + \frac{4}{9} = \frac{7}{9}$
　⑤ $\frac{5}{6} + \frac{1}{2} = \frac{5}{6} + \frac{3}{6} = \frac{8}{6} = 1\frac{1}{3}$

09 문어는 다리가 8개이므로 문어 1마리씩 늘어날 때마다 다리가 문어 수의 8배씩 늘어납니다.

10 단원평가에서 평균을 90점 받으려면
(4과목의 총점)=90×4=360(점)이 되어야 합니다.
따라서 360−340=20(점)을 더 받아야 합니다.

11 면 ㄴㅂㅅㄷ과 평행한 면은 마주 보는 면 ㄱㅁㅇㄹ입니다.

12 $\frac{5}{8}$의 1보다 작은 수를 골라 첫을 찾습니다.

13 (정각각형의 둘레)=(한 변의 길이)×5
=17×5=85(cm)

14 (정각각형의 둘레)=(한 변의 길이)×5
=17×5=85(cm)

16 (남은 철사의 길이)=$3\frac{2}{15} - 2\frac{2}{3} = 3\frac{2}{15} - 2\frac{6}{15}$
$=2\frac{21}{15} - 1\frac{10}{15} = 1\frac{11}{15}$(m)

17 ① 37×1.8=66.6
　② 0.37×18=6.66
　③ 0.037×18=0.666
　④ 0.037×1.8=0.0666
　⑤ 0.37×18=6.66

18 1000원짜리 지폐로만 사야 하므로 저금통에 모은 돈의 자리까지 나타내야 하여 적어도 9000원을 내야 합니다.

19 (아버지의 몸무게)=(정수의 몸무게)×1.8
=42×1.8=75.6(kg)

20 (백과의 무게)=$3\frac{1}{2} × 3 = \frac{7}{2} × 3 = \frac{21}{2}$
$=10\frac{1}{2}$(kg)

21 (삼각형의 넓이)=(밑변)×(높이)÷2
9×6÷2=27, 9×⑤=54,
다 적으므로 ⑤~에 들어갈 것은 $\frac{1}{2}$입니다.

22 주사위를 던져 나오는 1부터 6까지의 수 6가지 중 2가 나올 가능성은 $\frac{1}{6}$입니다.

23 직사각형의 둘레가 24 cm이므로
(9+(세로))×2=24, 9+(세로)=12,
(세로)=3(cm)입니다.

24 ② 16　32
　2) 8　16
　2) 4　8
　2) 2　4
　1　2　최소공배수:
2×2×2×2×1×2=32
가장 가까운 수 96입니다.

25 (4과목의 총점)=(평균)×4=85×4=340(점)
단원평가에서 평균을 90점 받으려면
(4과목의 총점)=90×4=360(점)이 되어야
하므로 100보다 작은수인 100
따라서 360−340=20(점)을 더 받아야 합니다.

과학 3회

106~108쪽

01 ⑤	02 ③	03 ②	04 ⑦	05 ④,⑤	06 ③
07 ①	08 ⑤	09 ①	10 ③	11 ⓒ	12 ④
13 ⑤	14 분해자	15 ④	16 ①	17 ④	18 ⑦
01행 ⓛ 응결 19 ③	20 ⓒ,④		25 ②,③		
23 ①,⑤	24 ③,④				

01 자료 변화의 형태에는 표, 그래프, 그림, 흐름도, 도시 등이 있습니다.

02 사람마다 느끼는 온도가 다르기 때문에 온도계로 온도를 정확히 측정해야 합니다.

03 고체에서 열은 온도가 높은 곳에서 낮은 곳으로 고체 물질을 따라 이동하며 고체에서의 열의 이동 방법을 전도라고 합니다.

04 ⓐ은 공기(기체)에서의 열의 이동, ⓑ은 물에서의 열의 이동, ⓒ은 고체에서의 열의 이동이라는 의미입니다.

05 수성, 금성, 지구, 화성은 고리가 없으며, 단지 몇 행성은 주위를 도는 천체를 위성이라고 합니다. 행성의 주위를 도는 천체를 위성이라고 합니다.

06 행성의 크기는 다양하며, 지구도 금성보다 큼 니다. 지구보다 작은 행성은 수성, 금성, 화성 이며, 지구보다 큰 행성은 목성, 토성, 천왕성, 해왕성입니다.

07 북극성은 항상 북쪽 밤하늘에서 보이기 때문에 나침반 역할을 합니다.

오답 풀이
08 ... 크기가 작아져 자전거를 타고 다닙니다.

09 물의 온도와 양이 같아도 같아도 용질마다 물에 용해 되는 양은 서로 다릅니다.

10 물에 황설탕을 많이 녹일수록 색깔이 진해지 므로, 배설탕을 녹인 설탕 용액은 투명하기 때문 에 색깔로 진하기를 비교하기 어렵습니다.

오답 풀이
11 공팡이는 식물로 구분되지 않습니다.

12 세균은 다른 생물의 몸, 공기, 땅, 물, 물체 등 이 곳에서나 삽니다.

13 공팡이가 생기지 않는 환경에서 물건을 보관하 는 것은 첨단 생명 과학과 관련이 없습니다.

14 분해자가 없다면 생물의 죽은 생물과 배출물로 가 득 차게 될 것입니다.

15 식물은 빛이 있는 쪽으로, 빛이 서슬에 서는 떡을 수 있는 단체의 첫 번째이며, 빛이 서슬에 떡이 관계가 하나 밖에 없습니다. 빛이 서슬은 빛이 관계로 방향으로만 연결 되어 있고, 떡이 여러 방향으로 연결되 어 있습니다.

16 오답 풀이 방송이는 가시를 통해 밤을 떠으려고 하는 작으로부터 밤을 보호합니다.

17 습도는 공기 중에 수증기가 포함된 정도를 말 하며 단위는 %입니다. 공기 중에 수증기가 많이 포함 되어 있다는 것은 습도가 높다는 의미입니다.

18 이슬과 안개는 모두 공기 중 수증기가 응결해 나타나는 현상입니다.

19 낮에는 지면이 수면보다 빨리 데워져 지면의 온도가 더 높으며, 밤에는 지면이 수면보다 빨 리 식어 수면의 온도가 더 높습니다.

20 물체의 운동은 물체가 이동하는 데 걸린 시간 과 이동 거리로 나타내야 합니다.

21 50 m를 달리기에서 결승선까지 달리는 데 걸린 시간이 짧을수록 빠릅니다. 따라서 달린 시간 이 가장 짧은 경임이 가장 빠르고, 달린 시간이 가장 긴 인영이가 가장 느립니다.

22 황단보도에서는 자전거에서 내려 자전거를 끌 고 길을 건너야 합니다.

23 리트머스 종이, 페놀프탈레인 용액, 자주색 양 배추 지시약은 모두 지시약입니다.

24 산성 용액에 조개껍데기, 달걀 껍데기, 대리석 조각을 넣으면 기포가 발생합니다.

25 산성 용액에 염기성 용액을 계속 넣으면 산성 이 점점 약해지고, 염기성의 성질이 점점 강해집니다.

모의 평가

국어 1회

64~67쪽

01 ②	02 ②	03 ①	04 ⓒ	05 ⑤
06 ④	07 ④	08 ④	09 ②,⑤	10 ②
11 ③	12 ⑤	13 ①	14 ②,③,④	
15 ③	16 ③,⑤	17(1)② (2)①	18 ④	
19 건강 달리기	20 ②	21 정문	22 ③	
23 ③	24 (2)○	25 ④		

01 소희는 연주가 여속 시간에 늦은 까닭을 듣고 연주의 처지를 이해할 수있습니다.

02 연주는 자신의 처지를 이해해 주는 소희에게 고 마운 마음을 표현하는 말을 하였을 것입니다.

03 '친구가 손을 내밀었다.', '난만 화해하고 싶은 줄 알았는데'가는 내용에서 친구와 화해하고 싶은 정임하는 부분이 ⓐ에 들어갈 수 없습니다.

04 나타를 되찾고 싶은 '나'의 처지가 되어 생각한 표현은 ①이고, 비행 학교에 들어가고 싶은 '나' 의 기분을 고려한 표현은 ②입니다.

05 다보탑에 대한 설명인 ⑤는 두 탑의 공통점을 정리하는 부분인 ⑦에 들어갈 수 없습니다.

06 제안하는 토의 주제에 맞지만 의견에 대한 까닭이 자신의 마음을 본 경험은 시 제에 맞지 않습니다.

07 주어진 문장은 무엇이가 없어서 선수가 무엇을 했는지 드러나지 않았습니다.

08 ④는 인공 지능이 일으킬 위험을 막을 방법을 생각해야 한다는 글쓴이의 생각과 반대됩니다.

09 이 글에는 '인공 지능', '위험', '지배'와 같은 낱 말이 많이 쓰였습니다. 글쓴이는 자신의 주장을 펼치려고 중요한 낱말을 반복해 사용합니다.

10 ①과 ④는 기행문의 처음 부분에, ③과 ⑤는 기행문의 가운데 부분에 쓸 내용입니다.

11 ③에는 여행하면서 간 곳이 나타나 있습니다.

12 ⓐ 오답 풀이 ①, ②는 전문, ④, ⑤는 감상입니다.
   예안이는 낱말을 '비슷'과 '방식'으로 나누어 이 미 아는 뜻으로 낱말의 뜻을 짐작했습니다.

13 제시된 글은 명한의 반장을 설명해 주는 부분 입니다. 낱말을 보고 있는 명한의 모습을 자세하 게 표현한 이 부분은 이 부분은 읽는 사람을 생각하며 먼저 썼다는 점이 읽기와 다릅니다.

14 글 내용을 자세히 살펴보며 꼼꼼히 읽고 아는 내용과 새롭게 안 내용을 비교하며 읽는 것은 자세히 읽기 방법입니다.

15 체험에 대한 감상을 글부분에만 써야 하는 것 은 아닙니다. 각 체험한 일에 따라 생각이나 느 낌을 쓰는 것이 좋습니다.

16 여자라서 비행 학교에 갈 수 없다는 말을 들었 을 때 '나'는 억울하고 긍정하지 못하다는 생각 을 했을 것입니다.

17 나타를 되찾고 싶은 '나'의 처지가 되어 생각한 표현을 ①이고, 비행 학교에 들어가고 싶은 '나' 의 기분을 고려한 표현은 ②입니다.

18 많은 내용을 글로 표현한 ⑦보다 내용을 도형 과 선, 화살표로 나타낸 ⓒ가 한눈에 이해하기 쉽습니다.

19 건강 달리기의 효과에 대해 정리한 부분이므로 '건강 달리기가 들어가는 것이 알맞습니다.

20 격식 글을 쓰는 주제에 맞춤한 단체에서 메일이 내 용입니다.

21 정문이는 시의 주제를 잘못 이해하고 토론 주 제에 맞지 않는 의견을 말했습니다.

22 하준이 발제되록 환자를 지료하는 상황이 나타 난 장면에는 비장한 느낌의 음악이 어울립니다.

23 여기서 무너지면 안 된다고 다짐하는 내용을 들려주어야 하므로 ③이 알맞습니다.

24 본주머니로 매일 나는 돈을 나염해야 설명 했으므로 (2)의 통에 글게 제시했지만 한 화면에 너무 많은 내용을 제시했습니다.

25 여자아이는 발표 자료를 크게 제시했지만 한 화면에 너무 많은 내용을 제시했습니다.

모의 평가

영어 3회 109~111쪽

01 ②	02 ⑤	03 ②	04 ①	05 ③
06 ⑤	07 ②	08 ②	09 ⑤	10 ⑤
11 ③	12 ③	13 ④	14 ②	15 ②
16 ⑤	17 ③	18 ⑤	19 ①	20 ②
21 ②	22 ⑤	23 ④	24 ③	25 ⑤

듣기 대본

01 M: What is he doing?
W: ① He is cooking.
② He is washing the dishes.
③ He is reading a book.
④ He is making a card.
⑤ He is cleaning the kitchen.
풀이 그가 무엇을 하고 있는지 묻고 있고 그림의 남자아이가 설거지를 하고 있으므로 ② '그는 설거지를 하고 있어.'라고 대답하는 것이 알맞습니다.

02 G: Where is the bank?
B: Go straight. It's next to the hospital.
풀이 은행은 똑바로 가면 병원 옆에 있습니다.

03 B: How's it going?
G: ① Speaking.
② Yes, please.
③ Very well, thanks.
④ Sounds good.
⑤ It was good.
풀이 How's it going?은 인사를 묻는 표현이므로 ③ '잘 지내, 고마워.'가 대답으로 알맞습니다.

04 B: What's your favorite subject, Jenny?
G: My favorite subject is science.
What about you, Minsu?
B: My favorite subject is music.
풀이 Jenny는 무슨 과목을 가장 좋아하는지 묻는 말에 science라고 대답했고, Minsu는 무슨 과목을 가장 좋아하는지 묻는 말에 music이라고 대답했습니다.
오답풀이 ② 음악을 민수가 대답했습니다.

05 M: Where are you, Sumi?
G: I'm in the living room, Dad.
M: What are you doing?
G: I'm cleaning the living room.
M: Where is Jimin?
G: He is in the bathroom.
He is washing his hands.
풀이 수미는 아빠와 이야기하고 있고 지민이는 나누며 자신은 거실에서 청소하고 있고 지민이는 화장실에서 손을 씻고 있다고 말했습니다.

06 G: Hello?
B: Hello. This is Jason.
Can I speak to Yuna?
G: _____
풀이 전화 대화에서 대화의 마지막에 유나와 통화할 수 있는지 묻고 있으므로 마지막 말로는 유나와 '전데요.'라는 뜻이 'This is she speaking.'이 알맞습니다.

07 B: What did you do last Sunday, Jina?
G: I went to the zoo with my mom and dad.
풀이 지난 일요일에 무엇을 했는지 묻고 지난 일요일에 아빠와 함께 동물원에 갔었다고 답했습니다.

08 G: What time do you do your homework?
B: I do my homework at five.
G: What time do you have dinner?
B: I have dinner at six.
풀이 Tony는 5시에 숙제를 합니다. Tony는 6시에 저녁 식사를 합니다.

09 G: Is this your umbrella, Kevin?
B: No, it's not mine. It's Kate's.
G: Whose ruler is this?
B: It's mine. Thank you.
오답풀이 ③ Tony는 자기 것이 아니고 누구의 것이냐는 물음에 Kate의 것이라고 대답했고, '이것은 누구의 자냐?'라는 물음에 자기 것이라고 대답했습니다.
Kevin은 '이 우산이 너의 것이니?'라는 물음에 자기 것이 아니고 Kate의 것이라고 대답했습니다.

영어 58~59쪽

01 ③	02 ①	03 ②	04 ①	05 ③
06 Where	07 visited	08 will go		
08 ④	09 ②	10 Jenny's	11 ②	
12 ④	13 ①	14 ②	15 ③	

01 긴 곱슬머리 여자아이므로 빈칸에는 curly hair가 알맞습니다.
02 모자를 쓴 여자아이므로 is wearing a cap이 알맞습니다.
03 불킨이 누구의 것인지 대답할 때는 소유격을 나타내는 말로 mine, 「my + 물건 이름」을 사용합니다.
04 이번 여름 방학 때 무엇을 할지 물었으므로 미래에 할 일을 말하는 표현인 will go로 바꾸어야 합니다. Where are you?입니다.
05 교실에 많은 의자가 있어요. '많은'이라는 뜻의 many가 알맞습니다. There are many chairs 순으로 씁니다.
06 빈칸 앞에 a가 있으므로 그림에 한 개 있는 것은 무엇인지 묻는 물음인 table이 알맞습니다. (kitchen)입니다.
07 지난 주말에 한 일을 말하므로 과거형 visited로 바꾸어야 합니다.
08 이번 주말에 할 일을 말한 것인 will go로 바꾸어야 합니다.
09 물건을 누구의 것인지 대답할 때는 소유격인 Jenny's가 알맞습니다.
10 Jenny의 것이라는 뜻의 Jenny's가 알맞습니다.
11 '~에 있어'라고 말할 때는 「I'm/He's/She's in the + 장소 이름」이라고 하므로 빈칸에는 in이 알맞습니다.
12 미래에 일어날 대화이므로 빈칸에 (어제)는 알맞지 않습니다.
13 원하는 것을 말할 때는 「want to + 행동을 나타내는 표현」으로 to do와 to listen으로 바꾸어야 합니다.
14 민수가 어디에 있는지 물었으므로 '음악실에 있어.'라고 답하는 것은 어색합니다.
15 「Whose + 물건 이름 + is this?」의 표현에는 Yes나 No로 답하지 않습니다.

영어 61~62쪽

01 ⑤	02 ②	03 ⑤	04 ②	05 ⑤
06 ④	07 to			
08 ④	09 ②	10 ②	11 ①	
13 (1) to do (2) to listen		14 ②	12 ②	
15 What did you do				
16 ⑤				

01 ① go – went ② do – did
③ cut – cut ④ see – saw

02
03
04 이번 여름 방학 때 무엇을 했는지 물었으므로 ⑤가 알맞습니다.
05 장래 희망을 물을 때는 What do you want to be?라고 하고, 답할 때는 「I want to be a[an] + 직업 이름」이라고 합니다.
06
07 지난 주말에 한 일을 말하므로 과거형 visited로 바꾸어야 합니다.
08 이번 주말에 할 일을 말한 미래의 표현인 will go로 바꾸어야 합니다.
09 원하는 것을 말할 때는 「want to + 행동을 나타내는 표현」으로 to do와 to listen으로 바꾸어야 합니다.
10 Jenny와 Jessy는 모두 쇼핑을 가고 싶어서 함께 쇼핑을 가기로 했습니다.
11 '지우개에 많은 의자가 있어요.'라는 뜻이므로 빈칸에는 you can't라고 답해야 되므로 No, you can't라고 답해야 합니다.
12 미래에 일어날 대화이므로 빈칸에 was로 과거로 묻는 것은 알맞지 않습니다.
13 원하는 것을 말할 때는 「want to + 행동을 나타내는 표현」인 to do와 to listen으로 바꾸어야 합니다.
14 하렴을 요청하는 표현이므로 빈칸에 '응, 너는 그래.'라고 대답하는 것은 어색합니다.

확인문제

영어   52~53쪽

01 ④   02 ②   03 ②   04 This   05 ③
06 ②,⑤   07 ④   08 ①   09 Where   10 ②
11 ①   12 ⑤   13 ⑤   14 ⑤   15 ④

14 B: Mom, can I watch a movie now?
W: No, you can't.
Do your homework first, Jinho.
B: Okay.
풀이 ... 않다고 대답했습니다.

10 B: What will you do this summer, Bomi?
G: I'll visit my uncle in Daejeon.
What about you, Jinho?
B: I'll go camping with my friends.
풀이 이번 여름에 무엇을 할 것인지 서로 물어 보는 대화에서 제자 삼촌을 방문할 것이라고 대답했습니다.
오답 풀이 ② 캠핑을 갈 것이라고 한 사람은 진호입니다.

15 M: What do you want to do, Sumin?
G: I want to go fishing.
M: That's good. Let's go fishing.
G: Okay, Dad.
풀이 아빠가 수민이에게 무엇을 하고 싶은지 묻자 수민이는 낚시를 하러 가고 싶다고 대답했습니다.

11 G: What does Ben look like?
B: He is tall.
He has curly hair.
He is wearing glasses.
He is wearing a blue shirt.
He is wearing black pants.
풀이 Ben이 어떻게 생겼는지 묻는 말에 남자 아이는 Ben이 키가 크고, 곱슬머리이며, 안경을 쓰고 있고, 파란색 셔츠와 검은색 바지를 입고 있다고 대답했습니다.

16 B: What do you do on Sundays, Kate?
G: I go camping with my family.
What about you, Minsu?
B: I read books at the library.
풀이 일요일에 무엇을 하는지 묻는 말에 민수는 도서관에서 책을 읽는다고 했습니다.
오답 풀이 ① 가족과 함께 캠핑을 간다고 한 사람은 Kate입니다.

12 B: ① I get up at seven thirty.
② I have breakfast at eight.
③ I go to school at eight thirty.
④ I have dinner at six.
⑤ I go to bed at ten.
풀이 남자아이가 8시 30분에 학교에 가고 있는 그림이므로 ③ '나는 8시 30분에 학교에 간다.'가 그림에 대한 설명으로 알맞습니다.

17 ① B: Where are you from?
G: I'm from Korea.
② B: What are you doing?
G: I'm making a cake.
③ B: What will you do tomorrow?
G: I do my homework at seven.
④ B: What do you want to do?
G: I want to eat some cookies.
⑤ B: Where is the bank?
G: Go straight and turn left.
It's next to the school.
풀이 ③ 내일 무엇을 할 것인지 묻는 말에 '나는 7시에 숙제를 해.'라고 자신의 일과에 대해 대답하는 것은 어색합니다. 미래에 할 일을 대답하는 것이 자연스럽고, 미래를 나타내는 말로 행동을 나타낼 때는 「will + 행동」으로 표현합니다.

13 B: I like to draw pictures.
Do you like to draw pictures, Mina?
G: No, I don't. I like to sing.
B: Do you want to be a singer?
G: No, I don't.
B: What do you want to do?
G: I want to be a music teacher.
풀이 무엇이 되고 싶은지 묻는 말에 미나는 음악 선생님이 되고 싶다고 대답했습니다.

영어   55~56쪽

01 ④   02 ②   03 낚시   04 ③   05 ⑤
06 ③   07 ⑤   08 ④   09 ⑤   10 ⑤
11 ②   12 do my homework
13 swimming   14 ⑤
15 to play[playing]   16 ⑤

02 아이가 텔레비전을 보고 있으므로 빈칸에는 watching TV가 알맞습니다. 자신이 지금 하고 있는 행동을 말할 때는 「I'm + 행동을 나타내는 말-ing」로 합니다.

03 오른쪽으로 돌라는 그림이므로 Turn right.가 알맞습니다.

04 전화 대화에서 '저는 ~인데요.'라고 말할 때는 「This is + 자기 이름」으로 표현합니다.

06 전화 대화에서 '전데요.'라고 자신을 밝힐 때는 This is he[she]. / This is he[she] Speaking. / This is Speaking.으로 표현합니다.

07 지나는 캐나다, Ann은 오스트레일리아에서 왔다고 했습니다.

09 장소의 위치를 묻는 표현은 Where is the ~?이고, 상대방의 출신 국가를 묻는 표현은 Where are you from?입니다. 따라서 빈칸에 공통으로 들어갈 말은 Where입니다.

10 Can I speak to ~?는 Is ~ there?로 바꾸어 쓸 수 있습니다.

11 James가 '아주 잘 지내, 고마워.'라고 대답했으므로 빈칸에는 안부를 묻는 표현인 How's it going?(어떻게 지내?)이 알맞습니다.

12 '숙제를 하다'는 do my homework로 표현하고 '그림을 그리다'는 draw pictures로 표현합니다. 지금 하고 있는 일을 말할 때는 「행동을 나타내는 말-ing」로 나타내는 말-ing」로 합니다.

13 무엇을 하고 싶은지 묻는 말에 '나는 디자이너야.'라고 직업을 말하는 것은 어색합니다.

14 '똑바로 가다'라는 뜻의 표현은 go straight입니다.

15 Tom이 도서관의 위치를 묻는 문자 Jason이 대답했으므로 문자 Jason은 도서관의 위치를 알고 있습니다.

04 '~하는 것을 좋아해. / 좋아하지 않아.'라고 말할 때는 「I like(don't like) to + 행동을 나타내는 말」로, 빈칸에는 to가 알맞습니다.

05 '나는 몇 시에 학교에 가나?'라고 일과를 묻는 표현이 알맞습니다.

06 '나는 일요일에 뭘 하니?'라고 여가 활동을 묻는 표현이 알맞습니다.

07 영화를 보러 가자는 제안에 좋다고 답하면서 '나의 숙제를 먼저 해야 해.'라고 말하는 것은 어색합니다.

10 가장 좋아하는 과목을 묻고 있으므로 '책'을 뜻하는 book은 빈칸에 알맞지 않습니다.

11 '너는 어때?'라는 뜻의 표현은 How about you?입니다.

12 '나는 ~에게 ...을 해.'라고 말할 때는 「I + 행동을 나타내는 말 + at + 시각」으로 표현합니다. '나의 숙제를 하다'라는 뜻의 표현은 do my homework입니다.

13 '~하러 가자.'라고 제안할 때는 「Let's go + 행동을 나타내는 말-ing」로 표현합니다.

14 몇 시에 바이올린 수업이 있는지 묻는 말에 '나는 바이올린 연주하는 것을 좋아해.'라고 대답하는 것은 어색합니다.

15 '~하는 것을 좋아하다'는 「like to + 행동을 나타내는 말」 또는 「like + 행동을 나타내는 말-ing」로 나타내는 말 play는 play to play나 playing으로 바꾸어야 합니다.

16 Mark가 피아노 치는 것을 좋아한다고 하기는 했지만 장래 희망이 피아니스트인지는 대화에서 알 수 없습니다.

풀이

18 그림의 주방에는 의자가 네 개 있습니다. 따라서 '이곳에 의자가 네 개 있습니다.'는 그림에 대한 설명으로 알맞지 않습니다.
① 이곳은 부엌입니다.
② 나는 요리하는 것을 좋아합니다.
③ 이곳에서 설거지를 할 수 있습니다.
④ 이곳에 싱크대가 있습니다.

19 A: 그녀는 어떻게 생겼니?
B: 그녀는 머리가 길어.
그녀는 초록색 바지를 입고 있어.
그림의 여자는 머리가 '길고' 초록색 '바지'를 입고 있으므로 빈칸에 알맞은 말은 long이고 빈칸 ①에 알맞은 말은 pants입니다.

20 나는 아침 7시에 일어난다.
나는 7시 30분에 아침 식사를 한다.
나는 8시에 학교에 간다.
나는 오후 3시에 집에 돌아온다.
나는 4시에 숙제를 한다.
나는 6시에 저녁 식사를 한다.
나는 10시에 잠자리에 든다.
글쓴이가 하루 동안 하는 일을 시간별로 썼으므로 글의 제목으로 알맞은 것은 '나의 하루 일과'입니다.

21 A: 너는 무엇을 하고 싶니?
B: 나는 수영하러 가고 싶어.
무엇을 하고 싶은지 물을 때는 What do you want to do?라고 하고, 하고 싶은 일을 말할 때는 「I want to + 행동을 나타내는 말」이라고 합니다. 그러므로 빈칸에 공통으로 들어갈 것은 to입니다.

22 너는 어떤 일을 할 거니?
미래에 무엇을 할 것인지 물었으므로 미래에 할 일을 나타낼 표현을 사용하여 대답해야 합니다. 자신이 미래에 할 일을 나타낼 때는 「I'll + 행동을 나타내는 말」로 표현합니다. 그러므로 나의 미래의 일을 나타내는 ⑤

으로 알맞지 않습니다.
① 나는 영화를 봤다.
② 나는 야구하는 것을 좋아한다.
③ 나는 발을 청소하고 있다.
④ 나는 일요일에 축구를 한다.

23 Sam: 지난 주말에 무엇을 했니?
수진: 나는 피아노 연주회에 갔었어. 멋졌어.
Sam: 너는 피아노 치는 것을 좋아하니?
수진: 응, 나는 피아노 치는 것을 좋아해.
Sam: 음악이 네가 가장 좋아하는 과목이니?
수진: 아니, 내가 가장 좋아하는 과목은 미술이야. 너는 미술가가 되고 싶어.
④ 수진이가 좋아하는 과목은 음악이 아니라 미술입니다.

24 이것은 누구의 책이니?
물건의 첫 글자는 대문자로 쓰므로 whose를 Whose로 고쳐야 하고, 문은 문장이므로 끝에 물음표(?)를 고쳐야 합니다.

25 그녀는 욕실에 있다.
다른 사람이 있는 곳을 나타낼 때는 「He/She is in the + 장소」로 표현합니다. 따라서 ⑤ She is in the bathroom.이 알맞습니다.

그림의 주방에는 말,'로 표현합니다. 그러므로 '는 과학 박물관에 갈 거야.'라는 의미의 ⑤ I'll 나는 go to the science museum.이 대답으로 알맞습니다.

01	⑤	02	⑥	03	④	04	①	05	②	06	①
07	온도	08	(1) ㉠	(2) ㉡	09	⑤	10	65
11	②	12	①, ③	13	④	14	②, ④	15	⑤	16	③

01 모래시계를 만드는 것과 관련된 탐구 문제를 정해야 합니다.

02 **오답풀이** 탐구 결과를 발표할 때에는 중요한 내용만 간단하게 발표해야 합니다.

03 살아 있는 것은 생물, 살아 있지 않은 것을 비생물이라고 합니다.

04 생명체에서는 생물 요소와 비생물 요소를 필요로 합니다.

05 햇빛을 이용하여 생물이 살아가는 데 필요한 양분을 스스로 만드는 생물을 생산자라고 하며, 주로 식물이 해당됩니다.

06 식물의 단잎과 나뭇잎, 동물의 발자국이나 똥 등에 관련이 있습니다.

07 ①은 식생역이고, ②은 북극여우입니다.

08 화학 물질은 환경에 해롭고 생물에게 피해를 줄 수 있습니다.

09 공기 중의 수증기가 응결하여 물방울로 맺힙니다.

10 구입 온도 28 ℃와 습구 온도 23 ℃의 차는 5 ℃입니다. 따라서 구입 온도 28 ℃와 만나는 지점인 65%가 현재 습도입니다.

11 물의 조각 얼음이 들어 있는 비커 표면에 공기 중 수증기가 응결하여 물방울로 맺힙니다.

12 **오답풀이** 마개가 커지고 마개 밖면의 페트병 안 공기의 부피가 커져서 온도가 낮아져 공기 중 수증기가 응결해 물방울이 됩니다.

13 지면은 수면보다 빨리 데워지고 빨리 식어 수면보다 온도 변화가 큽니다.

14 해륙은 바닷가에서 낮에 바다에서 육지로 부는 바람입니다.

15 북서쪽 대륙에서 오는 공기 덩어리는 차갑고 건조합니다.

16 황사나 미세 먼지가 많은 날은 실외 활동을 자제해야 합니다.

01	⑤	02	③	03	①	04	③	05	자동차, 기
차	06	⑤	07	②	08	③	09	③	10	①
11	①, ③	12	①	13	③	14	(1) ①, ②
15	㉠ 산성	16	㉠, ㉢	(2) ㉡, ㉢

01 운동하는 물체는 시간이 지남에 따라 위치가 변합니다.

02 운동하는 물체와 운동하지 않는 물체로 분류하는 문제로 운동은 위치가 변하는 것과 변하지 않는 것을 나타냅니다.

03 자이로드롭과 비행기는 빠르기가 변하는 운동을 합니다.

04 3시간 동안 이동한 거리가 가장 멀어서 경비행기가 가장 빠릅니다.

05 일정한 거리를 이동하는 데 걸린 시간으로 비교합니다.

06 속력은 물체가 이동한 거리를 걸린 시간으로 나누어 구합니다.

07 드론의 속력은 10 m/s입니다.

08 도로를 무단 횡단하는 것은 매우 위험합니다.

09 용액을 모두 눈으로 분류할 수 있고, 모양이나 냄새로 분류할 수 있습니다.

10 붉은 수산화 나트륨 용액은 염기성 용액입니다.

11 푸른색 리트머스 종이를 붉은색으로 변하게 하는 용액은 산성 용액입니다.

12 **오답풀이** 산성 용액에서는 페놀프탈레인 용액의 색깔이 변하지 않습니다.

13 식초는 신맛이 나고 냄새가 납니다.

14 두부를 염기성 용액에 넣으면 흐물흐물해집니다.

15 염기성 용액에 붉은 양배추 지시약을 넣으면 푸른색 계열의 색깔로 변합니다.

16 산성과 염기성 용액을 섞으면 성질이 점점 약해집니다.

실전 문제

국어

113~116쪽

01 ④	02 ④	03 ③	04 ③	05 ⑤
06 ②	07 ⑤	08 ①	09 ⑤	10 ⑤
11 ④	12 ①	13 ⑤	14 ③	15 ⑤
16 ⑤	17 ⑤	18 ①	19 ②	20 ⑤
21 ②	22 ②	23 ①	24 ④	25 ⑤

01 정인이는 체육 시간에 뒤 구르기 동작이 잘 안 되어서 모둠끼리 여러 가지 동작을 꾸밀 때 방해가 되는 것 같아서 걱정하고 있습니다.

02 동욱이는 정인이의 고민을 제대로 듣지 않고 정인이에게 도움이 되지 않는 해결 방법을 강요했습니다.

03 상대의 고민이 별것 아니라고 하는 것은 상대의 마음을 배려하는 행동이 아닙니다.

04 ②, ⑤는 표시에 대한 설명이고, ④는 동방명주 탑에 대한 설명입니다.

05 이 글은 설명하려는 대상의 특징을 나열에서 설명하는 열거의 방법으로 설명하였습니다.

06 주어진 문장에서 꼭 있어야 하는 부분은 주어인 '꽃이'와 서술어인 '피었다'입니다.

07 다른 글을 베끼고 내용을 직접 쓰는 것은 글쓰기 윤리를 지킨 예입니다.

08 글쓰기는 글을 쓸 때 쓰기 윤리를 지켜야 한다는 주장을 펼치고 있습니다.

09 ⑤는 토의 주제를 정할 때 하는 일입니다.

10 서윤이는 지난해에 제주도에 다녀왔기에 글로 남겨 놓아서 여행을 기억하는 것이 좋다고 했습니다.

11 [오답 풀이] 4급수에는 물곰팽이, 실지렁이 같은 생물이 삽니다.

12 '피라미'는 단일어입니다. ⓛ~ⓜ은 복합어로, '물+벼룩', '집신+벌레', '물+곰팽이', '실+지렁이'와 같이 나눌 수 있습니다.

13 교통질서 지키기 광고와 동네 버스 노선은 서로 관련이 없는 내용입니다.

14 먼저 이야기로 쓰고 싶은 경험을 떠올려 주제와 제목을 정합니다. 등장인물을 정하고 인물의 특징을 생각합니다. 이야기의 흐름에 따라 사건과 배경을 정리하고 정리한 내용을 바탕으로 이야기를 씁니다.

15 자운이가 맺줄에의 기분을 생각하지 않고 함께 쓴 기분이 나빠진 명준이가 화를 냈습니다.

16 친구를 위로하는 말, 상대를 배려하는 말로 꾸며야 합니다.

17 헤미의 의견에 대한 문제점을 찾는 것이 의견에 대한 문제점을 아라가 말했습니다.

18 의견대로 실천했을 때 일어날 수 있는 결과나 문제점을 예측하는 단계입니다.

19 글쓴이가 본 것은 자세히 나타나 있습니다. 문장 중간중간에 감상을 넣어 주면 글쓴이가 어떻게 느꼈는지 알 수 있어서 좋을 것입니다.

20 상대의 고민이 별것 아니라고 하는 것은 상대의 마음을 배려하는 행동이 아닙니다.

21 '결코'는 '-지 않다', '-지 못하다'와 같은 부정적인 서술어 또는 '안', '못'이 꾸며 주는 서술어와 호응합니다.

22 건성으로 듣는 것은 대화의 특징을 나열에서 설명하는 열거의 방법으로 설명하였습니다.

23 반대편 학생이 마지막에 하는 임원이 필요한지 이문이라고 했으므로 반대편 주장은 ①입니다.

24 뒤에 '우리에게 재미와 웃음을 주지만'이라는 내용이 오므로 '뜬금없는'은 '엉뚱한'이나 '황당한'과 비슷한 뜻이라는 것을 짐작할 수 있습니다.

25 ⓛ과 ⓜ은 우리말이 있는데도 외국어를 사용했습니다. '텔레강스하게는 '우아하게', '스타일하세요'는 '웃을 입으세요'와 같이 고쳐야 합니다. ⓜ은 '휴대 전화가 다 팔렸습니다. 'ㅡㄴ다고 해야 합니다.

확인 문제

과학

40~41쪽

01 ④	02 ①,③	03 ⓒ,②	04 (1)② (2)ⓒ (3)ⓔ		
05 전도	06 구리, 철, 유리	07 ③	08 ②	09 ③	
10 ②	11 ⑤	12 ①	13 ③	14 ④	15 ⑦
16 ②					

01 실험 결과는 실험을 하고 난 뒤에 정리합니다.

02 제대로 과정에 따라 실험을 해야 하고, 실험 결과를 있는 그대로 기록했는지 확인합니다.

03 [오답 풀이] 온도의 단위는 ℃(섭씨도)이며, 온도는 온도계로 측정합니다.

04 기체온에는 체온을 측정하고, 알코올 온도계는 주로 액체나 기체의 온도를 측정하며, 적외선 온도계는 주로 고체의 온도를 측정합니다.

05 고체에서의 열의 이동 방법은 전도라고 합니다.

06 구리판, 철판, 유리판의 순서로 열 변색 붙임딱지의 색깔이 변합니다.

07 차가운 물은 온도가 높아지고, 따뜻한 물은 온도가 낮아져서 결국 두 물의 온도는 같아집니다.

08 따뜻해진 물은 위로 올라가고 차가운 공기는 아래로 내려오는 과정에 의해 물 전체가 따뜻해집니다.

09 태양열 발전으로 전기를 만들 수 있습니다.

10 태양의 빛을 이용해 가스를 이루어서 있으며, 희미한 그 리가 있지만 눈에 잘 보이지 않습니다.

11 크기가 큰 행성부터 나열하면 목성, 토성, 천왕성, 해왕성, 지구, 금성, 화성, 수성입니다.

12 가시오페이아자리의 바깥쪽 두 별을 연결하면 나는 선분 중앙의 별을 연결한 거리의 다섯 배만 큼 떨어진 곳에 북극성이 있습니다.

13 [오답 풀이] 작은곰자리, 가시오페이아자리는 북쪽 밤하늘에서 관찰할 수 있습니다.

14 가시오페이아자리는 북쪽 밤하늘에서 관찰할 수 있습니다.

15 태양계 행성에서 별이 떠어가 있습니다.

16 별은 스스로 빛을 내고, 행성은 태양 빛을 반사하여 반짝이는 곳에서 빛납니다.

과학

43~44쪽

01 ②	02 ②	03 ④	04 ①	05 ②	06 ④
07 ⓒ	08 ⑤	09 ⑤	10 ①	11 ②	12 매물렌
조 13 ③	14 ③	15 ⑤	16 문해		

01 소금은 물에 잘 녹고, 멸치 가루는 물에 녹지 않습니다.

02 설탕은 용질, 물은 용매, 설탕물은 용액이고, 설탕이 물에 녹는 현상을 용해라고 합니다.

03 설탕이 물에 용해되기 전과 용해된 후의 무게는 같습니다.

04 물의 온도와 양이 같아도 용질마다 물에 용해되는 양은 서로 다릅니다.

05 같은 양의 물에 설탕을 많이 녹일수록 용해되는 양이 진합니다.

06 물의 온도가 높고, 물의 양이 많을수록 소금이 물에 많이 녹습니다.

07 용액의 진하기가 진할수록 비커에 담긴 용액이 높이가 높아집니다.

08 물을 더 넣어 용액을 묽게 만들면 위쪽에 떠 있는 방울토마토가 가라앉습니다.

09 [오답 풀이] 초록색의 작고 둥근 알갱이가 많이 있는 것은 해감입니다.

10 곰팡이는 식물과 생김새가 다르고 꽃이 피지 않으며, 햇빛이 잘 들지 않는 곳에서 잘 자랍니다.

11 버섯과 곰팡이는 포자로 번식하며, 줄기와 잎과 같은 모양이 없습니다.

12 매물렌즈는 물체의 상을 확대해 주는 렌즈입니다.

13 [오답 풀이] 소금쟁이는 동물입니다.

14 [오답 풀이] 세균은 다른 생물에 비해 매우 작고 단순한 모양의 생물입니다.

15 다른 생물에게 양분을 제공하는 것은 이로운 영향입니다.

16 균류와 세균은 죽은 생물을 썩게 하여 자연으로 되돌려 보냅니다.

수학

01 ④	02 ③	03 ②	04 ④, (ㄴ), (ㄱ), (ㄷ)
05 ①	06 ⑤	07 ⑤	08 ① 7/20 kg
09 ③	10 ②,⑤	11 ①	12 ④	13 ③
14 ⑤	15 ③	16 ②	17 7.3194
18 ③	19 ①	20 ③	21 ②
22 140000원	23 ①	24 ①	25 ④

02 ③ $\dfrac{7}{35} = \dfrac{7 \div 7}{35 \div 7} = \dfrac{1}{5}$

05 ① 최소공배수: $5 \times 8 = 40$
② 3과 15 → 최소공배수: $3 \times 3 \times 5 = 45$
③ 9와 16 → 최소공배수: $2 \times 2 \times 2 \times 3 \times 5 = 48$
④ 최소공배수: $2 \times 2 \times 3 \times 4 = 48$
⑤ 최소공배수: $7 \times 6 = 42$

06 공통분모가 될 수 있는 수는 두 분모의 공배수입니다. 12와 9의 공배수는 36, 72, …이므로 두 분수를 통분할 때 공통분모가 될 수 있는 수는 72입니다.

07 남김없이 똑같이 나누어 담으려면 딸기 36과 귤 54의 최대공약수만큼 상자를 준비해야 합니다. 36의 약수는 1, 2, 3, 4, 6, 9, 12, 18, 36이므로 한 상자에 담을 수 있는 자루의 수가 아닌 것은 24개입니다.

08 (밥을 짓기 위해 사용한 쌀의 양)
$= \dfrac{3}{4} + \dfrac{3}{5} = \dfrac{15}{20} + \dfrac{12}{20} = \dfrac{27}{20} = 1\dfrac{7}{20}$ (kg)

09 대응변의 길이는 같으므로 ○ = □, 대응각의 크기는 같으므로 □와 ○ 사이의 …

10 승용차 한 대에는 바퀴가 4개씩 있으므로 바퀴 수는 승용차 수의 4배입니다. 또는 바퀴 수를 4로 나누면 승용차 수와 같으므로 두 수의 대응 관계를 식으로 나타낸 것이 아닌 것은 …

11 $\dfrac{1}{8}$의 5개인 수는 $\dfrac{5}{8}$, $\dfrac{1}{8}$의 2개인 수는 $\dfrac{2}{8} = \dfrac{1}{4}$입니다.

12

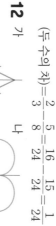

가 (두 수의 차): $\dfrac{8}{24} - \dfrac{5}{24} = \dfrac{3}{24}$ 나: $\dfrac{16}{24} - \dfrac{15}{24} = \dfrac{1}{24}$

대칭축을 세어 보면 가는 5개, 나는 1개입니다.
→ (가와 나의 대칭축의 개수의 차) = 5 − 1 = 4(개)

14 (직사각형의 넓이) = (가로)×(세로)

15 대응변의 길이는 같은 경우이므로 ㄱ = 14입니다.
대응각의 크기는 같은 경우이므로 ㄴ = 70입니다.

16 (평행사변형의 넓이) = (밑변의 길이)×(다른 한 변의 길이)
이므로 (13+□)×2 = 44입니다.
따라서 13+□ = 22, □ = 44÷2−13 = 22−13 = 9(cm)입니다.

17 $180 \times 2 \div 15 = 24$ (cm)

18 (밑변의 길이) = (삼각형의 넓이)×2÷(높이)
$= 3\dfrac{1}{6} \times 2\dfrac{2}{5} = \dfrac{19}{6} \times \dfrac{12}{5} = \dfrac{38}{5} = 7\dfrac{3}{5}$

19 ① 2 ③ 0 ③ 1/2 ④ 0 ⑤ ~아닌 첫 결과

20 하루는 24시간이므로 (하루의 $\dfrac{5}{8}$) $= 24 \times \dfrac{5}{8} = 15$(시간)

21 $8◎12 = 8 \times 3 - 12 \div 2 = 24 - 6 = 18$

22 145760원을 만 원짜리 지폐로 바꾸면 최대 14장까지 바꿀 수 있습니다. 140000원까지 바꿀 수 있습니다.

23 ■÷2.8 = 18.2, ■ = 18.2×2.8 = 50.96

24 (다섯 과목의 총점) = 328+87 = 415(점)
(다섯 과목의 평균) $= \dfrac{415}{5} = 83$(점)

25 두 수의 범위에 모두 포함되는 범위는 14와 19 이하인 수는 14이상 19이하인 수이며, 두 수의 범위에 모두 포함되는 자연수 중에서 가장 큰 수는 19입니다.

사회

01 ④	02 (1)-④ (2)-⑦	03 ①,③
04 ④	05 ①	06 ④	07 정건	08 ⑤	09 ⑤
10 ③	11 ④	12 ①	13 ①	14 군6	15 ④
16 ①			

01 고조선은 우수한 청동기 문화를 바탕으로 다른 부족을 정복하거나 통합하면서 세력을 확장했습니다.

03 **오답 풀이** ①과 ②는 가야, ③은 신라, ⑤는 고구려에 대한 설명입니다.

04 주먹 정복 활동을 벌여 5세기에 전성기를 맞았습니다.

05 ⑦ '백제 멸망(660) → ⓒ 고구려 멸망(668) → ⓒ '신라 대야성으로 ~ 해전에서 당의 해군 격파(675) → ⓓ 신라가 매소성 전투에서 당의 군대 격파(676)' 순으로 통일을 이루었습니다.

06 흥수로 통일을 완성한 수도를 버리고 해무리의 단야 군대 격파를 기쁨이 …

07 검기전쟁을 비롯한 고려군은 … 안에서 … 조선은 …

08 고려는 … 국가를 만들려고 …

11 정치권을 만드는 기준은 … 중국에서 들어온 … 거란을 …

12 이성계는 요동으로 가는 도중 … 조선을 건국하고 …

13 고려 시대에 만들어진 여러 문화 유산을 …

14 세종은 … 조선의 …

15 조선 시대에는 태어날 때부터 신분이 정해져 있어 …

---

01 ⑤	02 ④,④	03 ①	04 ④	05 ⑤	06 가
호민 조안	07 ③	08 ⑤	09 ④	10 ②,③
11 ①	12 ③	13 ①	14 ③	15 ④	16 ⓒ

02 정조는 ① 규장각을 설치하고, ② 국왕 중심으로 정치를 고치는 등 더 자주적인 정치를 했습니다.

03 **오답 풀이** ⓒ 실학자들은 우리나라의 역사, 지리, 국어 등을 연구했습니다.

05 흥선 대원군은 한양과 전국 각지에 척화비를 세워 서양과 교류하지 않겠다는 의지를 널리 …

06 동학 농민군은 전주성을 점령하고 조선과 청, 일본이 …

07 갑신정변은 새로운 국가를 만들려고 했지만 … 백성의 지지를 받지 못해 실패로 끝났습니다.

08 고종은 을사늑약의 … 조선의 …

09 신분제도를 없애 누구나 자유로운 신분을 …

11 신돌석과 같은 … 의병들도 활동했습니다.

14 남한만의 선거가 실시되었습니다.

15 6·25 전쟁은 '북한군의 남침 → 국군과 국제 연합군의 반격 → 중국군의 개입 → 정전 협정 체결' 순으로 전개되었습니다.

사회

120~122쪽

01 ⑤ 02 행정 구역 03 ② 04 ③
05 (1) ㉢, (2) ㉡, (3) ㉤, (4) ㉠ 06 ② 07 ③
08 ② 09 ② 10 ② 11 (1) ㉠, (2) ㉢, (3) ㉡ 16 ①
12 ④, ⑤ 13 ④ 14 ④ 15 ② 16 ①
17 유교 18 ④ 19 ③ 20 좌화비 21 ⑤
22 ③ 23 ⑤ 24 ④, ⑤ 25 ①

01 동해안은 썰물일 때의 해안선을 기준으로 하고, 서해안과 남해안은 섬이 많아서 가장 바깥에 위치한 섬들을 직선으로 그은 선을 기준으로 합니다.

02 행정 기관의 권한이 미치는 범위의 일정한 구역을 행정 구역이라고 합니다.

03 사람들은 지형을 이용해 살아가거나 더 나은 생활을 하려고 지형을 개발하기도 합니다. 지형은 지역별로 기온의 차이가 큽니다.

04 인구 분포가 지역적으로 고르지 않으면 여러 문제가 나타납니다.

05 1970년대에는 대도시의 지속적인 성장과 대도시 포함, 울산, 마산, 창원 등의 새로운 공업 도시로 성장하면서 인구가 크게 증가했습니다.

06 하교수 신분 제도를 고쳐야 한다고 주장했고, 방정환은 어린이날을 만들었습니다. 테베사수 가 나는 가난하고 어려 사람들을 도와주었고, 마틴 루서 킹은 흑인의 인권을 신장하고자 노력 했습니다.

07 청일 전쟁에서 유리해진 일본이 조선의 정치에 더욱 심하게 간섭하자 동학 농민군은 일본을 몰아내려고 다시 일어났습니다.

08 전쟁이 끝나고 조선과 청은 신하와 임금의 관계를 맺었습니다.

09 ③은 한문 소설이고, 나머지는 모두 한글 소설 입니다.

10 대한 제국은 황제의 권력을 지나치게 강화했으며, 국민의 권리를 제대로 보장하지 못한 한계를 지니고 있습니다.

11 김좌진, 홍범도 등이 이끈 청산리 대첩에서 독립군이 가든 크게 승리했습니다.

12 「자시심체요절」은 오늘날 전해지는 금속 활자 인쇄본 중 가장 오래된 것입니다.

13 5세기 초 고구려가 힘이 강해져 남쪽 지역으로 진출해 오자 신라는 백제와 손을 잡고 고구려에 맞섰습니다.

14 음악, 영화, 출판물 등을 사람이 창작물에 행사하는 권리를 저작권이라고 합니다.

15 불교를 장려했습니다. ③ 정치를 안정시키려고 호족을 적절히 견제하되 존중했습니다. ④ 백성의 생활을 안정시키려고 세금을 줄였습니다. ⑤ 거란이 세력을 팽창시키자 발해 유민을 받아들였습니다.

16 고려에 온 몽골의 사신이 돌아가는 길에 죽자, 몽골은 이를 이유로 고려를 침입해 왔습니다.

17 유교는 공자의 가르침을 따르며 나라에 충성하고 부모에게 효도하는 것을 중요시하는 학문입니다.

18 ③은 한글을 장려한 것입니다.

19 종친 대원군은 한양과 전국 각지에 척화비를 세워 서양과 교류하지 않겠다는 의지를 널리 알리고 통상 수교 거부 정책을 강화했습니다.

20 일본은 모든 국민이 존중받고 행복한 삶을 살 아가는 데 필요한 내용을 담고 있습니다.

21 헌법은 바탕으로 여러 법을 만들며, 그 법들은 헌법에 어긋나서는 안 됩니다. 헌법의 내용을 새로 정하거나 고칠 때는 국민 투표로 결정합니다.

22 시각 장애인을 위한 점자 안내도 설치는 국가와 지방 자치 단체에서 하는 일입니다.

23 법이 사회의 변화에 맞지 않거나 인권을 침해할 때에는 법을 바꾸거나 다시 만들 수 있습니다.

24 법을 어기는 행동은 다른 사람의 권리를 침해 하여 사람들 간의 갈등을 유발합니다.

25 우리나라는 청소년이 건강하게 성장할 권리를 보호하려고 '인터넷 게임 셧다운제'를 시행하고 있습니다.

사회

28~29쪽

01 아시아 02 ② 03 ⑤ 04 ⑤ 05 ④ 06 (1)
-㉤ (2)-㉡ (3)-㉣ (4)-㉠
⑤ 10 ㉠남동→㉡북서류 11 ④ 12 ⑤ 13 ⑤
14 ② 15 ⑤ 16 ㉡, ㉢

03 우리나라의 영토는 한반도뿐만 아니라 한반도에 속한 여러 섬도 포함합니다.

04 남북으로 긴 우리나라는 큰 산맥과 하천을 중심으로 북부, 중부, 남부 지방으로 구분할 수 있습니다.

08 ①은 해, ②와 ④는 해안, ③은 산지에 대한 설명입니다.

09 동쪽이 높고 서쪽이 낮은 우리나라의 지형은 하천이 대부분 동쪽에서 서쪽으로 흐릅니다.

11 대체로 해안 지역이 내륙 지역보다 겨울에 더 따뜻합니다.

12 폭염은 매우 심한 더위를 말합니다. ① 홍수를 막으려고 댐이나 제방을 쌓습니다. ② 폭설은 여름에 발생합니다. ④ 황사가 발생하면 외출할 때 마스크를 써야 합니다.

13 1960년대에 도시를 중심으로 산업화가 되면서 촌락에 사는 사람들이 일자리를 찾아 도시로 이동했습니다.

14 과거에는 원료 산지에서 산업이 발달했습니다. ③ 대구는 섬유 산업, 광주는 자동차 산업이 발달했습니다. ④ 1960년대 이후 남 촌 해안가에 중화학 공업 단지가 형성되었습니다. ⑤ 1960년대 이후 생활에 필요한 물건을 공장에서 대량으로 만들기 시작했습니다.

15 교통발달로 지역 간의 이동이 줄어들 면서 지역 간 거리가 점점 가깝게 느껴지고 있습니다.

16 교통의 발달로 ㉢ 도시의 성장과 교통의 발달로 인구가 증가합니다. ㉣ 교통의 발달은 지역 간 인구 이동이 늘어납니다.

사회

31~32쪽

01 ④ 02 ④ 03 ④ 04 ⑤ 05 사회 보장
06 ④ 07 ① 08 ⑤ 09 ⑤ 10 ㉡, ㉢ 11 헌
법 12 ⑤ 13 ④ 14 ③ 15 ③ 16 ⑤

03 우리 조상들은 죄를 지은 사람에게 형벌을 내릴 때도 억울하게 벌을 받지 않도록 세밀하게 조사하고 신중하게 결정했습니다.

04 우리 사회에서 국가와 지방 자치 단체는 인권 보장을 위해 사회 보장 제도를 만들어 시행하느 등 많은 노력을 하고 있습니다.

05 ④는 도덕에 대한 설명입니다.

06 음악, 영화, 출판물 등을 사람이 창작물에 행사하는 권리를 저작권이라고 합니다.

07 우리 사회는 개인의 권리를 보장하고 안정된 사회 질서를 유지하고자 법을 만들었으며, 문제가 발생했을 때는 법에 따라 해결합니다.

08 법을 이기는 행동은 다른 사람의 권리를 침해 하거나 사회 질서를 무너뜨립니다.

09 법을 어기면 권리가 제한되거나 자신의 행동에 대한 책임을 지게 됩니다.

10 헌법은 모든 국민이 존중받고 행복한 삶을 살 아가는 데 필요한 내용을 담고 있습니다.

11 헌법을 바탕으로 여러 법을 만들며, 그 법들은 헌법에 어긋나서는 안 됩니다. 헌법의 내용을 새로 정하거나 고칠 때는 국민 투표로 결정합 니다.

12 헌법 재판에서 법이 국민의 인권을 침해한다고 결정이 나면 그 법은 개정되거나 폐지됩니다.

13 사회권은 인간답게 살 수 있도록 국가에 요구 할 수 있는 권리입니다.

14 모든 국민, 기업, 국가는 환경을 보전하기 위해 노력할 의무가 있습니다.

15 우리가 행복하게 살아가려면 헌법에 나타난 권리를 보장하고 의무를 실천하는 것이 필요합니다.

과학

01 ④ 02 길이가 짧다 03 ④ 04 ①
05 태양의 또는 태양빛 06 ② 07 ③,⑤ 08 ④
09 ③ 10 ③ 11 ⑤ 12 ㉠,㉢,㉤
13 ① 14 ⑤ 15 ㉡,㉣,㉤ 16 ⑤
17 ㉡,㉣ 18 ③ 19 ④ 20 ㉡,㉣,㉤
22 ⑤ 23 ② 24 ⑤ 25 ③,⑤ 21 ②

01 탐구 문제를 정하고 실험 결과를 해석한 것을 비교하고 실험 계획을 세운 뒤 실험을 하고 실험 결과를 해석한 것을 비교하여 결론을 내립니다.

02 온도가 다른 두 물질이 접촉하면 따뜻한 물질은 온도가 낮아지고, 차가운 물질은 온도가 높아집니다. 온도가 낮아지다가 시간이 지나면 결국 두 물질의 온도가 같아집니다.

03 구리판의 한 꼭짓점을 가열하면 그 부분부터 시작으로 멀어지는 방향으로 점점 변합니다.

04 우리가 살아가는 데 필요한 대부분의 에너지는 태양에서 얻습니다.

05 냉방 기구를 위쪽에 설치하면 차가워진 공기가 아래로 내려오고 성질을 이용해 생활해 집니다.

06 수성과 금성, 지구와 화성은 상대적인 크기가 비슷합니다.

07 목성과 토성, 천왕성과 해왕성이 상대적인 크기가 비슷합니다.

08 용해에는 뜨고 가라앉는 물질이 없습니다.

09 용해에는 용질이 종류에 따라 녹는 양이 다릅니다.

10 용액이 진하기가 진할수록 물체가 더 높이 뜹니다.

11 배설과 균형을 하고 자라는 생물이 입니다.

12 재활용을 하고 조금 조절하여 집신벌레를 찾는 데에 미등 나사로

13
오답 풀이 금광이나 세균이 없어지면 오염은 빛이 사체를 분해할 수 없기 때문에 새로운 생겨나게 됩니다.

14 사과나무는 햇빛 등을 이용하여 양분을 만드는 생산자입니다.

15 먹이 관계에서 생산자인 식물이 첫 번째 단계가 됩니다. 옥수수는 나방 애벌레에게 스스로 벌레는 참새에게, 참새는 매에게 먹힙니다.

16 각 서식지의 환경에서 살아남기에 유리한 특징을 지닌 생물이 자손을 남길 수 있습니다.

17 건조한 날에는 습도를 높이기 위해서 가습기를 사용하거나 실내에 젖은 수건을 걸어 둡니다.

18 구름 속 작은 물방울이 합쳐지면서 무거워져 떨어지거나, 구름 속 얼음 알갱이의 크기가 커지고 무거워져 떨어질 때 기온이 높은 지역을 지나면 녹아서 비가 됩니다.

19 여름에는 남쪽 바다에서 공기 덩어리가 이동해 옵니다. 남쪽에서 이동해 오는 공기 덩이가 따뜻하고, 바다에서 이동해 오는 공기 덩어리는 습합니다.

20 시간이 지남에 따라 물체의 위치가 변할 때 물체가 운동한다고 합니다.

21
오답 풀이 일정한 시간 동안 긴 거리를 이동한 물체가 운동한 물체입니다.

22 학교 근처 도로에서는 자동차가 최대한 느리게 지나가게 제한합니다.

23 배출표에서 빠를수록 물은 때문입니다.

24 배출표와 빨랫방에 빨간색으로 변하는 용에 는 염기성이 있어 염기성 용액은 두부를 녹 이는 성질이 있어 용액에 넣으면 단백가 녹아 흐물흐물해 집니다.

25 욕실을 청소할 때 사용하는 표백제와 속이 쓰 릴 때 먹는 제산제, 하수구가 막힐 때 사용하 는 하수구 세정제는 염기성 용액입니다.

수학

01 19 02 9, 7, 11, 8의 ○표, 6, 4, 50에 △표
03 2개 04 ② 05 250 kg 06 539, 472
07 해설 참조 08 (1) 4 1/6 (2) 6 09 >
10 해설 참조 11 ㉠ 12 6개 13 5 4/7 14 4 cm
15 130° 16 해설 참조 17 (안쪽에서부터) 90, 50, 8
18 6 cm 19 해설 참조 20 44 cm

04
② 4200을 올림하여 백의 자리까지 나타내면 4200입니다.

06
반올림하여 백의 자리까지 각각 나타내면
539 → 500, 587 → 600,
472 → 500, 423 → 400

반올림하여 백의 자리까지 나타낸 수가 서로 같은 두 수는 539, 472입니다.

07
24 25 26 27 28 29 30 31 32 33 34 35 36

어떤 수를 반올림하여 십의 자리까지 나타내어 30이 되려면 25 이상 35 미만인 수이어야 합니다. 대분수를 가분수로 고치지 않고 약분하여 곱셈을 합니다.

10
대분수를 가분수로 고치지 않고 약분하여 곱셈을 합니다.

11
바른 계산: $10 \times 3\frac{1}{6} = 10 \times \frac{19}{6} = \frac{95}{3} = 31\frac{2}{3}$

$\boxed{\frac{3}{8} \times \frac{5}{2} \times \frac{1}{7} = \frac{15}{56}, \quad \frac{3}{4} \times \frac{1}{7} \times \frac{3}{8} = \frac{9}{56}}$

16
㉣

따라서 계산 결과가 더 큰 것은 ㉠입니다.

18
(선분 ㄷㄴ)=(선분 ㄱㄴ)=6(cm)

19

20
(도형의 둘레)=(6+7+9)×2=44(cm)

수학

01 해설 참조 02 8.1 03 88.2 04 >
05 1.53 km 06 539, 472
07 28.8, 288, 0.288 08 ⑤ 09 6개 10 해설 참조
11 ㉠,㉣,㉤ 12 6개 13 ㅅ,ㅈ ㄷ
14 해설 참조 15 20 16 40명 17 6명
18 성윤 19 분기숭데에 ○표 20 1/2

01
$0.7 \times 3 = \frac{7}{10} \times 3 = \frac{7 \times 3}{10} = \frac{21}{10} = 2.1$

03
㉣은 수부터 자례대로 쓰면 18, 7, 4.9이므로
(가장 큰 수)×(가장 작은 수)=18×4.9=88.2

04
$3.5 \times 1.2 = 4.2, \ 0.9 \times 4.4 = 3.96 \rightarrow 4.2 > 3.96$

05
(소리가 4.5초 동안에 가는 거리)
=0.34×4.5=1.53 (km)

10
생략한 면과 서로 마주 보는 면을 찾습니다.

12
(1)

(2)

14
서로 평행한 두 면을 찾아 마 주 보는 면을 색칠합니다.

16
(5학년 학생 중 동생이 있는 학생 수)
=(평균)×(학급 수)=8×5=40(명)

18
(은희의 평균)=$\frac{72+76+81}{3}$=76(점)
(성윤의 평균)=$\frac{74+77+86}{4}$=77(점)

20
100원짜리 동전은 앞면과 뒷면이 나올 가능성은 반반입니다. → $\frac{1}{2}$

영어

01 ⑤	02 ⑤	03 ⑤	04 ②	05 ⑤
06 ②	07 ④	08 ①	09 ②	10 ③
11 ②	12 ③	13 ③	14 ②	15 ②
16 ⑤	17 ④	18 ②	19 ①	20 ②
21 ⑤	22 ③	23 ④	24 ⑤	25 ③

01 G: Where are you from?
B: ① I visited Brazil.
② I'm ten years old.
③ This is for you.
④ Yes, please. Thank you.
⑤ I'm from France.
풀이 어느 나라에서 왔는지 묻고 있으므로 ⑤ '나는 프랑스에서 왔어.'가 대답으로 알맞습니다.

02 B: Where is the bus stop?
G: ① Go straight and turn left.
② Go straight one block.
③ Turn right. It's on your left.
④ Go straight two blocks.
⑤ It's red and big.
풀이 버스 정류장이 어디인지 묻고 있으므로 ⑤ '그것은 빨간 색이고 크기가 커.'는 대답으로 알맞지 않습니다.

03 W: Where is Tony?
B: He is in the bathroom.
W: What is he doing?
B: He is washing his shoes.
What are you doing, Mom?
W: I'm making pizza.
풀이 남자아이의 엄마가 남자아이에게 Tony가 어디 있는지 묻자 남자아이는 욕실에 있다고 했고, 무엇을 하고 있는지 묻자 신발을 세탁하고 있다고 했습니다.
오답풀이 ③ 피자를 만들고 있는 남자아이의 엄마입니다.

04 B: What time do you go to school, Jina?
G: I go to school at eight thirty.
B: What time do you come home?
G: I come home at three thirty.
풀이 8시 30분에 학교에 가는지 묻는 말에 지나는 그렇다고 대답했으므로, 몇 시에 집에 오는지 묻는 말에는 3시 30분에 온다고 했습니다.

05 B: Let's play badminton.
G: Sorry, I don't like to play badminton.
I like to play tennis.
B: Let's play tennis.
G: Sounds fun.
풀이 여자아이가 배드민턴을 하자고 제안하자 남자아이는 자신은 배드민턴 하는 것을 좋아하지 않고 테니스 하는 것을 좋아한다며 거절했습니다. 이에 여자아이가 테니스를 하자고 제안하자 그 제안을 받아들였으므로 두 사람은 테니스를 할 것입니다.

06 G: What's your favorite subject, Jinsu?
B: My favorite subject is math.
What about you, Suji?
G: My favorite subject is math, too.
풀이 어떤 과목을 가장 좋아하는지 묻는 말에 진수가 수학이라고 대답하고 수지에게 되묻자 수지도 수학이라고 대답했습니다.

07 M: There is a bed.
There is a desk, too.
You can sleep here.
You can do you homework here.
풀이 침대와 책상이 있고, 잠을 잘 수 있으며 숙제할 수 있는 곳은 '침실'입니다.

08 G: What does she look like?
B: ① She has short curly hair.
She is wearing glasses and a scarf.
② She has long curly hair.
She is wearing glasses.
③ She has long straight hair.
She is wearing a scarf.

수학

01 ㉡ 02 (위에서부터) 22 / 15, 7 03 20
04 7 05 식: (2+7)×16÷4−2=8, 답: 8개
06 종철 07 식: 5000−(7500÷5+600)=2900, 답: 2900원
08 ③ 09 21 10 ③, ④ 11 도희 12 1, 2, 4
13 ㉡ 14 16, 32, 48 15 12일 뒤
16 (위에서부터) 5, 6 / 2, 3, 4 17 10개
18 (예) 변의 수가 오각형의 수의 5배입니다.
19 ○×6=◇ 또는 ◇÷6=○ 20 59살

04 $63÷9+2×5=7+10=17$
$30−8×3÷4=30−24÷4=30−6=24$
따라서 두 식의 계산 결과의 차는 $24−17=7$입니다.

05 $(2+7)×16÷4−2=9×16÷4−2$
$=144÷4−2$
$=36−2$
$=34$

12 28의 약수: 1, 2, 4, 7, 14, 28
32의 약수: 1, 2, 4, 8, 16, 32
따라서 28과 32의 공약수는 1, 2, 4입니다.

14 두 수의 공배수는 두 수의 최소공배수의 배수와 같으므로 16의 배수 중에서 50보다 작은 수는 16, 32, 48입니다.

15 4와 6의 최소공배수를 구하면 됩니다.

$$2)\underline{4\ \ 6}$$
$$\ \ 2\ \ 3$$

→ 최소공배수: $2×2×3=12$
따라서 두 동전이 달리기와 수영을 동시에 하는 날은 12일 뒤입니다.

17 검은 바둑돌은 흰 바둑돌보다 2개 더 적으므로 흰 바둑돌을 12개일 때 검은 바둑돌은 $12−2=10$(개)가 필요합니다.

19 탁자 한 개에 6명씩 앉아 있으므로 탁자가 1개씩 늘어날 때마다 사람이 6명씩 늘어납니다.

20 아버지는 승수보다 $41−12=29$(살) 더 많으므로 승수가 30살일 때 아버지의 나이는 $30+29=59$(살)이 됩니다.

01 (1) 10, 18, 20 (2) 3, 10, 1 02 ⑤
03 $\frac{3}{8}$, $\frac{8}{37}$에 ○표 04 $\frac{19}{24}$ 05 $\frac{5}{8}$, $\frac{3}{5}$, 0.4 09 >
06 종철 07 0.5 08 (1) $\frac{13}{14}$ (2) $\frac{23}{45}$
10 $1\frac{37}{45}$ 11 $\frac{22}{35}$컵 12 3 13 66 cm
14 평행사변형 15 315 cm²
16 (1) 530000 (2) km² 17 13 18 나
19 128 m² 20 정사각형, 32 cm²

01 분모 36과 분자 24의 공약수가 1, 2, 3, 4, 6, 12이므로 $\frac{24}{36}$를 약분할 수 있는 수는 ⑤ 8입니다.

02 각각의 수를 분모가 같은 수로 나타내면
$\frac{3}{5}=\frac{24}{40}$, $\frac{5}{8}=\frac{25}{40}$, $0.4=\frac{16}{40}$이므로 가장 큰 수부터 차례대로 쓰면 $\frac{5}{8}$, $\frac{3}{5}$, 0.4입니다.

07 만들 수 있는 진분수: $\frac{1}{2}$, $\frac{1}{7}$, $\frac{2}{7}$
$\left(\frac{1}{2},\ \frac{1}{7},\ \frac{2}{7}\right) \rightarrow \left(\frac{7}{14},\ \frac{2}{14},\ \frac{4}{14}\right)$이므로 가장 큰 수는 $\frac{1}{2}$이고 $\frac{5}{10}=0.5$입니다.

12 $5\frac{1}{24}−1\frac{?}{?}=5\frac{3}{24}−1\frac{14}{24}$
$=4\frac{27}{24}−1\frac{14}{24}=3\frac{13}{24}$
□$<3\frac{13}{24}$이므로 □ 안에 들어갈 수 있는 자연수 중에서 가장 큰 수는 3입니다.

14 (평행사변형의 둘레)$=(8+4)×2=24$ (cm)
(마름모의 둘레)$=7×4=28$ (cm)
따라서 둘레가 더 짧은 것은 평행사변형입니다.

15 (둘째번의 넓이)$=15×21=315$ (cm²) (둘이)

17 (밑변)$=$(평행사변형의 넓이)$÷$(높이)
$=78÷6=13$ (cm)

20 (정사각형의 넓이)$=9×9=81$ (cm²)
(사다리꼴의 넓이)$=(5+9)×7÷2=49$ (cm²)
따라서 정사각형의 넓이가 사다리꼴의 넓이보다 $81−49=32$ (cm²) 더 넓습니다.

④ She has short straight hair.
She is wearing a scarf.
⑤ She has long curly hair.
She is wearing a scarf.

09 B: What do you do on Sundays, Mina?
G: I cook with my dad.
B: What did you make last Sunday?
G: I made some cookies.

풀이 그림의 여자는 짧은 곱슬머리에 안경을 쓰고 스카프를 두르고 있으므로 ①이 대답으로 알맞습니다.

10 W: ① Go straight.
② Turn left.
③ Turn right.
④ It's on your left.
⑤ It's next to the bank.

풀이 우체국은 도서관 가가 표지판이므로 ③ '오른쪽으로 도세요.'가 표지판을 바르게 설명한 것입니다.

11 B: What do you want to do, Jessy?
G: I want to go to the beach.
I want to draw pictures there.
What about you, Jason?
B: I want to go to New York.
I want to visit my uncle there.

풀이 무엇을 하고 싶은지 묻는 말에 Jessy는 해변에 가고 싶고 그곳에서 그림을 그리고 싶다고 대답했으므로 ⑤ '내 개는 뛰고 있어.'

12 B: Can I watch TV now?
M: No, you can't.
Clean your room and do your homework.
B: Dad! Can I eat some cookies?
M: Sure, you can.
Wash your hands and eat some cookies.

13 G: I'll help my mother. What about you?
B: I'll go to the museum with Jina.
G: What will you do tomorrow, Jimin?

풀이 내일 무엇을 할 것이냐고 묻는 말에 지민이는 지나와 박물관에 갈 것이라고 대답했습니다.
오답풀이 ①, ④ 엄마를 돕고 집을 청소할 것이라고 대답한 사람은 여자아이입니다.

14 G: I went swimming yesterday.
What did you do, Hajun?
B: I played baseball with my friends.
I like to play baseball.

풀이 하준이는 친구들과 야구를 했고, 야구하는 것을 좋아한다고 했습니다.

15 B: What do you want to be, Minju?
G: I want to be a pilot.
What do you want to be, Jim?
B: I want to be an artist.

풀이 민주는 비행기 조종사가 되고 싶고, Jim은 미술가가 되고 싶다고 했습니다.

16 B: ① Dad is cooking.
② Mom is reading a book.
③ My sister is playing the violin.
④ Grandma is listening to music.
⑤ My dog is running.

풀이 개는 자고 있으므로 ⑤ '내 개는 뛰고 있어.'가 그림에 대한 설명으로 알맞지 않습니다.

17 ① G: What do you want to do?
B: I want to be a movie star.
② G: What did you do at the zoo?
B: It's next to the hospital.
③ G: What time do you have breakfast?
B: I go to bed at ten.
④ G: How was your summer vacation?
B: It was good.

---

01 ② 02 ② 03 ③ 04 석빙고
05 ③ 06 (1)ⓒ (2)ⓒ (3)ⓒ 07 ⑤ 08 ⓒ, ⓔ
09 ①, ④ 10 ③ 11 ①, ③ 12 ④ 13 ③

01 혜수이는 프라이팬을 만들 때 수세미로 겉면이 이지 않았어서 프라이팬을 설거지를 했습니다.

02 엄마는 혜수에게 아연 마음으로 문제집을 하라고 한 것이 아니라, 혜수의 마음을 헤아리며 이야기해 주셨습니다.

03 누리 소통망으로 대화하면 직접 만나지 않아도 대화할 수 있습니다.

05 '빙고전과 '장박'의 뜻풀이로 보아, '빙' 자는 '얼음'을 뜻하는 글자라는 것을 짐작할 수 있습니다.

06 (1)은 새롭게 안 것, (2)는 짐작한 것, (3)은 알고 싶은 것에 해당합니다.

07 친성과 반대되는 편을 나누어 서로를 설득하는 것은 토론입니다.

08 한글과 보호할 수 있는 것과 연결을 막을 수 있다는 것과 문제를 미세 먼저를 막아야 한다는 것은 주제와 관련이 없습니다.

09 이 글에는 문제를 해결하는 데 무관심한 태도를 보이며 토의에 적극적으로 참여하지 않습니다.

오답풀이 가 놀이의 효능 관계가, 나는 시간을 나타내는 말과 서울어의 호응 관계가 바르지 않습니다.

10 가 황아버지께서는 얼른 진지를 거기 드셨고, 나 어제 저녁에 우리 가족은 함께 동네를 산책을 나갔다.

11 여, '가 그림에 대한 설명으로 알맞지 않습니다.

12 '걱정는 부정적인 서술어와 호응합니다.

13 다른 예에 있는 내용과 비슷하게 급을 쓰는 것은 저작권을 침해하는 행동입니다.

---

01 ⓒ은 인쇄 매체 자료, (ⓛ), (ⓒ)은 영
06 ① 07 한지 08 ③ 09 ④ 10 ⑤
11 ⑤ 12 (2)○

01 '나'은 한지이며 이 글은 한지가 다양하게 만들어지는 과정을 시간 순서대로 소개한 글입니다.

02 서술이가 평종 카페에 글을 올린지 카페 가입과 황성한 공주를 비난했습니다.

03 하수아이와 하은이의 댓글로 보아 혹성 공주는 방송 카페에 자주 글을 올렸습니다.

04 ⓒ과 ⓒ은 모두 앞말과 뒷말에 해당하며 경험한 것입니다.

05 우리 반 친구들을 대상으로 조사를 하였으므로 조사 범위가 너무 좁아서 조정한 것입니다.

06 '나'은 한지이며 이 글은 한지가 다양하게 만들어지는 과정을 시간 순서대로 소개한 과정입니다.

07 옷감으로 불이면 분수색, 지지로 만들으면 노랫색, 풀어를 만들 수 있습니다.

08 풀어를 숙성시켜 풀에 넣어 젓고, 거기에 닥풀을 넣고 다시 잘 엉겨 붙으라고 젖습니다.

09 여인이네 모두는 주제에 맞는 조사 대상으로 표현할 수 있는늘다고 했습니다.

10 '북청부처 사람', '독특한 반려동물과 같이 주제를 위한 음 표현할 수 있는늘다고 여에 나서 했습니다.

11 면담을 하면 자세한 정보를 수집할 수 있지만 시간이 오래 걸리고 인물과 면담을 하지 못할 수도 있습니다.

국어 (21~25번 영어 해설)

21
A: 너는 지난 일요일에 무엇을 했니?
B: 나는 엄마와 공원에 갔어.
너는 무엇을 했어?
A: 나는 친구들과 축구를 했어.

과거의 일을 나타내므로 행동을 나타내는 말이 과거형으로 표현해야 합니다. go의 과거형은 went이고 play의 과거형은 played입니다.

22
A: 너는 ___ 에 무엇을 할 거니?
B: 나는 미술관에 갈 거야.

[풀이] 미래에 할 일에 대해 묻는 말이므로 빈칸에는 미래를 나타내는 말이 들어가야 합니다. 그러므로 과거를 나타내는 ③ '지난 토요일'은 빈칸에 알맞지 않습니다.
① 내일 ② 이번 임요일
④ 이번 주말 ⑤ 오늘 오후

23
민수: 나는 농구하는 것을 좋아해. 너는 어때?
지나: 나는 농구하는 것을 좋아하지 않아.
나는 자전거 타는 것을 좋아해.
우리 공원에서 자전거 타자.
민수: 미안하지만 안 돼.
나는 바이올린 수업이 있어.

자전거를 타자고 제안하는 지나의 말에 따르는 과목을 소개했으므로 지나의 자기 소개이므로 바이올린 수업이 있어 안 된다고 거절했으므로
④ '는 대화의 내용과 일치하지 않습니다.

18
그림에는 의자가 두 개 있으므로 ② '의자가 네 개 있다.'는 그림에 대한 설명으로 알맞지 않습니다.
① 식탁이 한 개 있다.
③ 식탁 위에 꽃병이 한 개 있다.
④ 식탁 위에 컵이 두 개 있다.
⑤ 의자 위에 고양이 한 마리가 있다.

19
안녕, 나는 Jenny야.
나는 캐나다에서 왔어.
나는 열두 살이야.
내가 가장 좋아하는 과목은 수학이야.
나는 너희에게 좋은 친구가 되고 싶어.

글쓴이가 자기 이름, 국적, 나이, 좋아하는 과목을 소개했으므로 글의 목적은 ① 'Jenny의 자기 소개'입니다.

20
나는 주말에 무엇을 하니?

여가 활동이 무엇인지에 관한 질문이므로 자신의 여가 활동에 대해 답해야 합니다. 자신의 여가 활동에 대해 말할 때는 'I + 활동'을 나타내는 말(현재형).'이라고 합니다. 그러므로 '나는 가족들과 캠핑하러 가.'의 의미인 ② I go camping with my family.'가 알맞습니다.
① 나는 사진가야.
③ 나는 가족들과 캠핑하러 갔어.
④ 나는 가족들과 캠핑하러 갈 거야.
⑤ 나는 가족들과 캠핑하러 가는 것을 좋아해.

24
문장의 첫 글자는 대문자로 쓰므로 can을 Can으로 고쳐야 하고, 묻는 말이므로 .(마침표)를 ?(물음표)로 고쳐야 합니다.

25
다른 사람의 옷차림에 대해 표현할 때는 'He[She] is wearing (a[an]) + 옷/장신구.'이라고 합니다.
따라서 ③ He is wearing a coat.가 알맞습니다.
그는 코트를 입고 있다.

---

⑤ G: What are you doing?
B: I will go to the museum.

[풀이] ... 여름 방향이 어땠는지 묻는 말에 좋아하고 답한 ④가 자연스럽습니다.
[오답 풀이] ① 하고 싶은 일을 묻는 말에 장래희망에 대해 답하는 것은 자연스럽지 않습니다.
② 과거에 한 일을 묻는 말에 과거의 위치에 대해 답하는 것은 말에 자연스럽지 않습니다.
⑤ 지금하고 있는 일을 묻는 말에 미래에 할 일에 대해 답하는 것은 자연스럽지 않습니다.

확인 문제

국어 4~5쪽

01 (3)○ 02 ⑤ 03 ③ 04 ④ 05 ④
06 ⑤ 07 (3)○ 08 ① 09 ⑤ 10 서술어
11 ③ 12 ④ 13 ④, ⑤

01 분명하고 자세하게 칭찬하고, 결과보다 과정을 칭찬하는 말은 ③입니다.

02 과정을 칭찬하면 좋은 결과가 나오지 않더라도 상대가 노력을 깨닫게 하려는다고 싶었습니다.

03 우리의 마음을 생각하면서 유라를 도와주고 싶은 정의의 마음을 나타낸 것은 ③입니다.

04 경험을 떠올리며 글을 읽는다고 해서 글을 다 읽지 않고도 바르게 내용을 파악할 수는 없습니다.

05 유관순은 이 마을 저 마을 찾아다니며 독립 만세를 부르는 일에 참여할 것을 부탁했습니다.

06 일제 강점기나 독립 운동과 관련된 자료를 보거나 장소를 방문한 경험을 떠올릴 수 있습니다.

07 [오답 풀이] 추론은 일 년에 세 번이며 13살은 보호자 없이도 바르면으로 이용할 수 있습니다.

08 ⑦ 부분에는 설명하려는 대상이 들어갑니다. ②, ④, ⑤는 설명하려는 대상의 예입니다.

09 문장을 둘로 나누어 주어와 서술어가 호응하는지 살펴봅니다.

10 주어를 움직임, 상태, 성질 등을 풀이하는 말은 서술어입니다.

11 글쓴이는 운전자에게 어린이 보행 안전 교육을 철저히 해야 한다고 있습니다.

12 앞에 '교통사고라는 낱말이 나오므로 '어떤 일이 생기다.'라는 뜻의 '나다'가 어울립니다.

13 ①, ②, ③의 내용은 주제와 관련이 없습니다.

국어 7~8쪽

01 ② 02 개교기념일 03 ①, ③, ④
04 (4)× 05 ④ 06 ① 07 ④
08 가야금 09 (1)× 10 ②, ③, ⑤
11 ③ 12 제비 13 ③

01 토의는 여러 사람이 협력해 문제를 해결하는 방법입니다. 토의를 하면 문제 해결에 직접 참여할 수 있고, 문제 상황을 잘 이해할 수 있습니다.

02 아이들은 개교기념일을 뜻깊게 보내는 방법에 대해 토의했습니다.

03 현규는 토의할 때 반대로 이야기했습니다. 또한, 의견에 대한 까닭은 제시하지 않으면서 다른 사람의 의견을 끝까지 듣지 않았습니다.

04 기행문을 쓰면 여행한 곳의 정보를 다른 사람에게 전해 줄 수 있습니다.

05 다랑쉬오름 아래 자리에는 삼나무와 편백나무 조림지가 있습니다.
[오답 풀이] ⓛ과 ⓒ은 견문이고, ⓛ과 ⓓ은 감상이 드러난 표현입니다.

07 '방울토마토'와 '신맛기'는 뜻이 있는 두 낱말을 합한 낱말입니다. '사과'와 '복숭아'는 단일어이고, '햇밤'과 '에호박'은 뜻을 더해 주는 말과 뜻이 있는 낱말을 합해서 만들었습니다.

09 이 글은 우리나라 전통 악기인 피아노와 관련된 경험을 떠올리는 것은 알맞지 않습니다.

11 이 글은 주장하는 글입니다. ③은 설명하는 글을 읽는 방법이므로 알맞지 않습니다.

12 '내가 먼저 사과를 했더니 '나'와 지하가 다정하게 교실로 들어오는 것을 보고 따광이가 가슴뜻했다는 내용으로 보아 두 사람의 감동이 있었을 것입니다.

13 경험을 이야기로 나타낼 때 글쓴이가 겪은 일을 시간과 장소가 드러나게 쓰는 것은 아닙니다.

MEMO

정답과 해설